RÉPERTOIRE

DES CENTRES D'ARTISTES AUTOGÉRÉS

—–

DIRECTORY

OF ARTIST-RUN CENTRES

Édition / Publishing: **RÉSEAU ART ACTUEL** Directeur général / Executive director: **Bastien Gilbert**
Coordinateurs de la publication / Publication coordinators: **Jean Lalonde, Lucie Bureau, Patrick Vézina**
Traduction / Translation: **Élizabeth Samson** (pages 136, 137, 144, 145, 164-166, 169, 171, 172, 175, 176, 178, 180-182, 184, 186, 187, 189, 190, 194, 196, 197, 210-214, 220-223, 225, 232-235, 240, 247, 249-253, 255, 256, 258, 259, 261, 262)
Révision / Revision: **Micheline Dussault, Claudine Hubert, Zoë Chan, Sarah Watson** Lecture d'épreuves / Proofreading: **Pierre-Marc Gendron, Deena Aziz**
Conception graphique / Graphic design: **Dominique Mousseau** Impression / Printing: **Imprimerie HLN lithographies**

Catalogage avant publication de Bibliothèque et Archives nationales du Québec et Bibliothèque et Archives Canada
Vedette principale au titre :

Répertoire des centres d'artistes autogérés du Québec et du Canada = Directory of artist-run centres of Québec and Canada
7e éd. = 7th ed.
Comprend des index.
Texte en français et en anglais.
ISBN 978-2-9803946-5-2

1. Centres d'artistes autogérés - Québec (Province) - Répertoires. 2. Centres d'artistes autogérés - Canada - Répertoires. 3. Ateliers d'artistes - Québec (Province) - Répertoires. 4. Centres culturels - Québec (Province) - Répertoires. 5. Art canadien - 21e siècle - Ouvrages illustrés. I. Regroupement des centres d'artistes autogérés du Québec. II. Titre: Directory of artist-run centres of Québec and Canada.
N55.C3R458 2010   700.25'714   C2010-942038-1F

Bibliothèque et Archives nationales du Québec and Library and Archives Canada cataloguing in publication
Main entry under title :

Répertoire des centres d'artistes autogérés du Québec et du Canada = Directory of artist-run centres of Québec and Canada
7e éd. = 7th ed.
Includes indexes.
Text in French and English.
ISBN 978-2-9803946-5-2

1. Alternative spaces (Arts facilities) - Québec (Province) - Directories. 2. Alternative spaces (Arts facilities) - Canada - Directories. 3. Artists' studios - Québec (Province) - Directories. 4. Art centers - Québec (Province) - Directories. 5. Art, Canadian - 21st century - Pictorial works. I. Regroupement des centres d'artistes autogérés du Québec. II. Title: Directory of artist-run centres of Québec and Canada.
N55.C3R458 2010   700.25'714   C2010-942038-1E

Cette publication a été rendue possible grâce au soutien financier du Conseil des arts et des lettres du Québec, du Conseil des Arts du Canada et de La Conférence des collectifs et des centres d'artistes autogérés (ARCA). Le RCAAQ tient également à remercier les centres d'artistes inscrits, les commanditaires ainsi que les personnes qui ont travaillé à la réalisation de la 7ᵉ édition du *Répertoire* : Lucie Bureau, Jean Lalonde et Patrick Vézina. Les personnes suivantes doivent également être remerciées, tant pour les relations avec les centres d'artistes que pour leur collaboration à la section *Ressources* : Daniel Roy, Jewell Goodwyn, Todd Janes, Jonathan Middleton, J.J. Kegan McFadden, Eryn Foster, Lise Leblanc ainsi que l'équipe du RCAAQ.

This publication was made possible thanks to the support of the Conseil des arts et des lettres du Québec, the Canada Council for the Arts and the Artist-Run Centres and Collectives Conference (ARCA). The RCAAQ would also like to thank the artist-run centres listed herein, the sponsors and the persons who worked to create the 7ᵗʰ edition of the Directory: *Lucie Bureau, Jean Lalonde and Patrick Vézina. We also thank the following people for helping us contact the artist-run centres and for their contribution to the* Resources *section: Daniel Roy, Jewell Goodwyn, Todd Janes, Jonathan Middleton, J.J. Kegan McFadden, Eryn Foster, Lise Leblanc and the RCAAQ team.*

Regroupement des centres d'artistes autogérés du Québec
3995, rue Berri, Montréal (Québec) H2L 4H2

RÉPERTOIRE
DES CENTRES D'ARTISTES AUTOGÉRÉS
——
DIRECTORY
OF ARTIST-RUN CENTRES

Québec *&* Canada

7e édition __ 7th edition

RÉSEAUARTACTUEL

TABLE DES MATIÈRES__TABLE OF CONTENT

Ontario

Manitoba

Saskatchewan

Alberta

British Columbia__ Colombie-Britannique

Yukon/Northwest Territories/ Nunavut__Yukon/Territoires du Nord-Ouest/Nunavut

Canada

AVANT-PROPOS__FOREWORD

En avant la couleur ! Au-delà de sa couverture sobre et moderne, cette septième édition du *Répertoire des centres d'artistes autogérés du Québec et du Canada* est la toute première à être produite entièrement en quadrichromie. Et c'est justement ce qu'il fallait pour refléter le dynamisme qui anime le réseau des centres d'artistes autogérés d'ici ! Déployant un vaste espace graphique agrémenté de photographies couleur pour représenter chacun des centres, le Répertoire n'a jamais eu autant de prestance. Les lieux de création s'y révèlent avec l'énergie, la fougue qu'on leur connaît et les pages colorées sont le reflet de la qualité des œuvres qui y sont présentées. Il ne manque plus que les gens pour les habiter !

Bilingue et pancanadienne comme les deux dernières éditions du Répertoire, celle-ci recense plus de 160 centres d'artistes autogérés du pays. C'est une quarantaine de plus que la dernière édition ! Regroupés par provinces, étalés d'une couverture à l'autre, les centres sont présentés et détaillés d'après leurs spécificités, leurs points forts et leurs singularités.

Rédigé de manière dynamique dans une grille graphique nouvelle et vivifiée, le Répertoire est plus que jamais la référence en matière de centres d'artistes québécois et canadiens. Il rallie l'ensemble de la communauté artistique, les artistes, les commissaires, les critiques, les administrateurs et autres travailleurs culturels de divers milieux, connexes et entrecroisés, celui des arts visuels, mais également celui des arts médiatiques et celui des arts interdisciplinaires. Le Répertoire est un point de rencontre central dans l'univers protéiforme des centres d'artistes, carburant aux idées libres, faisant fi des enjeux commerciaux de l'art au profit de l'expérimentation et de l'expérience, tant pour l'artiste que pour le spectateur.

Le Répertoire comprend également une liste de ressources pour chaque province – listes que nous espérons exhaustives, afin de dresser un portrait juste des services offerts aux artistes et aux organismes culturels.

Le *Répertoire des centres d'artistes autogérés du Québec et du Canada* n'est cependant pas un outil exclusif aux Québécois et aux Canadiens, il est devenu avec le temps une carte de visite pour le développement international de notre réseau et de notre culture. Il montre à la fois l'étendue de notre territoire et de nos capacités créatives, tant pour les pratiques artistiques que pour les infrastructures mises en place pour bien les produire et les présenter.

Le Regroupement des centres d'artistes autogérés du Québec tient à remercier ses partenaires, la Conférence des collectifs et des centres d'artistes autogérés (ARCA), le Conseil des Arts du Canada, le Conseil des arts et des lettres du Québec ainsi que les annonceurs, pour leur généreux soutien. Le Regroupement remercie également ses membres et les centres d'artistes du Canada, avec le concours desquels la collecte de données a été agréable et constructive.

En route vers sa vingt-cinquième année d'existence, à l'heure du bilan, des célébrations, de la continuité enthousiaste et des nouveaux projets, le Regroupement des centres d'artistes autogérés du Québec est fier de vous offrir cette septième édition de son Répertoire!

Bonne lecture et bonnes visites !

Bastien Gilbert
Directeur général

Marc-Antoine K. Phaneuf
Directeur des communications

We're leading with colour! Beyond the sober, modern cover, this seventh edition of The Directory of Artist-Run Centres of Quebec and Canada is the first produced entirely in four-colour process. And that's exactly what was needed to reflect the dynamism reigning in our network of artist-run centres! Presenting each centre on a broad graphic spread embellished with colour photos, the Directory has never had so much presence. The creative venues are revealed with all the energy and fire we know they embody, and the colour pages reflect the quality of the work they present. All that's missing are the people to fill them!

Bilingual and pan-Canadian like the previous two editions, this Directory details more than 160 of the country's artist-run centres – forty more than the last edition! From front cover to back, the centres are arranged by province, and their strengths, specifications and singularities clearly presented.

Dynamically written and laid out in a new, vibrant graphic framework, the Directory is – more than ever – the reference for Canadian and Quebec artist-run centres. It brings together the arts community – the artists, curators, critics, administrators and other cultural workers of diverse, connected and overlapping milieux – from not only the visual arts, but from the media and interdisciplinary arts as well. The Directory is a meeting place for the multifarious world of artist-run centres, powered by new ideas, flouting commercial artistic concerns in favour of experimentation and experience, as much for the artist as for the viewer.

The Directory also includes entries for resources for each province to create an accurate portrait of services available to artists and cultural organizations.

The Directory of Artist-Run Centres of Quebec and Canada is not simply a tool for Quebecois and Canadians; it has, over time, become a calling card for the international development our network and culture. It simultaneously celebrates the spectrum of our country and our creative capacities, both in terms of artistic practices and in terms of the infrastructures that exist to professionally produce and present them.

The Regroupement des centres d'artistes autogérés du Québec would like to thank its partners — The Artist-Run Centres and Collectives Conference (ARCA), The Canada Council for the Arts, the Conseil des arts et des lettres du Québec, and our advertisers — for their generous support. The Regroupement also acknowledges Canada's artist-run centres and their members, thanks to whom the collection of data was both constructive and pleasant.

As we approach our 25th anniversary – a time of appraisal, celebration, enthusiastic continuity and new projects – the Regroupement des centres d'artistes autogérés du Québec is proud to offer you this seventh edition of our Directory!

Happy reading and visiting!

Bastien Gilbert   Marc-Antoine K. Phaneuf
Executive Director   Director of Communications

LE RÉPERTOIRE EST UNE INITIATIVE DU :__THE DIRECTORY IS AN INITIATIVE OF THE:

Regroupement des centres d'artistes autogérés du Québec (RCAAQ)

Le RCAAQ, la plus ancienne et la plus importante des associations régionales, regroupant plus de 68 centres dans toutes les régions du Québec, célébrera son 25e anniversaire en 2011. Le Regroupement offre des programmes de formation, fait la promotion des publications et organise des événements. Le RCAAQ est un partenaire important du Mouvement pour les arts et lettres (MAL), une coalition pour améliorer le financement des arts au Québec.

RCAAQ, the oldest and largest regional association, boasting more than 68 members across Quebec, will celebrate its 25th anniversary in 2011. The organization coordinates advocacy, workshops, publications promotion and spécial events. RCAAQ is also an important partner in the Mouvement pour les arts et lettres (MAL) coalition to improve arts funding in Quebec.

AVEC LA COLLABORATION DES ORGANISMES SUIVANTS :__WITH THE COLLABORATION OF THE FOLLOWING ORGANIZATIONS :

Artist-Run Centres and Collectives Conference / La Conférence des collectifs et des centres d'artistes autogérés (ARCA)

The Artist-Run Centres and Collectives Conference is a Canadian organization. The members are regional organisations that represent some 200 artist-run centres and collectives. They are active in all regions of Canada.

Organisme canadien, la Conférence des collectifs et des centres d'artistes autogérés représente, par le biais des associations régionales qui en sont membres, près de 200 centres d'artistes et collectifs, actifs dans toutes les régions du pays.

L'Association des groupes en arts visuels francophones (AGAVF)

L'AGAVF est un organisme national de service aux arts, porte-parole des groupes œuvrant dans le domaine des arts visuels professionnels dans les milieux franco-canadiens. Ses membres sont répartis à travers la Nouvelle-Écosse, le Nouveau-Brunswick, l'Ontario et le Manitoba. Ils ont comme champ d'intervention la production, la promotion et la diffusion d'œuvres produites par des artistes professionnels franco-canadiens. Les membres sont des associations d'artistes, des galeries universitaires, des centres d'artistes, des centres de production et des collectifs d'artistes.

L'AGAVF is a national arts service organisation that represents visual arts groups active in Francophone communities outside the province of Quebec. Its members are located in New Brunswick, Ontario and Manitoba and consist of artists associations, university galleries, artist-run centres, production centres and artists' collectives that are involved in producing, promoting and presenting the work of professional French-Canadian artists.

The Aboriginal Region / La Région autochtone

The Aboriginal Region is comprised of four artist-run centres in Saskatchewan, and is working to expand its membership to Aboriginal artist-run centres in other provinces. The Region advocates for Aboriginal artist-run centres in Canada, giving voice to the unique challenges of programming Aboriginal contemporary art.

La Région autochtone regroupe quatre centres d'artistes de Saskatchewan et s'active à élargir ses effectifs aux centres autochtones des autres provinces. L'association fait la promotion des intérêts des centres d'artistes autochtones du Canada, donnant voix à la spécificité de l'art contemporain autochtone et de sa diffusion.

AARCA: The Association of Artist-Run Centres from the Atlantic (AARCA)

AARCA was incorporated in 2005 to support and promote the activities of artist-run centres in Newfoundland and Labrador, Prince Edward Island, New Brunswick and Nova Scotia.

AARCA fut constituée en 2005 pour soutenir et promouvoir les activités des centres d'artistes autogérés de Terre-Neuve-et-Labrador, de la Nouvelle-Écosse, du Nouveau-Brunswick et de l'Île-du-Prince-Édouard.

Artist-Run Centres and Collectives of Ontario (ARCCO)

Established in 1988, ARCCO is a provincial arts service organization that fosters the network and supports the growth and development of more than 40 artist directed organizations engaged in contemporary cultural practice.

Fondé en 1988, ARCCO représente plus de 40 centres d'artistes et collectifs de partout en Ontario. ARCCO encourage la croissance et le développement des organismes en arts visuels qui sont dirigés par des artistes qui s'engagent dans des pratiques contemporaines.

VERRUE (Manitoba)

VERRUE comprises an energetic mix of artist-run centres, public galleries, alternative festivals, service-providers and events programmers. VERRUE' s primary objective is the exchange of information, but the organization also lobbies to affect change and to raise awareness of issues concerning the arts in Manitoba.

VERRUE est un mélange corsé de centres d'artistes, de galeries publiques, de festivals alternatifs, de fournisseurs de services et de programmateurs d'événements. Son principal objectif est le partage d'information, mais l'association veut aussi provoquer le changement et sensibiliser aux enjeux des arts au Manitoba.

Plains Association of Artist-Run Centres (PARCA)

Saskatchewan-based PARCA represents eight centres located in Regina, Saskatoon and Prince Albert, and is working to expand its membership to other parts of the province.

PARCA, en Saskatchewan, représente huit centres d'artistes de Regina, Saskatoon et Prince Albert. L'association poursuit ses efforts pour élargir ses effectifs à l'extérieur de ces villes.

Alberta Association of Artist-Run Centres (AAARC)

AAARC facilitates advocacy, networking, and development for eight artist-run centres in Alberta. Its activities aim to enhance awareness of artist-run culture within Alberta in order to provide more effective advocacy in the long term.

Cette association facilite la défense des droits, le réseautage et le développement de huit centres d'artistes albertains. Ses activités visent à mieux faire connaître les centres d'artistes en Alberta pour défendre leurs droits et, à long terme, accroître leur rayonnement.

Pacific Association of Artist-Run Centres (PAARC)

PAARC was established in 1988 as an association representing artist-run centres in British Columbia. The primary mandate of the society is to work towards the benefit of the practicing artist, within the context of artists' self-determination.

PAARC représente les centres d'artistes de la Colombie-Britannique. L'association est active depuis 1988 et voit au mieux-être des artistes dans un contexte d'auto-détermination.

3e impérial, centre d'essai en art actuel
Action Art Actuel
AdMare, centre d'artistes en art actuel
Agence TOPO
ARPRIM, Regroupement pour la promotion
   de l'art imprimé
L'art passe à l'Est
articule
Artexte
artmandat
Atelier Circulaire
Atelier Presse Papier
Atelier Silex inc.
Ateliers Graff
Atelier de l'Île
Ateliers d'artistes TOUTTOUT
AXENÉO7
ATSA
   (Action Terroriste Socialement Acceptable)
AVATAR, Association de création et de
   diffusion sonore et électronique
Galerie B-312
Boréal ArtNature
Caravansérail
La Centrale
Centre d'artistes Vaste et Vague
LA CHAMBRE BLANCHE
Centre d'exposition Circa, Art contemporain
Centre d'art et de diffusion CLARK
Centre de production Daïmõn
Diagonale, centre des arts et des fibres
   du Québec
DARE-DARE, Centre de diffusion d'art
   multidisciplinaire de Montréal
Dazibao, centre de photographies actuelles
L'Écart... lieu d'art actuel
Engramme
Espace F
Espace Virtuel
Est-Nord-Est, résidence d'artistes
Eastern Bloc
Folie/Culture
La Galerie d'art de Matane, Centre
d'exposition en art actuel
Groupe Intervention Vidéo (GIV)
Grave / Groupement des arts visuels
   de Victoriaville
La Bande Vidéo
Laboratoire NT2 : Nouvelles technologies,
   nouvelles textualités
Langage Plus

Le Lieu, centre en art actuel
Le Lobe
Maison de l'architecture du Québec
Centre Materia
OBORO
L'Œil de Poisson
Optica, un centre d'art contemporain
Occurrence, espace d'art et d'essai
contemporains
Panache art actuel
Perte de Signal
Productions Réalisations Indépendantes
   de Montréal – PRIM
Praxis art actuel
Regart, centre d'artistes en art actuel
SAGAMIE, centre d'art contemporain
[Séquence] centre d'art contemporain
Centre des arts actuels Skol
Sporobole, centre en art actuel
Studio XX
Vidéo Femmes
Galerie Verticale
Vidéographe, Soutien à la création
VOX, centre de l'image contemporaine
VU, centre de diffusion et de production
   de la photographie
Zocalo

Québec

3e IMPÉRIAL, CENTRE D'ESSAI EN ART ACTUEL

3e impérial © Sophie Dodelin, *20,75 contre 1,31*, 2006. Détail d'une intervention réalisée à Granby dans le contexte du programme de résidence *Champs d'intérêt : infiltrer, habiter, spéculer*. Photo : Nina Dubois

164, rue Cowie, espace 330
Granby (Québec) J2G 3V3
T 450 372-7261
info@3e-imperial.org
www.3e-imperial.org

Bureau
mardi au vendredi
10 h – 17 h

Direction générale et artistique
Danyèle Alain

Direction technique et administrative
Yves Gendreau

Communications et assistance aux artistes
Patrick Beaulieu

Appel de dossiers
Consulter le site

Fondé en 1984, le 3e impérial est un espace mouvant de recherche et d'intervention animé par un collectif d'artistes et de professionnels de l'art.

Prospecteur d'art, visionnaire et précurseur, le 3e impérial articule ses activités, dès les années 1990, autour d'un programme de résidence voué à l'exploration de pratiques et de modes de diffusion qui situent l'art actuel dans un rapport de proximité à la collectivité et dans des espaces non dédiés à l'art. Ce programme accueille des artistes du Québec, du Canada et de la communauté internationale et se décline par ses volets de prospection, de coproduction, d'intervention *in situ/in socius*, de communication et de diffusion. Une équipe dynamique soutient chaque projet de résidence par un accompagnement professionnel individualisé, tant sur le plan artistique que technique et logistique.

Résidence + art infiltrant : manières d'habiter le réel

En orientant plus particulièrement ses activités autour de ce qu'il réunit sous le nom d'*art infiltrant*, le 3e impérial affirme sa volonté d'intégration des arts au vivant. Nous entendons par art infiltrant, des pratiques d'art qui opèrent à même le réel par un investissement d'énergie dans le corps social. Les processus de l'art infiltrant privilégient une diversité d'approches esthétiques et une attitude constructive et ouverte; ils mettent à profit des compétences qui ne relèvent pas

exclusivement du champ artistique. Dans une logique de l'apprivoisement, et tout en prenant en charge les considérations éthiques qu'elles soulèvent, ces pratiques participent à intégrer l'art dans différentes sphères du quotidien.

Réflexion + documentation : activités d'édition / forums publics

Afin de constituer une mémoire de l'art vivant et de participer à l'évolution des discours critiques, le 3e impérial soutient un pôle de réflexion autour de ses pratiques, par un travail d'édition (publications, vidéos et Web) auquel s'ajoutent des résidences de théoriciens et de critiques d'art et la réalisation de forums publics.

Founded in 1984, *3e impérial* is a constantly evolving space for research and intervention led by a collective of artists and art professionals.

3e impérial has a visionary and innovative perspective on current art practices. Since the 1990s, the center has focused on a residency program dedicated to the exploration of practices and approaches that situate contemporary art within the broader community and present works in spaces not normally dedicated to art. The program welcomes artists from Quebec, Canada, and from the international community. The residency mandate includes prospecting, co-production, in situ/in socius interventions, communications and dissemination. Each residency project is supported by a dynamic team of art professionals, and artists are provided with personalized artistic, technical, and logistical support.

3e impérial © Giorgia Volpe, *Le temps donné*, 2007. Moments d'une intervention réalisée à Granby dans le contexte du programme de résidence *Champs d'intérêt : infiltrer, habiter, spéculer*. Photo : Nina Dubois et Giorgia Volpe

Residency + infiltrating art practices: ways to inhabite reality

3e impérial focuses specifically on infiltrating art practices and is committed to the integration of art into living spaces. For us, an infiltrating practice is one that is firmly anchored in the real. It injects energy into the social fabric and embraces a variety of aesthetic approaches while favouring constructive, open processes that are not exclusive to art. Through familiarization, and taking into account ethical issues that may arise, infiltration practices integrate art into various aspects of daily life.

Reflection + documentation: editing activities/public symposia

3e impérial is equally committed to archiving the evolution of live art practice and encouraging critical discourse. In addition to residencies for art scholars and critics, the centre's activities include publications, videos, web documentation, and the organization of public symposia.

ACTION ART ACTUEL

Yan Giguère, *Choisir*, photographie, 2009.
Photo : Michel Dubreuil

190, rue Richelieu
Saint-Jean-sur-Richelieu
(Québec) J3B 6X4
T 450 357-2178
F 450 357-2264
action@action-art-actuel.org
www.action-art-actuel.org

Galerie
mardi au samedi
13 h – 17 h

Bureau
lundi au vendredi
9 h – 17 h

Directrice
Julie C. Paradis

Appel de dossiers
Consulter notre site Internet

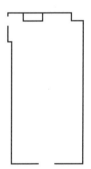

Salle d'exposition principale
Superficie : 85.5 m²
Surface d'accrochage linéaire : 27,25 m
Hauteur : 3,35 m

AAA est un centre d'artistes qui se consacre à la promotion et au développement des pratiques en art actuel. Actif depuis plus de 20 ans dans la région de Saint-Jean-sur-Richelieu au Québec, AAA agit comme lieu de diffusion et de soutien à la recherche en présentant le travail d'artistes d'ici et d'ailleurs.

AAA offre un environnement stimulant de recherche, de présentation et d'expérimentation où artistes émergents et établis se succèdent au sein d'une programmation d'expositions, d'événements et de résidences. Le centre compte deux salles d'exposition, un atelier-résidence et un centre de documentation en art contemporain.

Résidences

À proximité de la rivière Richelieu, le centre est au cœur d'un territoire où une mixité urbanité-ruralité est omniprésente. Les artistes reçus dans le cadre des activités de résidence sont invités à contextualiser leur travail en s'inspirant de ces paramètres. Ce programme reçoit des artistes du Québec, du Canada et de l'étranger. Nos séjours de recherche et de création sont d'une durée de 6 à 8 semaines et se terminent par une présentation, sous la forme d'une exposition, de conférences et d'entrevues, du travail effectué en résidence.

Activités satellites

AAA est un centre d'artistes en pleine mouvance, alimenté par un fonctionnement organique qui propose différentes plates-formes de diffusion, de recherche, de promotion et de production d'œuvres pluridisciplinaires. Plusieurs initiatives et activités satellites sont menées en parallèle à la programmation d'expositions, telles que l'édition de publications, l'organisation de formations et la tenue d'activités de médiation avec le public. De nombreuses collaborations sont également initiées par le biais de projets de commissariats et d'échanges internationaux.

Guillaume Labrie, *Les envahisseurs de l'espace III*, installation, 2008. Photo : Guillaume Labrie

AAA is an artist-run centre devoted to the promotion and development of contemporary art. For more than 20 years, AAA has been active in the Saint-Jean-sur-Richelieu region of Quebec, supporting and presenting the work of artists from here and abroad.

AAA offers a stimulating environment for research, experimentation and presentation in which both emerging and established artists participate in a program of exhibitions, events and residencies. The centre has two exhibition galleries, a studio with residence and a documentation centre for contemporary art.

Residencies

Located near the Richelieu River, the centre is situated in an area that boasts a mix of rural and urban life. Artists selected for the residency programs are invited to use their surroundings for inspiration and to contextualize the environment in their work. The program accepts artists from Quebec, Canada and abroad for research and production residencies of 6 to 8 weeks. At the end of the residency, the artist's work is presented in an exhibition, an artist talk and interviews.

Satellite Programming

AAA is a dynamic organization that is open to various platforms for presentation, research and production, as well as the promotion of multidisciplinary works. Side initiatives and satellite activities are carried out in parallel with the exhibition program, including publications, organized training sessions and public mediation activities. Numerous collaborations are also initiated through curated projects and international exchanges.

ADMARE, CENTRE D'ARTISTES EN ART ACTUEL

Ariane C. Arsenault, *Marée basse*, dans Littoral, exposition collective extérieure du Centre d'artistes AdMare, 2008.

1-1349, ch. de La Vernière
L'Étang-du-Nord (Québec)
G4T 3G1
T 418 986-3083
F 418 986-4277
admare@lino.com
www.admare.org

Le centre AdMare sera responsable d'un site d'exposition professionnel à l'aéroport des Îles de la Madeleine à partir de septembre 2010.

Président
Hugues-Olivier Blouin

Vice-présidente
Mayka Thibodeau

Secrétaire-trésorière
France Painchaud

Appel de dossiers
Consulter le site Internet

Le regroupement des artistes professionnels des Îles de la Madeleine a vu le jour en 1998 avec l'organisation d'un premier symposium intitulé *Mer océane*. En 2003, après avoir réalisé plusieurs autres projets ponctuels, l'organisme sans but lucratif a entrepris de créer sur l'archipel un centre d'artistes dont le mandat premier est de soutenir les pratiques en art actuel.

Programmation

De manière générale, le programme d'activités d'**AdMare** comprend l'accueil d'artistes en résidence, des expositions, des ateliers d'arts visuels, des rencontres d'artistes et des conférences sur divers sujets artistiques et culturels.

Soutien aux artistes

Le Centre s'est donné pour mission de contribuer au développement artistique professionnel sur un territoire unique par sa géographie et sa culture insulaire. Depuis 2009, **AdMare** offre une bourse de professionnalisation qui comprend un cachet pour une exposition solo.

This professional artists group for the Magdalen Islands was created in 1998 with the organization of its first symposium Mer océane. After organizing numerous art projects on a regular basis, the non-profit organisation founded an artist-run centre in 2003, with the primary mission of supporting contemporary art practices.

Programming

In general, the activity program of AdMare consists of a residency program, exhibitions, visual art workshops, artist talks, and conferences on a diverse range of art and cultural topics.

Artist Support

The Centre's mission is to contribute to the professional development of artists in this unique region in terms of its geographic situation and specific culture. Since 2009, AdMare has offered professional development grants that cover artist fees for a solo exhibition.

Katia Grenier, *Les pavillons du dire*. Photo : Emmanuelle Roberge, 2009

Îles-de-la-Madeleine ▶ Québec

5455, avenue de Gaspé
espace 1001
Montréal (Québec) H2T 3B3
T 514 279-8676
agence@agencetopo.qc.ca
www.agencetopo.qc.ca

lundi au jeudi
10 h – 17 h

Agence TOPO est situé au carrefour des arts visuels, de la littérature et des nouveaux médias.

Description des services

Agence TOPO est un centre d'artistes en nouveaux médias dont le mandat est de produire, de diffuser et de distribuer des œuvres multimédias qui explorent les nouvelles narrativités et les croisements interdisciplinaires et interculturels.

Production

Agence TOPO réalise des projets interactifs pour le Web ou sur support électronique, accueille des artistes en résidence et offre des ateliers de formation.

Diffusion

Le volet diffusion propose des modes de présentation novateurs pour des œuvres multimédias originales, par des activités d'exposition, de performance, de publication et de circulation, sur le site Web et dans les réseaux locaux, nationaux et internationaux.

Distribution

La Vitrine électronique est un catalogue unique d'œuvres multimédias (CD/DVD Rom et vidéo) d'art et d'essai, présentant une soixantaine de titres en provenance du Canada, d'Australie, des États-Unis, de Belgique et de France.

Agence TOPO is located at the crossroads of visual arts, literature, and new media.

Services

Agence TOPO is an artist-run centre for new media whose mandate is to produce, disseminate, and distribute multimedia works that explore new narrativities as well as interdisciplinary and intercultural projects.

Production

Agence TOPO creates interactive projects for the web or other support media, hosts artists-in-residence, and hosts training workshops.

Dissemination

Agence TOPO explores innovative presentation modes for original multimedia works through exhibition, performance, publishing, and circulation activities on the centre's website, as well as in local, national, and international networks.

Distribution

The Electronic Showcase is a unique catalogue of artistic and experimental multimedia works (CD-ROMs, DVD-ROMs, and DVD videos), containing over sixty titles from Canada, Australia, the United States, Belgium, and France.

Direction générale
direction@agencetopo.qc.ca

Réalisation multimédia
production@agencetopo.qc.ca

Appel de projets
Consulter le site Internet

Montréal ▲ Québec

ARPRIM, REGROUPEMENT POUR LA PROMOTION DE L'ART IMPRIMÉ

Dominique Pétrin, Allison Moore et Seripop, *Excursion sous la terre*, 2010. Photo : Pascal Genêt

372, rue Sainte-Catherine O.
espace 426
Montréal (Québec) H3B 1A2
T 514 525-2621
F 514 373-2621
info@arprim.org
www.arprim.org

Galerie
mercredi au samedi
12 h – 17 h

Bureau
mercredi au vendredi
10 h – 17 h

Montréal ▶ Québec

Direction générale
Geneviève Turcotte

Coordination à la programmation et aux communications
Caroline Cloutier

Appel de dossiers
Consulter le site
Prix Albert-Dumouchel
1er juin

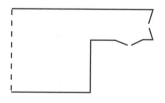

Superficie : 34 m²
Surface d'accrochage linéaire : 17,5 m
Hauteur : 3 m

ARPRIM propose une vision novatrice de l'art imprimé tout en encourageant ses multiples pratiques et esthétiques. L'organisme constitue la référence en art imprimé au Québec et se consacre à la diffusion et à la connaissance de l'art imprimé actuel.

Espace promotion

La vocation de l'espace promotion d'ARPRIM est d'accueillir et de diffuser des projets novateurs en art imprimé, initiés par des ateliers d'estampe, des commissaires ou des collectifs d'artistes.

Mois de l'art imprimé

Présenté tous les deux ans en mai, le Mois de l'art imprimé célèbre les multiples tendances de l'art imprimé en coordonnant un programme d'activités diversifiées dans plusieurs endroits au Québec.

Prix Albert-Dumouchel pour la relève

Ce prix annuel est destiné à souligner l'excellence de la création étudiante collégiale et universitaire, et encourage l'exploration de l'art imprimé comme moyen d'expression. Une bourse et une résidence de création sont offertes chaque année à un lauréat universitaire.

ARPRIM proposes a cutting-edge vision of print media while encouraging its many practices and aesthetics. The organisation is a reference for the printmaking community in Quebec and is committed to the promotion and awareness of contemporary print-based works.

Presentation space

ARPRIM's presentation space is dedicated to hosting audacious printmaking projects initiated by printmaking studios, independent curators or artist collectives.

Print Media Month

Print Media Month takes place every second year in May, and celebrates all forms of print-based works by offering a wide range of activities throughout the province.

Prix Albert-Dumouchel for emerging artists

This annual prize aims to encourage the exploration of print media as a means of expression and highlights outstanding works by college and university students. Every year the award-winning university student receives a cash prize and a creation residency.

3843, rue Sainte-Catherine Est
Montréal (Québec) H1W 2G3
T 514 596–5182
info@lartpassealest.com
www.lartpassealest.com

mercredi
12 h – 18 h
jeudi et vendredi
12 h – 21 h
samedi
12 h – 17 h

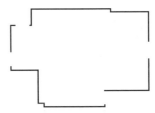

Le Collectif Rattus-Rattus (Stéphanie Bernier, Marie-Ève Blais, Valérie Jacques-Bélair et Sarah Piché-Senécal), *Créer après l'apocalypse*, 2009. Photo : Claudine Matte

Privilégiant les projets collectifs, L'art passe à l'Est a pour mandat de fournir un espace de création, d'expérimentation et de diffusion à la jeune relève artistique. Par ses activités, l'organisme cherche également à favoriser le dialogue et l'échange entre les artistes et le grand public.

Espace de production et de diffusion

Accès au local pendant un mois pour la réalisation et la diffusion d'une exposition. Possibilité d'y travailler en dehors des heures d'ouverture.

Encadrement

Soutien professionnel offert aux artistes pour l'élaboration de dossiers ou la réalisation de projets.

Location de salle

Il est possible de louer l'espace galerie pour des événements de courte durée.

Événements spéciaux

Notre centre organise des événements tels que des spectacles musicaux, des lectures de poésie et des soirées de performances.

L'art passe à l'Est's main goal is to promote the work of up-and-coming emerging artists by providing them with a space for creating, experimenting, and presenting their work. Favouring collective projects, our centre also aims to generate dialogue between artists and the general public through its activities.

Space for Creation and Exhibition

Full access for one month to the gallery as a working space prior to the exhibition. Artists can also work outside of our hours of operation.

Support

Professional support for putting together a portfolio or elaborating a specific project through one-on-one meetings or referral to appropriate resources.

Space Rental

It is possible to rent the exhibition space for short-term events.

Special Events

Our centre also organises special events such as music shows, poetry readings, and performance nights.

Codirectrice
Claudine Matte
info@lartpassealest.com

Codirecteur
Louis-Antoine Blanchette
info@lartpassealest.com

Responsable des communications
Catherine Béliveau
info@lartpassealest.com

Appel de dossiers
Consultez le site Internet

Superficie : 92,17 m²
Surface d'accrochage linéaire : 36,98 m
Hauteur : 2,95 m

Montréal ▲ Québec

ARTICULE

Panayiotis Delilabros, *When You Go Back, Nothing Is Real*, 2009. Intervention (peinture extérieure), Centre de Recherche urbaine de Montréal (CRUM), Conjurer le non-actuel pour confirmer notre présence fragile au temps et à l'espace. Photo : Guy L'Heureux

262, avenue Fairmount Ouest
Montréal (Québec) H2V 2G3
T 514 842-9686
info@articule.org
www.articule.org

Galerie
mercredi au vendredi
12 h – 18 h
samedi et dimanche
12 h – 17 h

Montréal ▶ Québec

Coordination artistique
Julie Tremble

Coordination administrative
Esme Terry

Développement des publics
Michelle Lacombe

Appel de dossiers
Consulter le site Internet
Projets spéciaux
En tout temps

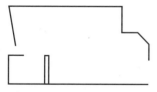

Superficie : 85 m²
Surface d'accrochage linéaire : 36,7 m
Hauteur : 3,35 m
Vitrine : 4,9 x 2,3 m
Cour arrière : 2,4 x 11,6 m

articule est un centre d'artistes accessible et professionnel, qui se consacre à la présentation d'un large éventail de pratiques en art actuel. Par nos différents volets de programmation, nous soutenons la rigueur artistique, l'expérimentation et l'engagement social. En plus de porter une attention particulière aux artistes de la relève, nous respectons ceux et celles qui ont déjà établi des précédents importants et qui continuent à prendre des risques. articule soutient des activités discursives et autres faisant la promotion du dialogue et construisant des réseaux avec des artistes, des collectifs et des organismes locaux, nationaux et internationaux. Notre structure ouverte et flexible favorise la participation directe de nos membres tant sur le plan organisationnel que sur celui de la programmation.

Programmation

Le centre propose quatre volets de programmation : les expositions en galerie qui stimulent et provoquent la réflexion, les projets spéciaux qui soutiennent, à court terme, des projets indépendants et des pratiques variées, des projets de vitrine présentés pendant les périodes de vacances estivales et hivernales et une série d'événements comprenant : les initiatives des membres, les projets de développement de public et de collecte de fonds ainsi que des activités discursives telles que discussions et conférences. Ces nombreuses activités font d'articule un acteur véritablement dynamique suscitant des propositions et des manifestations artistiques, des échanges et des occasions de réflexion. Plus qu'un simple espace d'exposition, le centre est un lieu mouvant, ouvert, où se produit le choc des idées.

Organisation

articule se distingue par la place importante que ses membres occupent dans son organisation. Plusieurs comités initient des projets et participent au développement et à l'orientation du centre et de nombreux bénévoles contribuent à la réalisation de ses activités. articule se veut une structure non hiérarchique, transparente et démocratique.

articule se distingue dans le milieu des centres d'artistes autogérés du Québec en comptant une proportion importante de membres anglophones vivant à Montréal et issus de partout au Canada. Le centre répond ainsi à des besoins particuliers de la communauté artistique locale tout en développant constamment ses liens avec les réseaux francophones.

Matt Shane & Jim Holyoak, *Greyscale Rainbow*, 2009. Photo : Guy L'Heureux

articule is an open-access artist-run centre dedicated to the presentation of a broad range of contemporary practices. Through our various programming channels, we strive for artistic excellence, interdisciplinarity and social engagement. While special consideration is given to emerging artists, we also respect those who have already established important precedents, who continue to test the limits of aesthetic gesture, and who commit themselves to the ideals of experimentation and risk-taking. articule supports discursive and alternative activities that promote dialogue and build networks with local, national and international artists, collectives and organizations. Our open structure encourages the direct participation of an active and diverse membership on both programming and organisational levels.

Programming

The centre has four programming channels: a long-term program of challenging and thought-provoking gallery exhibitions; shorter-term Special Projects supporting independent projects and alternative practices; window projects presented during summer and winter holidays; and a series of events which includes members' initiatives, outreach and fundraising projects, and discursive activities such as screenings, artist talks and conferences. Through its prolific programming, articule continues to grow as a dynamic impulse for artistic ideas and manifestations, exchanges and reflection. More than just an exhibition gallery, the centre is an open, shifting space.

Organisation

articule prides itself on the strength of its members' participation. Many committees initiate projects and participate in the development and orientation of the centre, while a great number of volunteers contribute to its regular activities. articule aims to build a truly non-hierarchical, transparent and democratic structure.

ARTEXTE

Photo : Émilie Laforce

460, rue Sainte-Catherine O.
local 508
Montréal (Québec) H3B 1A7
T 514 874-0049
F 514 874-0316
info@artexte.ca
www.artexte.ca

mercredi
10 h – 19 h
jeudi et vendredi
10 h – 17 h 30

Directrice
Sylvie Gilbert
sgilbert@artexte.ca

Spécialistes de l'information
John Latour
jlatour@artexte.ca
Felicity Tayler
ftayler@artexte.ca

Accès et service de référence gratuits
Access and reference services are free

En 2011, Artexte vous accueillera
dans ses nouveaux locaux au
2-22, rue Ste-Catherine Est comprenant
un nouvel espace de diffusion et une salle
de consultation optimisée pour la recherche.

*In 2011 Artexte will welcome you to its new
space on the third floor of the new building
2-22 Ste-Catherine East, with a new exhibition
space and an updated research area.*

Montréal ▶ Québec

Artexte réalise des activités de recherche,
d'interprétation et de diffusion s'appuyant
sur une importante collection documentaire
qui touche tous les aspects des arts visuels
de 1965 à nos jours, et qui porte une
attention particulière aux productions
du Québec et du Canada.

Collection

Artexte possède une riche collection
de publications relatives à tous les aspects
des arts visuels canadiens qui reflète une
prédilection pour les approches critiques de
la création, de l'exposition, de l'interprétation des arts visuels et de la recherche les
concernant.

Résidence

Artexte reçoit en résidence des chercheurs,
incluant les commissaires, critiques et
artistes qui souhaitent poursuivre une
réflexion critique, tout en étant soutenus
par une équipe professionnelle.

Édition

Depuis 1982, les Éditions Artextes
complètent l'activité éditoriale des musées,
des centres d'artistes et des galeries en
offrant des ouvrages de réflexion spécialisés,
des anthologies, des livres de référence,
visant toutes les disciplines associées
à l'art contemporain.

Base de données :
Information en ligne sur les nombreux
documents de la collection.
www.artexte.ca

*Artexte engages in research, interpretation
and dissemination activities supported by
its unique collection, covering the visual
arts from 1965 to the present, with emphasis
on the art of Québec and Canada.*

Collection

*Artexte has an exhaustive collection
of publications relating to all aspects
of the visual arts in Canada that reflect an
interest in critical approaches to production,
exhibition, research and writing practices
in contemporary art.*

Residencies

*Artexte welcomes researchers, including
curators, critics, and artists in need of work
space to develop critical enquiries with
personalised support from professional staff.*

Publication

*Since 1982, Artextes Editions has published
critical anthologies, monographs and
reference books which complement the
publications produced by museums,
artist-run centres, and galleries. These
offerings reflect the different forms of
practice associated with the field, including
visual, media and interdisciplinary art.*

*Database:
Online information concerning the
numerous documents in the collection.*

19, rue Pierre-Curie
83670 Barjols
France
T 0033 4 94 77 12 03
info@artmandat.com
www.artmandat.com

Uniquement sur rendez-
vous, tous les jours et les
week-ends

Premier adhérent étranger

Vue du bâtiment Les Perles, centre d'art contemporain,
Barjols. Photo : artmandat

Expositions et résidences

À Barjols en Provence, Les Perles, friche postindustrielle d'une ancienne tannerie d'environ 4 000 mètres carrés à l'allure de squat, est un lieu dédié à l'art contemporain. Divisé en 10 ateliers d'artistes permanents, un studio pour les artistes en résidence et un centre d'exposition très typé sur trois étages, c'est le théâtre des activités de l'association artmandat.

En trois ans d'expositions, concerts, lectures, projections et conférences se sont déroulés sous forme de laboratoire expérimental des pratiques contemporaines. Des créateurs de la région évoluent aux côtés d'artistes confirmés et reconnus, de France et d'ailleurs.

Rencontres événementielles

Trois rencontres événementielles sont suivies de la traditionnelle « auberge barjolaise » où les amis et visiteurs sont conviés à l'étage pour partager un plat en toute convivialité tout en discutant. En voici les circonstances :
Vernissage :
soirée d'ouverture en présence des artistes
Mi-dit :
rencontres du dimanche après-midi à la mi-temps de l'exposition avec un concert, une lecture, une performance, un film, etc.
Finissage :
le pot du dernier soir de l'exposition.

Exhibitions and Residencies

Located in Barjols, Provence, and housed in a 4000 square meter former industrial tannery reminiscent of a squat, Les Perles is a space dedicated to contemporary art. Divided into 10 permanent artist studio spaces, a studio for artist-in-residence projects, and a very unique exhibition centre situated across three floors, this is the site of all of artmandat activities.

During its three years of existence, numerous exhibitions, concerts, readings, screenings, and conferences have been presented as part of this experimental laboratory of contemporary practice. Artists of the region grow and evolve alongside renowned and famous creators from France and abroad.

Meetings and Events

These events are followed by the traditional "auberge barjolaise" where friends and visitors are invited to share food and ideas, and participate in discussions:
- Opening night receptions in the presence of the artists (vernissage)
- Sunday afternoon activities that take place midway through the exhibition (mi-dit)
- Reception on the last evening of the exhibition (finissage)

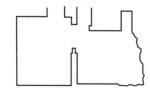

Présidente et directrice
Christiane Ainsley

Secrétaire et coordonnatrice
Sylvie Guimont

Appel de dossiers
En tout temps

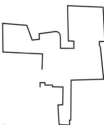

La grotte
Trois espaces troglodytiques au rez-de-chaussée, en pierre et en béton
Superficie : 67 m² Hauteur : 2,30 à 5,70 m
L'étage
Trois salles en pierre, en gypse et en plâtre, sol en béton et en carreaux de ciment
Superficie : 63 m²
Surface d'accrochage linéaire : 32 m
Hauteur : 4,80 m

Barjols ▶ France

ATELIER CIRCULAIRE

Photo : Maria Chronopoulos, 2010

Atelier
503-5445, av. de Gaspé
Montréal (Québec) H2T 3B2
T 514 272-8874
info@atelier-circulaire.qc.ca
www.atelier-circulaire.qc.ca

Galerie
101-5445, av. de Gaspé

mercredi au samedi
12 h – 17 h

Coordonnatrice générale
Maria Chronopoulos
info@atelier-circulaire.qc.ca
Chef d'atelier taille-douce
Paule Mainguy
Chef d'atelier lithographie
Carlos Calado
Chef d'atelier numérique
Anil Ragubance

Appel de dossiers
Galerie Circulaire (artistes professionnels)
15 novembre
Galerie Circulaire (étudiants à la maîtrise de
l'Université Concordia et de l'UQAM)
23 mai
Résidences d'artistes (artistes professionnels)
15 octobre
Résidences d'artistes (étudiants finissants
de l'Université Concordia et de l'UQAM)
15 janvier

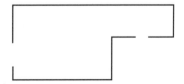

Fondé en 1982, l'Atelier Circulaire se
consacre à la production et à la diffusion de
l'art imprimé. Aujourd'hui, l'Atelier Circulaire
est l'un des centres de production en art
imprimé les plus actifs au Canada.

L'Atelier Circulaire offre des programmes
et des services à la communauté artistique,
aux artistes de la relève et au grand public.
Ses objectifs généraux consistent à fournir
un lieu de travail et de l'équipement aux
artistes professionnels; à assister l'artiste
dans sa production en fournissant de l'aide
technique; à offrir des cours d'initiation et
de perfectionnement; à accueillir des
artistes professionnels en résidence; à
sensibiliser le grand public en organisant
des visites guidées; à soutenir ses membres
par la vente d'œuvres et l'organisation
d'activités spéciales hors murs.

Atelier

L'Atelier Circulaire est équipé pour la
taille-douce, la lithographie, l'impression
en relief et l'impression numérique.
L'Atelier Circulaire occupe un espace
lumineux de plus de 10 000 pi², situé
dans un quartier en pleine transformation,
le Mile-End à Montréal où se côtoient
de plus en plus de centres d'artistes,
de galeries et d'ateliers privés.

Galerie

La galerie occupe un espace au rez-de-
chaussée du même édifice dans le but
d'être plus visible et accessible au public.
La galerie permet un dialogue sur l'art
imprimé ainsi que sur des sujets actuels
et présente le travail d'artistes en début
de carrière ainsi que d'artistes reconnus.

Adhésion

Pour devenir membre, les artistes sont
invités à soumettre en personne une
demande comprenant un dossier visuel,
curriculum vitæ, démarche artistique
et lettre d'intention. Les dossiers sont
acceptés en tout temps. Nous acceptons
les projets des nouveaux membres.
Étant donné que les membres ont un accès
illimité aux ateliers, ils doivent posséder
les connaissances techniques pour être
autonomes ainsi que l'aptitude à travailler
dans un environnement collectif. Il existe
aussi des forfaits pour les artistes
non-membres.

Montréal ▶ Québec

Established in 1982, Atelier Circulaire is dedicated to the production and exhibition of printmaking. Today, Atelier Circulaire is one of the most active centres for printmaking in Canada.

Atelier Circulaire offers programs and services to the artistic community, emerging artists and to the general public. Its general objectives are to provide a place to work and access to equipment for professional artists, to support artists by providing technical assistance, to offer introductory and advanced classes, to host professional artists-in-residence, to increase public awareness through organised guided tours of the studios, to support its members through the sale of artwork and by organizing special off-site events.

Studios

Atelier Circulaire is equipped for etching, lithography, relief as well as digital printing. Atelier Circulaire occupies a bright space of over 10,000 square feet, in the vibrant Mile End neighbourhood, home to an ever-increasing number of artist-run centres, galleries and private studios.

Gallery

The gallery is located on the ground floor of the same building and offers increased visibility for the artists and works and accessibility to the public. The gallery fosters dialogue surrounding the art of printmaking as well as current issues. It also presents the work of emerging and well-established artists.

Membership

To become a member, artists are invited to submit an application including a portfolio (digital images on CD or original works), a resume, an artist statement and letter of intent. Submissions are accepted on an ongoing basis, depending on availability of space. Since members have unlimited access to the studios (work space) they must possess the technical skills to work independently as well as the ability to work in a collective environment. There are also packages for artists who are non-members.

Photo : Maria Chronopoulos, 2010

Équipement

Presses pour taille-douce
1 presse Hurel (dimensions du lit : 122 x 211 cm)
2 presses Hurel (dimensions du lit : 91 x 188 cm)
1 presse Hurel (dimensions du lit : 72 x 152 cm)
1 presse French American (dimensions du lit : 101 x 178 cm)

Presses en lithographie
1 presse Charles Brand (dimensions du lit : 80 x 130 cm)
1 presse Elephant (dimensions du lit : 75 x 130 cm)
1 presse Chas Wagner (offset) (dimensions du lit : 57,5 x 75 cm)
1 presse Parks Press (dimensions du lit : 95 x 130 cm)
1 presse offset Mailander (dimensions du lit : 61 x 96,5 cm)

Presse en relief
1 presse typographique Challenge Proof Press

Atelier numérique
2 ordinateurs eMac (G4)
Numérisateur Epson 10000XL (Mac)
Numérisateur Epson EXPRESSION
Caméra numérique (Canon)
Imprimante à jet d'encre EPSON 2200SP
Imprimante laser Brother
Imprimante à jet d'encre HP Designjet Printer
Logiciels : Adobe Creative Suite 2 (Illustrator, Photoshop, InDesign, GoLive, Acrobat)

Chambre noire
Brûleur UV VIOLUX 1500S
Brûleur Violux 5002S / Vacuum NITA

Autres
Guillotine Kingsland (100 cm)
Guillotine Brown Baggs (93 cm)
Bacs verticaux pour perchlorure de fer (cuivre seulement)
Boîte d'aquatinte
Séchoir
Rouleaux de dimensions variées
Rouleau offset en trois parties (Nik Semenoff)
Bac pour mouiller le papier

ATELIER PRESSE PAPIER

Photo : Michel Massicotte, 2010

73, rue Saint-Antoine
Trois-Rivières (Québec)
G9A 2J2
T/F 819 373-1980
presse.papier.atelier@
cgocable.ca
www.pressepapier.ca

Centre de diffusion
mardi au vendredi
10 h – 16 h
samedi et dimanche
14 h – 17 h

Bureau
lundi au vendredi
8 h 30 – 16 h

Directrice administrative et coordonnatrice
Suzanne Cloutier

**Adjointe à la coordination et
responsable de la diffusion**
Isabelle Clermont

Appel de dossiers
Centre de diffusion
15 mars
Résidence d'artiste et atelier de production
En tout temps

L'atelier Presse-Papier offre aux artistes professionnels un lieu facilitant la production ainsi que des projets favorisant la recherche, la création et la diffusion de l'estampe. L'élaboration de projets thématiques annuels de création, d'expositions itinérantes, de séjour de création, de résidences, d'édition de livres d'artiste et d'autres publications inscrit l'Atelier Presse Papier au cœur de la rencontre de l'art d'aujourd'hui avec différents publics.

Lieu de production

Le collectif de Presse Papier représente trente années d'investissement humain, artistique, professionnel et économique. Notre centre d'artistes inscrit son action à l'échelle nationale et internationale. Son développement en réseaux est le résultat des nombreux projets de création et de diffusion réalisés avec des partenaires internationaux.

Lieu d'échange et résidence

Cet axe d'action permet de stimuler constamment la réflexion sur les pratiques actuelles par des questionnements disciplinaires et des échanges d'artistes de partout. L'accueil d'artistes en résidence contribue à la mise en circulation de l'image multiple et imprimée sous différentes formes.

Lieu de diffusion

Fidèle à son engagement, Presse Papier participe à la diffusion et au rayonnement des œuvres des créateurs contemporains au Québec et à l'étranger, contribuant ainsi à une meilleure reconnaissance professionnelle des artistes.

Superficie : 27,59 m²
Surface d'accrochage linéaire : 27,42 m
Hauteur : 3,05 m

Photo : Michel Massicotte, 2010

Atelier Presse Papier's main activities focus on three main areas: artistic research, production and dissemination. Annual thematic projects, travelling exhibitions, artist residencies, and publications (artist books and more) place Atelier Presse Papier at an important conflux between contemporary art and various sectors of the public.

Production Support

Located in Trois-Rivières, Atelier Presse Papier offers professional artists a production site as well as a place that encourages artistic enquiry and the creation and dissemination of printed images. A collective endeavour, Atelier Presse Papier represents thirty years of human, artistic, professional and economic investment on the part of various partners. Our artist-run centre operates on both a national and an international level through collaborative production and exhibition projects with international partners.

Meeting Place and Artist Residency

These international collaborations and exchanges expand Atelier Presse Papier's community and stimulate research and promotion of the printed image in its various forms. Hosting artists-in-residence is an important aspect of circulating and promoting the printed image.

Exhibition and Dissemination

In keeping with its commitment to Quebec artists, Atelier Presse Papier contributes to the dissemination and exhibition of the work of contemporary artists in Quebec and abroad. This effort contributes to increasing professional recognition for the artists it supports.

ATELIER SILEX INC.

Atelier Silex, l'atelier bois, 2008. Photo : Atelier Silex

1095, rue Père-Frédéric
Trois-Rivières (Québec)
G9A 3S5
T 819 379-0121
F 819 379-4820
atelier.silex@cgocable.ca
www.oculiartes.org

Ateliers
lundi au jeudi
9 h – 17 h
et sur rendez-vous

Bureau
lundi au jeudi
9 h – 17 h

Trois-Rivières ▲ Québec

Coordination
Joëlle F. Dallot

Présidence
Henri Morrissette

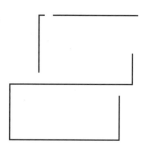

Espace 0...3/4
Superficie : 67 m²
Surface d'accrochage linéaire : 28 m
Hauteur : 2,62 m
Hauteur (hors poutres) : 3,12 m
Salle multifonctionnelle
Superficie : 62 m²
Surface d'accrochage linéaire : 33 m
Hauteur : 2,62 m
Hauteur (hors poutres) : 3,12 m

En activité depuis 1983, l'Atelier Silex est à la fois un atelier de production, un lieu d'échanges et de rencontre et un lieu de diffusion. Ce centre de production et collectif d'artistes œuvre dans différents champs d'activités touchant la sculpture. Il permet le développement de la recherche en art actuel dans une perspective éclatée de l'espace sculptural. En Mauricie, c'est le seul organisme du milieu artistique doté d'un mandat explicitement axé sur la promotion et l'avancement de pratiques artistiques qui s'inscrivent dans le champ disciplinaire de la sculpture et des nouvelles pratiques qui en émergent.

Résidence

Les artistes professionnels désirant se prévaloir de cette résidence doivent soumettre un projet d'une durée maximale de trois mois. Pour un coût minime, ils auront accès à des équipements spécialisés, à de l'expertise ainsi qu'à un espace de diffusion. Pour déposer une demande, faire parvenir à l'Atelier Silex un dossier visuel, un curriculum vitæ et une description du projet.

Équipements

Atelier de bois
Banc de scie, scie à ruban, corroyeur, sableuse à courroie, scies radiales, planeur, perceuse à colonne.

Atelier de métal
Perceuse à colonne, scies à ruban, soudeuses à arc électrique, à chalumeau, MIG, TIG, sableuse à disque et à courroie, tables d'assemblage.

Atelier de pierre
Compresseur 10 hp, ponceuses, outils pneumatiques, scies et sableuse à eau, jet de sable, dépoussiéreurs, palan à chaîne.

Atelier de verre
2 fours paragon, lapidaire électrique, scie diamantée, perceuse à colonne.

Espace de moulage

Atelier de résine

Espace d'assemblage
10,97 x 11,58 x 4,27 m
avec entrée 3,66 x 3,35 m

Bâtisse de l'atelier Silex, vue extérieure, entrée et débarcadère, 2008. Photo : Atelier Silex

In operation since 1983, Atelier Silex is a production studio and a place to exchange ideas and exhibit work. It is a production centre and artistic collective working in various disciplines related to sculpture. Atelier Silex is the only art organisation in the Mauricie region with a specific mandate focused on the promotion and development of new artistic practices in the field of sculpture.

Residency

To use the residence facilities, professional artists must submit a portfolio, a project description (projects must be a maximum three months duration) and curriculum vitae. Artists accepted for residencies will have access to specialised equipment, tools, support staff and the exhibition space for minimal fees.

Equipment

Wood Shop
Table saw, band saw, tanner, belt sander, circular saws, planer, drill press.

Metal Shop
Drill press, band saws, welding torch, welding machines (arc, MIG, TIG), random orbit and belt sanders, assembly tables.

Stone Shop
10 hp compressor, sanders, pneumatic tools, water saws and sanders, sandblaster, dust collectors, hoist chain.

Glass Shop
2 paragon kilns, electric lapidary, diamond saw, drill press.

Assembly Area
Dimensions: 36 x 38 x 14 feet, Entry area: 12 x 11 feet

Molding Area

Resin Shop

ATELIERS GRAFF

Projet Insertion 2009-2010 - Charlotte DeSédouy (France).
Photo : Graff

963, rue Rachel Est
Montréal (Québec) H2J 2J4
T 514 526-9851
F 514 526-2616
www.graff.ca

Bureau
mercredi au vendredi
10 h – 18 h

Ateliers
Tous les jours, 24 h sur 24

Directrice
Christiane Desjardins
cdesjardins@graff.ca

Adjointe
Emmanuelle Jacques
ejacques@graff.ca

Soutien technique à la pratique artistique
Claude Fortaich
cfortaich@graff.ca

Appel de projets
Membres actifs et de soutien :
en tout temps
Projet Insertion :
fin novembre de chaque année

Fondés en 1966 et intimement liés au développement des arts d'impression, les Ateliers Graff offrent aux artistes un lieu de création, d'exploration et de réflexion adapté aux pratiques de l'art actuel.

Objectif

Issus d'une volonté d'arrimer les possibilités d'intervention de la technologie numérique aux riches caractères des techniques traditionnelles, les ateliers ont pour objectif de donner accès à la découverte de nouveaux langages.

Lieux de production

Dotés d'espaces de travail pour l'impression numérique, la sérigraphie, l'eau-forte, le bois gravé et la lithographie, les Ateliers Graff proposent le professionnalisme et le savoir-faire de leur équipe et accueillent chaque année près d'une centaine d'artistes.

Accueil en résidence et diffusion

Misant sur l'énergie créatrice qu'engendre la « proximité artistique » d'un espace de travail collectif, les Ateliers Graff initient des projets de création, de rencontres, d'échanges, de jumelages interdisciplinaires qui ont pour but de décupler cette vitalité. Les artistes de la relève bénéficient d'un soutien tout particulier dans le cadre du projet de résidence Insertion. À cela se greffent des activités de diffusion par le biais de partenariats au Canada et à l'étranger.

Prix d'excellence

Tous les deux ans, un artiste à mi-carrière, toutes disciplines confondues, se voit décerner le Prix Graff, d'une valeur de 5000 $, institué à la mémoire du fondateur Pierre Ayot.

Partage d'expertise

Les Ateliers Graff assurent également la transmission de savoirs et de compétences en proposant des stages spécialisés, des cours privés, des ateliers d'initiation et une expertise en impression numérique et traditionnelle.

Politique d'adhésion

Tout artiste professionnel ou étant en voie de professionnalisation et possédant une connaissance des arts d'impression peut devenir membre actif des Ateliers Graff. Toute personne du milieu culturel ou du grand public désireuse de contribuer à la vitalité de la communauté artistique montréalaise en encourageant nos activités est invitée à devenir membre de soutien.

Montréal ▶ Québec

Since its foundation in 1966, Ateliers Graff has been closely associated with the development of print media while providing artists with a site for creation, exploration and research that keeps current with the latest artistic practice.

Prix Graff 2009 – Manon Labrecque accompagnée du maître imprimeur Carlos Calado. Photo : Graff

Objectives

Based on a desire to combine new digital possibilities with the fine qualities of traditional techniques, Ateliers Graff endeavours to give artists access to new vocabularies in print.

Production Site

Equipped with workspaces for digital imaging, silkscreen, etching, intaglio and lithography, Ateliers Graff offers the knowledge and professionalism of a seasoned staff, and hosts close to one hundred artists every year.

Residencies and Dissemination

Channelling the creative energy sparked by the "artistic promiscuity" of this collective workspace, Ateliers Graff sustains its vitality by initiating creative projects, meetings, exchanges and inter-disciplinary pairings. The residency project Insertion provides specific support for the new generation of artists. In addition, interdisciplinary activities are organized through partnerships across Canada and abroad.

Award of Excellence

Every two years, a mid-career artist is awarded the Prix Graff, worth $5,000, established to commemorate founder Pierre Ayot.

Sharing Expertise

Ateliers Graff shares its knowledge and skills through specialized training sessions, private courses, introductory workshops, and its expertise in digital and traditional techniques.

Membership

Anyone who is a professional artist or in the process of becoming one, and is skilled in the printmaking arts, can become an active member of Ateliers Graff. Individuals active in the cultural milieu or members of the general public who wish to contribute to the vitality of Montreal's artistic community by supporting our activities are invited to become supporting members.

Superficie : 246,76 m²

ATELIER DE L'ÎLE

Maria Doering, 2009. Photo : Paul Ballard

1289, rue Jean-Baptiste
Dufresne
Val-David (Québec) J0T 2N0
T/F 819 322-6359
art@atelier.qc.ca
www.atelier.qc.ca

lundi au vendredi
10 h – 18 h

Les membres réguliers
de l'Atelier ont accès
aux équipements
24 heures par jour

Val-David ▶ Québec

Directrice
Yolaine Lefebvre
art@atelier.qc.ca

Adjointe administrative
France Bélisle
art@atelier.qc.ca

Appel de dossiers
Projet de résidence
31 janvier

Espace d'atelier
L'atelier à aire ouverte est très éclairé.
Les dimensions des espaces de travail
font 26 X 9,14 m.

Depuis 1974, l'Atelier de l'Île soutient la recherche, la création et la production d'estampes contemporaines en fournissant les équipements et l'expertise aux professionnels pour l'avancement de leur carrière et de la discipline. Les programmes de résidences, de formation, les événements de même que l'élaboration de projets collectifs et la tenue d'expositions thématiques contribuent à actualiser son mandat.

Résidences

L'Atelier de l'Île offre aux artistes de toutes disciplines un programme de résidences d'une durée de deux semaines. L'artiste reçoit un cachet, des ressources et l'encadrement technique.

Projets collectifs et expositions

Les projets hybrides, à caractère novateur, soulevant des problématiques propres à l'estampe sont privilégiés. Les artistes participant aux projets reçoivent des droits d'exposition et de reproduction.

Équipement

Déjà doté de l'équipement nécessaire à la pratique de la gravure traditionnelle, l'Atelier a acquis un système de morsure ElectroEtch et un équipement de photogravure avec lampe UV ART2000 pour la pratique écologique de l'estampe. L'Atelier exploite également le domaine numérique avec une nouvelle imprimante grand format.

Atelier de l'Île is an artist-run centre that supports innovative approaches to the production of printmaking, and has provided equipment and technical support to professional artists since 1974.

Residency Program

Two week residency programs are offered to artists of all disciplines. Artist fees, resources and technical support are provided.

Collective Projects and Exhibitions

The Atelier de l'Île puts an emphasis on supporting innovative hybrid projects that question the printmaking process and deal with issues inherent in the medium. Exhibition and copyright fees are paid to artists.

Equipment

The studios at Atelier de l'Île are equipped for all traditional printmaking techniques including the ElectroEtch and the ART2000 photo-etching system with a UV lamp that ensures an ecological printmaking practice. In addition, the facilities have recently expanded to include large format digital printing.

114, rue Bossé Ouest
Chicoutimi (Québec) G7J 1L4
T 418 543-5154
info@touttout.org
www.touttout.org

Tous les jours et week-end

Photo : Guy Blackburn, 2009

Les ateliers TOUTTOUT sont nés du désir d'une communauté artistique régionale de se doter d'un lieu de travail collectif adapté à ses besoins professionnels. L'immeuble de TOUTTOUT, d'une superficie totale de 16 000 pieds carrés, abrite dix ateliers, deux studios-ateliers, une salle de menuiserie et trois organismes.

Situé au centre-ville de Chicoutimi, dans une ancienne école, l'édifice offre un contexte de travail professionnel attractif constitué d'espaces remplis d'artefacts, de poésie et d'œuvres en instance de diffusion qui poussent à la réflexion. Plus qu'une assise physique, le lieu permet la rencontre et l'union de forces créatrices sous un même toit. De plus, les ateliers TOUTTOUT fournissent un cadre identitaire tangible ainsi qu'une présence visible des artistes dans le tissu urbain, dans la dynamique sociale, culturelle et artistique.

Les ateliers TOUTTOUT grew out of the desire of a regional artistic community to create a collective work place to serve artists' professional needs. The 16 000-square-foot space houses ten studios, two workshop-studios, a woodworking shop and three cultural organisations.

Located in a former school in downtown Chicoutimi, the building offers an attractive context for professional work and provides a fertile ground for contemplation of creative projects. The building is more than a physical place: it is a space where creative energies converge under one roof and is a framework and visible presence for artists within the urban fabric and the social, cultural and artistic landscapes.

Coordonnateur
Pierre Bourgie

Président du conseil d'administration
Guillaume Thibert

Vice-président du conseil d'administration
Boran Richard

Appel de dossiers et adhésion
Consulter le site Internet

Chicoutimi ▲ Québec

AXENÉO7

Miquel Garcia Membrado, *Résidence Catalane*, vue de la salle Jean-Pierre Latour, 2008. Photo : AXENEO7

80, rue Hanson
Gatineau (Québec) J8Y 3M5
T 819 771-2122
F 819 771-0696
axeneo7@axeneo7.qc.ca
www.axeneo7.qc.ca

Galerie
mercredi au dimanche
12 h – 17 h

Bureau
mardi au vendredi
10 h – 17 h

Coordonnateur général et artistique
Jonathan Demers

Coordonnatrice administrative
et communications
Mélanie Allemand

Coordonnateur technique
Martin Simard

Appel de dossiers
Consulter le site Internet

AXENÉO7 se veut un lieu d'échanges entre les artistes locaux du Québec, du Canada et de l'étranger. Ayant comme premier mandat la diffusion des arts actuels dans la multiplicité de leurs disciplines, il a permis la présentation d'expositions de créateurs de tous les horizons. Depuis 1983, il est un lieu de rencontres et d'expérimentation axé sur le renouvellement du langage visuel en favorisant la création et la présentation de nouvelles œuvres. Dirigé majoritairement par des artistes, il se consacre à l'amélioration des conditions de production et de présentation des œuvres nouvelles. Son programme d'artistes en résidence joue en ce sens un rôle important en offrant aux artistes invités un environnement physique et humain susceptible d'influer sur leurs œuvres.

Exposition / Résidence / Publication

AXENÉO7 dispose de trois salles d'exposition ainsi que d'une résidence d'artiste avec atelier et sa programmation est élaborée par des artistes et des professionnels de l'art qui conçoivent et sélectionnent des activités souvent suivies de près par des conférences, séminaires et publications. Il a choisi d'être un pont entre les générations d'artistes, faisant se côtoyer les jeunes pratiques et celles qui sont plus établies. La communauté artistique qui l'entoure regroupe majoritairement des artistes en arts visuels et médiatiques ainsi que des historiens de l'art, des écrivains et des enseignants. AXENÉO7 se fait un devoir de recevoir chaque artiste comme un invité important : il assume la promotion, les frais de montage et l'assistance technique des projets et expositions. Le paiement de cachets selon les barèmes du CARFAC a toujours été pour le centre un engagement absolu.

Galerie 1
Superficie : 51,44 m²
Surface d'accrochage linéaire : 26, 55 m
Hauteur : 4,85 m
Vitrine : 2,26 x 2,26 m
Galerie 2
Superficie : 72,82 m²
Surface d'accrochage linéaire : 31,55 m
Hauteur : 4,85 m
Salle Jean-Pierre Latour
Superficie : 36,12 m²
Surface d'accrochage linéaire : 14,41 m
Hauteur : 4,85 m
Fenêtres : 1,56 m x 2,5 m

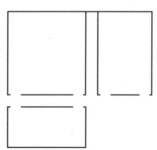

Gatineau ▶ Québec

Josée Dubeau, *Dédoublement*, 2008, vue de la galerie 2. Photo : David Barbour

AXENÉO7 is a site for exchange between local, national, and international artists. Its primary mandate is the dissemination of contemporary practices in the visual arts. Since 1983, it has enabled the presentation of exhibitions by artists from varying horizons. Primarily run by visual and new media artists, AXENÉO7 is dedicated to improving the production and presentation conditions of new works. In this way, its artist-in-residence program plays an important role by providing invited artists with a physical and human environment that can have a significant impact their work.

Exhibition / Residence / Publication

With its three exhibition spaces, a residence, a studio, and a workshop, AXENÉO7 brings together mainly artists, as well as art historians, writers, and teaching professionals. Fostering the creation and presentation of new works, it is a site for meeting and experimentation that revolves around the renewal of visual language. It also aims to create links between different generations of artists by supporting emerging practices as well as more established ones. AXENÉO7's programming is elaborated by artists and art professionals who select and conceive activities that are often linked to public talks, seminars, and publications. The centre makes it its duty to receive each artist as an important guest, and is responsible for the promotion, exhibition set-up costs, and technical assistance for all projects and exhibitions. AXENÉO7 is committed to paying artist fees according to the standards recommended by CARFAC.

ATSA (ACTION TERRORISTE SOCIALEMENT ACCEPTABLE)

Photo : Martin Savoie, 2009

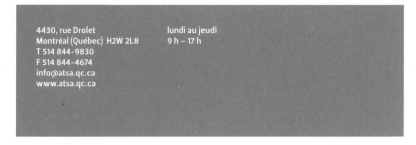

4430, rue Drolet
Montréal (Québec) H2W 2L8
T 514 844-9830
F 514 844-4674
info@atsa.qc.ca
www.atsa.qc.ca

lundi au jeudi
9 h – 17 h

Direction artistique et générale
Annie Roy et Pierre Allard

Mandat

L'ATSA est un organisme à but non lucratif fondé en 1998 par les artistes Pierre Allard et Annie Roy qui créent des œuvres d'intervention urbaine sous forme d'installations, de performances ou de mises en scènes réalistes faisant foi des aberrations sociales, environnementales et patrimoniales qui les préoccupent.

Manifestival

L'ATSA produit, depuis sa fondation, le manifestival État d'urgence. À titre de diffuseur, nous proposons en continu, pendant cinq jours, une programmation artistique multidisciplinaire et novatrice dans un contexte concret de solidarité. En concentrant la dure réalité de la rue en un même lieu et temps, État d'urgence génère une entraide exceptionnelle, une production artistique engagée, libre et généreuse, un espace de rencontre entre une immense problématique sociale et l'art, plaçant ainsi le contexte de présentation au cœur de la proposition artistique.

Mandate

ATSA is not-for-profit organisation founded in 1997 by artists Pierre Allard and Annie Roy to create urban interventions that take the form of installations, performances and realistically staged scenes that bear witness to the various social and environmental aberrations that are the main preoccupations of the two artists.

Manifestival

Since its inception, ATSA has been producing the État d'urgence Manifestival. Over five days, ATSA programs continuous, multidisciplinary and innovative artistic content in a setting of true solidarity. By focusing on the harsh realities of life on the street in a specific time and location, État d'urgence generates considerable aid and support alongside art that is socially engaged, generous, and free of charge. Through État d'urgence, the organisation creates a space where art and the complex social problem of homelessness can converge in a physical setting that forms the core of the artistic experience.

AVATAR, ASSOCIATION DE CRÉATION ET DE DIFFUSION SONORE ET ÉLECTRONIQUE

541, rue de Saint-Vallier Est
local 5-62
Québec (Québec) G1K 3P9
T 418 522-8918
F 418 522-6412
avatar@avatarquebec.org
www.avatarquebec.org

lundi au vendredi
9 h – 17 h

Résidence de création de Bruno Bouchard
et Simon Elmaleh, 2009. Photo : Myriam Lambert

Profil

AVATAR est un centre d'artistes autogéré spécialisé dans la recherche, la création et la diffusion des arts audio et électroniques. Suscitant des activités favorables aux échanges, à la création et à la production, AVATAR soutient une quarantaine d'artistes par année par le biais de résidences, d'aide à la création, d'aide à l'édition, de commandes d'œuvres, de diffusions locales et internationales.

Recherche et création

Situé à Québec dans la coopérative Méduse, les locaux d'AVATAR comprennent un studio de recherche et d'enregistrement équipé d'outils audio professionnels, un laboratoire informatique et un laboratoire électronique. AVATAR offre un soutien technique sur mesure pour la création d'œuvres audio, électroniques, numériques et de systèmes interactifs.

Édition et distribution d'œuvres audio et électroniques

AVATAR publie, sous l'étiquette d'OHM éditions, des œuvres audio et électroniques ainsi que des documents critiques sur différents supports : CD, CD-ROM, DVD, DVD-ROM, livre, etc. AVATAR a aussi mis sur pied VacuOhm, distributeur spécialisé qui ouvre ses portes aux œuvres d'art audio et électronique.

Profile

AVATAR is an artist-run centre specializing in the study, creation, and dissemination of audio and electronic art. To encourage activities conducive to creation and production, AVATAR supports some forty artists a year through residencies, creative support, publishing assistance, commissioned works, local and international distribution, etc.

Research and Production

Located in the Méduse centre in Quebec City, it houses a research and recording studio equipped with professional audio equipment, a computer laboratory, and an electronic laboratory. AVATAR provides tailored technical support for the creation of audio, electronic, digital, and interactive system works.

Publishing and Distribution of Audio and Electronic Works

Under the OHM editions label, AVATAR publishes audio and electronic works as well as sensitive documents in different mediums: CD, CD-ROM, DVD, DVD-ROM, books, etc. AVATAR also established VacuOhm, a specialized distributor that supports audio and electronic works.

Direction générale
Amandine Gauthier
direction@avatarquebec.org

Direction artistique
Lorella Abenavoli
artistique@avatarquebec.org

Direction technique
Mériol Lehmann
production@avatarquebec.org

Appel de dossiers
En tout temps

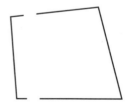

Dimensions du studio
6 x 7 m

Québec ▶ Québec

GALERIE B-312

Monique Moumblow — Arko Preeka, 2009.
Photo : Paul Litherland

372, rue Sainte-Catherine O.
espace 403
Montréal (Québec) H3B 1A2
T 514 874-9423
b-312@galerieb-312.qc.ca
www.galerieb-312.qc.ca

mardi au samedi
12 h – 17 h

Directrice
Marthe Carrier

Collaborateurs
Jean-Émile Verdier
Manon Paiement
Frédéric Lavoie
Clara Fauvel

Appel de dossiers
Consulter le site Internet

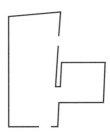

Grande salle
Superficie : 343,5 m²
Hauteur : 2,8 m
Petite salle
Superficie : 107 m²
Hauteur : 2,8 m
Planchers en béton couleur sable

Créée en 1991, la Galerie B-312 appuie la recherche et le développement des arts visuels contemporains par un programme soutenu d'activités artistiques : expositions, performances, ateliers, rencontres, conférences, tables rondes, lancements, publications, concerts. Elle encourage les artistes à différentes étapes de leur carrière et soutient la diversité des pratiques actuelles : peinture, sculpture, dessin, vidéo, installation, performance, photographie, art médiatique et art sonore. La Galerie se veut une plate-forme de discussions et d'échanges autour des enjeux actuels de la pratique et participe aux discours critiques qui entourent la création. La Galerie appuie toute activité susceptible de favoriser la connaissance et la reconnaissance de l'art et de ses conditions d'existence, et encourage son rayonnement sur la scène locale, nationale et internationale.

Les artistes — Une communauté

Dix à treize expositions sont présentées chaque année, toutes accompagnées d'un carton d'invitation et d'un texte informatif, largement diffusés en salle, par envoi postal, par courrier électronique et sur le site web du centre. D'autres projets se greffent à ce programme de manière plus organique. Cette souplesse permet de rester à l'affût d'événements spéciaux ou d'établir de nouvelles collaborations. La Galerie invite les artistes à concevoir des projets d'exposition, de performance ou toutes autres activités qui peuvent prendre des formes exploratoires, seuls ou en collaboration avec d'autres artistes, voire à titre de commissaire. La Galerie reçoit également les propositions de commissaires professionnels ou d'organismes pairs.

Le lieu — Des publics

La Galerie est située en plein cœur de Montréal, dans un complexe qui regroupe plusieurs galeries d'art actuel. Les artistes bénéficient ainsi d'une vitrine et d'une visibilité incroyables. Présentés dans un contexte professionnel, les expositions et les événements sont vus par des milliers de personnes : une manière concrète d'appuyer les artistes, leurs pratiques et de desservir l'ensemble d'une collectivité curieuse et attentive à la pensée et au faire artistiques.

L'espace

La Galerie offre deux aires d'exposition, pouvant être utilisées comme un seul espace. Elle peut accueillir ainsi les formes d'exposition les plus variées, de la vidéo à l'installation en passant par le travail *in situ* ou un accrochage au mur. Un soutien technique est offert lors des montages et démontages.

De gauche à droite : *Animals and Children*, commissaire Rachel Echenberg, 2009 [Vida Simon—Mammilian Diving Reflex—Suzanne Joly], Doris Kuwert, commissaire Nicole Gingras, 2008 — Concert, expo de David Naylor, 2009 — Kutlug Ataman, Mois de la Photo, 2009. Photos : John Sellekaers, Paul Litherland, Galerie B-312

Created in 1991, Galerie B-312 supports research and development in contemporary visual arts through a sustained program of artistic activities: exhibitions, performances, workshops, seminars, symposia, round tables, book launches, publications, concerts. It encourages artists through the different stages of their career and supports a variety of current art practices: painting, sculpture, drawing, video, installation, performance, photography, media art, and sound art. The gallery means to be a platform for discussion and exchange regarding current cultural issues, while participating in the discourse surrounding artistic creation. It is open to any activity that may broaden familiarity with and recognition of art and the conditions of its existence, and encourages its dissemination locally, nationally, and internationally.

The Artists – A Community

The centre produces 10 to 13 exhibitions a year, all accompanied by an invitation card and an informational text that is disseminated in the gallery, by postal mail, by email, and on the centre's website. Other projects are integrated into the program in an ad hoc, organic fashion – a flexibility that allows the centre to keep up with special events and to engage new partnerships. The gallery invites artists to submit exhibition and performance projects, or any other activity of an exploratory nature, whether alone or in collaboration with other artists, or even to propose curatorial projects. The gallery also welcomes proposals from professional curators and peer organizations.

The Place – Audiences

Located in the heart of Montreal in a building that houses a slew of contemporary art galleries, B-312 provides artists with an outstanding and exceptional showcase. Presented in a professional context, the exhibitions and events are seen by thousands of people: a concrete way of supporting the artists and their practice while serving a community that is both inquisitive and attentive to thoughts and doings in the arts.

The Space

The gallery offers two exhibition spaces, which can optionally be used as a single space. It can accommodate the most varied forms of exhibition including video, installation, site-specific and wall hangings. Technical support is provided for setup and take-down.

BORÉAL ARTNATURE

Boréal ArtNature, Le refuge, 2009. Photo : Daniel Poulin

C.P. 4717
Rivière-Rouge (Québec)
J0T 1T0
T 819 278-3649 / 275-7727
F 819 278-3649
info@artnature.ca
www.artnature.ca

*Adresse du territoire forestier
et centre d'activités*
4260, chemin de la Minerve
Labelle (Québec)

Boréal ArtNature est un organisme de recherche et de création transdisciplinaires voué à l'exploration des relations actuelles entre la nature et la culture. L'expérience d'immersion dans les environnements naturels est la pierre angulaire de l'approche de Boréal ArtNature.

Un territoire forestier de 300 acres dans les Hautes-Laurentides du Québec constitue le lieu d'expérimentation de Boréal ArtNature. La conservation de la biodiversité de ce milieu naturel fonde et permet une programmation interactive de recherche et de création artistique, scientifique et sociale, sous forme de résidences, de projets de recherche, d'étude sur le terrain, de programmes éducatifs et de présentations publiques.

Publications et conférences

Boréal ArtNature participe à la réflexion écologique locale et globale par la mise en commun de ses travaux de recherche et de création et leur diffusion, par des publications, les médias électroniques et des conférences.

Partenariat

Boréal ArtNature sollicite la collaboration d'individus, d'organisations et d'institutions intéressés à approfondir la compréhension de l'ensemble des relations entre les humains et l'environnement naturel.

Résidence

Les résidences et autres activités de Boréal ArtNature offrent aux artistes et aux chercheurs divers modes d'intervention individuels et collectifs dans des conditions rustiques sur un territoire forestier patrimonial.

Directrice artistique
Jeane Fabb

Directeur administratif
Daniel Poulin

Appel de dossiers
En tout temps

Rivière-Rouge ▶ Québec

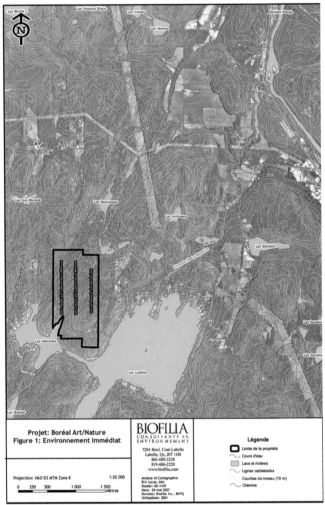

Projet: Boréal Art/Nature
Figure 1: Environnement Immédiat

BIOFILIA
CONSULTANTS EN
ENVIRONNEMENT

7284 Boul. Curé-Labelle
Labelle, Qc, J0T 1H0
866-688-2228
819-686-2228
www.biofilia.com

Analyse et Cartographie:
Éric Lucas, biol.
Dossier: 06-1419
Date: 28 mai 2007
Données: Biofilia Inc., BDTQ
Orthophoto: 2001

Projection: NAD 83 MTM Zone 8   1:20 000

0   250   500   1 000   1 500
Mètres

Légende
Limite de la propriété
Cours d'eau
Lacs et rivières
Lignes cadastrales
Courbes de niveau (10 m)
Chemins

Carte topographique, Biofilia

Boreal ArtNature is a transdisciplinary platform for creative and innovative practices that explore and interpret contemporary relationships between nature and culture. Singular and collective immersive experiences in natural environments are at the heart of Boreal ArtNature's approach.

The touchstone for Boreal ArtNature is a forested territory of 300 acres in the Upper Laurentians of Quebec. The conservation of the biodiversity of this terrain informs and grounds the development of an interactive program of artistic, scientific, and social inquiry carried out in the form of art

residencies, research projects, field studies, educational programs, and public presentations.

Publications and Conferences

Boreal ArtNature participates in the global network of ecological thought and actions through the elaboration and transmission of a body of knowledge and/or work that encompasses and connects reflection and discovery derived from its diverse projects and research. Publications, web-based media, and conferences are among the ways to follow and share this work.

Partnerships

Boreal ArtNature welcomes collaborations with individuals, organisations, and institutions interested in pursuing, expressing, and deepening the understanding of integral human relationships with the natural world.

Residencies

Residencies and other activities at Boreal ArtNature Centre offer artists and researchers diverse individual and collective modes of intervention in rustic conditions in a heritage forest.

Rivière-Rouge ▲ Québec

43

CARAVANSÉRAIL

Francis Arguin, Pascale Bonenfant, Jérôme Bourque et Cindy Dumais, Vue de l'exposition *Prolongation*, 2009. Photo : Steve Leroux

274, avenue Michaud
Rimouski (Québec) G5L 6A2
T 418 722-0846
F 418 725-1753
communication@
caravanserail.org
www.caravanserail.org

Galerie
mercredi au vendredi
9 h – 17 h
samedi
13 h – 17 h

Bureau
mardi au vendredi
9 h – 17 h

Direction générale
Virginie Chrétien

Coordination de la programmation
Dominique Lapointe

Agente de communication
Julie Lévesque

Appel de dossiers
1er octobre

Superficie : 75 m²
Surface d'accrochage linéaire : 32 m
Hauteur : 4 m

Caravansérail est un centre de recherche, de production et de diffusion en arts visuels actuels qui offre aux artistes de la relève une salle d'exposition, un programme de résidence ainsi que des événements spéciaux thématiques.

Depuis sa fondation en 2003, Caravansérail est animé par le désir de sortir l'art de son réseau traditionnel de diffusion et par l'ambition de contribuer non seulement à la promotion de l'art actuel dans le Bas-Saint-Laurent, mais aussi au rapprochement entre les artistes et la population.

Exposition et résidence

La programmation annuelle comprend six expositions et l'accueil de deux ou trois artistes en résidence de recherche/production. Parmi les projets spéciaux, l'événement hivernal bisannuel Espace blanc, qui lie une période de résidence et une exposition, en représente la manifestation majeure.

Sensibilisation et interprétation

Les activités d'interprétation offrent une vitrine artistique dynamique tant aux familiers de l'art contemporain qu'au grand public. Accueil de groupes scolaires, rencontres-conférences et ateliers sont régulièrement planifiés.

Publication

Le centre promeut le travail artistique en proposant des outils de communication et des publications contenant une réflexion portant sur le contenu des œuvres et la démarche des artistes. Le centre vise ainsi à faciliter le rayonnement et la réception du travail de ceux-ci, tout comme il cherche à contribuer à la reconnaissance des œuvres de la relève.

Réseautage

Caravansérail est l'un des membres fondateurs de la Coopérative de solidarité Paradis de Rimouski, celle-ci regroupe six organismes à vocation culturelle et leur offre ainsi qu'à la communauté artistique, des espaces de pratique et de diffusion adaptés à leurs besoins. Un important projet immobilier de relocalisation du Paradis doit se concrétiser d'ici la fin de 2012. Par ailleurs, Caravansérail reçoit l'appui de nombreux membres individuels de diverses catégories.

Martin Grant, Vue de l'événement, *Espace blanc*, 2010. Photo : Martin Coté

Caravansérail is a centre for the research, production, and exhibition of contemporary visual arts. The Centre provides emerging artists with exhibition space and an artist-in-residence program, and mounts special thematic events.

Since its foundation in 2003, Caravansérail has been driven by the desire to bring art out of traditional exhibition frameworks. The Centre strives not only to promote contemporary art in the Bas-Saint-Laurent region, but also to foster connections between artists and the general public.

Exhibitions and Artist-in-Residence Program

The annual program includes six exhibitions as well as two or three artist residencies for research and creation. Among the featured special projects, the biannual winter event, Espace blanc, combining a residency and an exhibition, is the organization's most important event.

Outreach and Interpretation

The Centre's interpretive activities provide a vibrant arts showcase for both contemporary art insiders and the wider public. School group visits, public lectures, and workshops are regularly on the Centre's calendar.

Publication

The Centre promotes the work of artists through promotional tools and publications featuring articles on the art works and art practices of the featured artists. The Centre strives to facilitate increased exposure and recognition of the works in question by providing emerging artists with tools to help raise awareness about their work.

Social Networking and Membership

Caravansérail is a founding member of the Coopérative de solidarité Paradis in Rimouski, an umbrella group for six cultural organizations which offers its members and the artistic community at large access to studio facilities and exhibition spaces tailored to their needs. A major building project for the relocation of the Paradis collective is planned for completion by the end of 2012. In addition, Caravansérail receives the support of its numerous members in various categories.

LA CENTRALE

Dominique Pétrin, *Panthéon Pétro*, 2009.
Photo : Guy L'Heureux

4296, boul. Saint-Laurent
Montréal (Québec) H2W 1Z3
T 514 871-0268
galerie@lacentrale.org
www.lacentrale.org

mercredi
12 h – 18 h
jeudi au vendredi
12 h – 21 h
samedi au dimanche
12 h – 17 h

Coordonnatrice artistique
Roxanne Arsenault

Coordonnatrice à l'administration
Elizabeth Shea

Coordonnatrice des expositions
Virginie Jourdain

Appel de dossiers
15 octobre et 15 mars
Propositions et projets spéciaux
spontanés acceptés en tout temps

Superficie : 50 m²
Surface d'accrochage linéaire: 50,31 m
Hauteur : 3,4 m

Fondée et issue des mouvements féministes en 1973, La Centrale Galerie Powerhouse est un des plus anciens centres d'artistes autogérés du Québec. Le mandat du centre se voue au développement des pratiques artistiques féministes et soutient la visibilité d'artistes et d'initiatives moins ou peu représenté-es auprès des institutions culturelles établies. Le centre a pour objectif d'offrir une plateforme pour les langages en art actuel portée par les discours féministes, les théories du genre, la diversité culturelle et la transdisciplinarité. Cela implique l'importance du développement des réseaux d'échanges professionnels à l'échelle locale, nationale et internationale. Le centre encourage les artistes à toutes les étapes de leur carrière afin de permettre les échanges intergénérationnels. La programmation et les événements organisés par la galerie sont le reflet des intérêts et engagements des membres du centre.

Expositions

La Centrale diffuse le travail d'artistes au moyen d'expositions régulières, de projets spéciaux de courte durée, d'expositions d'étudiants de maîtrise (2 à 4 jours), de projets hors murs.

Projections

Des soirées de projection ont lieu dans la galerie ainsi qu'en vitrine durant la nuit.

Performances

La Centrale prend part activement au festival Viva! art action. Elle organise aussi régulièrement des soirées de performances.

Présentation d'artistes, de conférences et de discussions

La Centrale propose régulièrement conférences, échanges et discussions liés à sa programmation et à son mandat.

Quartier et médiation culturelle

La Centrale déploie ses activités jusque dans la rue en participant aux différents événements du quartier et à ceux qui se déroulent sur le boulevard Saint-Laurent. La Centrale encourage la tenue d'ateliers et d'activités destinés à des publics initiés et non initiés à l'art actuel.

Publications

La Centrale édite des publications reliées à son mandat.

Collaborations et partenariats

Le centre est ouvert aux collaborations et aux partenariats avec différents organismes et festivals.

Growing out of the feminist art movement and founded in 1973, La Centrale Galerie Powerhouse is one of the oldest artist-run centres in Quebec. The centre's mandate expands on a history of feminist art practices and engages a broader spectrum of underrepresented artists and their initiatives within established art institutions. The gallery aims to provide a platform for contemporary art informed by feminist and gender theory, as well as intercultural and transdisciplinary practices. This involves networking and developing professional exchanges at the local, national and international levels. We promote the work of artists at all stages of their careers to allow for intergenerational dialogue. The gallery's programming and events reflect the interests and involvement of our members.

Stéphanie Chabot, *Blue Moon*, projection en vitrine, 2009. Photo : Myriam Jacob-Allard

Exhibitions

La Centrale shows the work of artists through its regular exhibitions, short-term special projects, MFA thesis exhibitions (2 to 4 days) and off-site projects.

Screenings

Screenings take place in the gallery and in the storefront window throughout the night.

Performance

La Centrale takes an active part in the Viva! art action *festival. It also regularly organizes performance nights.*

Artist Talks, Conferences and Discussions

La Centrale frequently hosts conferences and discussions that are linked to its programming and mandate.

Community Outreach

La Centrale's activities extend into the street when the centre participates in neighbourhood events that take place on Saint-Laurent Boulevard. La Centrale encourages workshops and activities that involve informed and general publics.

Publications

La Centrale produces publications related to its mandate.

Collaborations and Partnerships

La Centrale is open to collaborations and partnerships with a variety of organizations and festivals.

CENTRE D'ARTISTES VASTE ET VAGUE

Jean-Philippe Roy, *Récits et détails*, installation de sculptures, 2010. Photo : Fernande Forest

774, boulevard Perron
Carleton-sur-Mer (Québec)
G0C 1J0
T 418 364-3123
F 418 364-6826
www.vasteetvague.ca

septembre à juin
mardi au samedi
13 h – 16 h 30

mardi et jeudi
18 h 30 – 20 h 30

juillet et août
Tous les jours
13 h – 20 h 30

Direction générale
Guylaine Langlois
direction@vasteetvague.ca

Adjointe à la direction et communications
Marianne Boudreau
communication@vasteetvague.ca

Appel de dossiers
31 janvier

Superficie : 122 m²
Surface d'accrochage linéaire : 43 m
Hauteur : 5 à 6,2 m

Carleton-sur-Mer ▲ Québec

Le Centre d'artistes Vaste et Vague est situé entre mer et montagne à Carleton-sur-Mer, dans la Baie-des-Chaleurs en Gaspésie. Il favorise l'émergence d'artistes en agissant comme catalyseur dans le milieu culturel régional et occupe une place essentielle dans le processus d'obtention du statut d'artiste professionnel. Dans cet esprit, il met à la disposition des artistes un espace de diffusion, des ateliers, des équipements spécialisés et une résidence. Il donne accès à différents services techniques, au prêt d'équipements et à un centre de documentation spécialisé en arts visuels.

Expositions, résidences et projets spéciaux

Par ses activités d'exposition, ses projets spéciaux, ses conférences, ses formations et tout particulièrement ses résidences d'artistes, le centre est une référence et un lieu de réflexion, de production et de diffusion de l'art actuel à l'échelle régionale, nationale et internationale. Avec son programme d'approche citoyenne Place à la rencontre, le centre offre à la communauté des activités de création et de sensibilisation en lien direct avec les expositions de la programmation. Il profite des thématiques apportées par les artistes exposants ou en résidence pour organiser des rencontres et des ateliers.

Seul centre d'artistes autogéré sur l'immense territoire de la péninsule gaspésienne avec ses 550 kilomètres de littoral, Vaste et Vague est situé à Carleton-sur-Mer, station balnéaire et petite ville dynamique de plus de 4 000 personnes à huit heures de route de Montréal ou de Halifax et desservie par Via Rail Canada. On y trouve un centre de congrès, le Centre d'études collégiales de la Baie-des-Chaleurs, ainsi qu'un centre de production et de diffusion culturelles, le Quai des arts, qui regroupe sous un même toit un théâtre, un diffuseur de spectacles et de films, une bibliothèque intégrée et surtout le Centre d'artistes Vaste et Vague – la référence en art actuel en Gaspésie – qui par ailleurs fête ses vingt ans d'existence en 2010.

Vue de Carleton-sur-Mer du Mont Saint-Joseph, Le Quai des arts et La résidence de Vaste et Vague, photomontage, 2009.
Photo : Vaste et Vague

Vaste et Vague is located between the ocean and the mountains in Carleton-sur-Mer, alongside Baie-des-Chaleurs in the Gaspé region. The centre promotes artists' works by acting as a catalyst in the regional cultural milieu, and it plays a key role in helping artists achieve a professional status. To that end, it offers artists an exhibition space, workshops, specialized equipment and a residence, as well as access to various technical services, equipment loans and a documentation centre for visual arts.

Exhibitions, Residencies, Special Projects

With its exhibitions, special projects, conferences, training programs and more specifically its artist residencies, the centre positions itself as a reference and a site for research, production and dissemination of contemporary art at the regional, national and international levels. Through its "Place à la rencontre" community outreach program, Vaste et Vague offers the general public creation and awareness-raising activities that are closely linked to its exhibitions. It organizes conferences and workshops around specific themes proposed by exhibiting or resident artists.

The only artist-run centre in the 550 km-long Gaspé Peninsula, Vaste et Vague is located in Carleton-sur-Mer, a lively seaside resort town of over 4,000 residents. It is an eight-hour drive from Montreal or Halifax and is serviced by VIA Rail Canada. The town boasts a convention centre, the Centre d'études collégiales de la Baie-des-Chaleurs, as well as a cultural centre called Quai des arts comprised of a theatre, a venue for performances and films, a library and the Centre d'artistes Vaste et Vague – the touchstone for contemporary art in the Gaspé region –, which celebrates its 20th anniversary in 2010.

LA CHAMBRE BLANCHE

John Cornu, *Je tuerai la pianiste*, vue de l'installation, 2009.
Photo : Ivan Binet © John Cornu, permission de l'artiste

185, rue Christophe-Colomb Est
Québec (Québec) G1K 3S6
T 418 529-2715
F 418 529-0048
info@chambreblanche.qc.ca
www.chambreblanche.qc.ca

mercredi au dimanche
13 h – 17 h

Coordonateur général
François Vallée

Agente de communication
Catherine Blanchet

Appel de dossiers
Consultez le site Internet

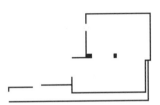

Superficie : 95 m²
Hauteur : 3,3 m
Surface d'accrochage linéaire : 39,17 m

Québec ▶ Québec

LA CHAMBRE BLANCHE est un centre d'artistes voué à l'expérimentation et à la diffusion des arts visuels, plus particulièrement aux pratiques installatives et *in situ*. Le centre a créé son propre programme d'artiste en résidence quatre ans après sa fondation, en 1978. Ce dernier devint le pivot de la programmation à partir de 1997. Le programme de résidence invite les artistes à remettre en question la nature même du travail artistique, son émergence comme sa réception. LA CHAMBRE BLANCHE s'intéresse aux œuvres qui, à la manière des *work in progress*, utilisent le temps comme matériau. Pendant leurs résidences, les artistes sont amenés à élaborer une œuvre unique dans le contexte d'un véritable laboratoire *in vivo*.

Laboratoire de création

Depuis 2000, LA CHAMBRE BLANCHE a mis en place un laboratoire de création sur le Web qui invite la communauté artistique à repenser la notion de l'*in situ* dans le contexte du cyberespace. Avec son programme de résidences de production, le laboratoire Web propose aux artistes de concevoir l'espace virtuel comme un lieu à investir.

Résidence

À LA CHAMBRE BLANCHE, une résidence s'étend sur six semaines. Durant les premiers jours, la galerie sert exclusivement d'atelier à l'artiste. L'aspect diffusion entre en jeu par la suite, lorsque les portes s'ouvrent aux visiteurs, leur permettant ainsi d'entrer en contact avec l'artiste et sa recherche. Une grande attention est accordée aux propositions qui mettent l'accent sur l'expérimentation.

Centre de documentation

L'intérêt du collectif pour la réflexion critique a donné lieu à la création d'un centre de documentation qui, chaque année, offre aux artistes, auteurs et commissaires une résidence de recherche. Cette ressource rend accessibles au public un grand nombre de documents sur l'installation, l'*in situ* et la résidence d'artiste. En plus de l'édition de publications d'envergure, le centre produit annuellement *Le Bulletin* permettant un retour sur la programmation.

Robbin Deyo, Flow, vue de l'installation, 2009 © Robbin Deyo

LA CHAMBRE BLANCHE is an artist-run centre dedicated to experimentation and the dissemination of visual art, more specifically installation and in situ practices. The centre created its own artist-in-residence program four years after its foundation, in 1978, which became the cornerstone of its activities in 1997. The residency program invites artists to question the very nature of artistic work – its emergence as well as its reception. LA CHAMBRE BLANCHE is particularly interested in artworks that use time as medium. During their residencies, artists are encouraged to create unique, ephemeral artwork within the context of an in vivo laboratory.

Web production laboratory

Since 2000, LA CHAMBRE BLANCHE has run a web production laboratory that invites the artistic community to rethink the idea of in situ within the context of cyberspace. With its production residency program, the Web Lab incites artists to conceive virtuality as a novel space with which to engage.

Residencies

Residencies at LA CHAMBRE BLANCHE last six weeks. In the beginning, the gallery is exclusively the artist's "studio". The presentation aspect comes into play later when the doors open to visitors, allowing them to interact with the artist and their

research. In this regard, proposals that emphasize experimentation and exploration are of particular interest.

Documentation centre

The collective's interest in critical reflection has given rise to the creation of a documentation centre which, every year, offers artists, authors and curators a research residency. This resource gives the public access to an important number of documents on installation, in situ practices and artist residencies. In addition to the edition of significant publications, the centre annually produces Le Bulletin, a newsletter that provides an overview of its programming activities.

CENTRE D'EXPOSITION CIRCA, ART CONTEMPORAIN

Linda Covit, Yves Louis-Seize, Gilles Mihalcean, Monique Giard, *1200° C*, vue de l'exposition du 20ᵉ anniversaire de Circa, 2008. Photo : Guy L'Heureux

372, rue Sainte-Catherine O.
local 444
Montréal (Québec) H3B 1A2
T 514 393-8248
F 514 393-3803
circa@circa-art.com
www.circa-art.com

mercredi au samedi
12 h – 17 h 30
mardi sur rendez-vous

Montréal ▶ Québec

Directeur général
Maurice Achard

Appel de dossiers
15 décembre

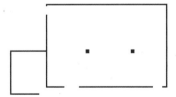

Galerie I : 250 m²
Galerie II : 40 m²
Salle de réunion et de documentation : 50 m²
Hauteur : 3 m
Hauteur sous gicleurs : 2,75 m

Circa soutient les artistes émergents tout au long de leur carrière.

Présent en art contemporain depuis 1988 Circa a présenté depuis son ouverture plus de 225 expositions et exposé les œuvres de quelque 400 artistes du Québec, du Canada et de l'étranger, majoritairement en sculpture et en installation mais également en peinture, photographie, performance et multimédia.

Programme d'échanges à l'étranger

Circa a mis sur pied d'importants échanges notamment avec la France, la Belgique, l'Autriche, l'Allemagne, l'Espagne, le Mexique et le Chili ainsi qu'avec plusieurs centres d'artistes canadiens. La multiplication de ces échanges vise à favoriser les rapprochements propres à maintenir la pluralité et l'esprit de recherche et d'expérimentation qui témoignent de l'importance de Circa dans le milieu des arts visuels au Canada.

Pour une filiation entre artistes en début de carrière et artistes chevronnés

Circa vise à présenter sans compromis une programmation qui, tant par la qualité que par la diversité de ses propositions, favorise la fréquentation du centre par des intervenants spécialisés, mais également par un public plus large qui s'ouvre ainsi à la connaissance et à l'appréciation des arts visuels contemporains. Ces dernières années, Circa s'est démarqué par la

présentation d'une programmation d'exposants qui tient compte d'une filiation entre artistes en début de carrière et artistes établis. Dans ce but, et pour quelques expositions, le comité de programmation a proposé aux premiers d'inviter les seconds à exposer en même temps qu'eux. Cette formule a donné lieu à des complicités, à des collaborations et à des échanges fructueux et enrichissants pour les deux parties.

Comité de programmation

Le comité de programmation est composé de six artistes élus et du directeur de Circa. Il reçoit chaque année des propositions qui sont analysées au regard du potentiel de l'artiste et de la qualité et de la pertinence de la recherche et de l'expression artistique. Le comité attache une grande importance à l'établissement d'une programmation qui laisse place à des artistes de toutes générations.

Équipements

Projecteur Canon
Lecteur DVD/VHS
Moniteur TV
Outillage de base

Circa supports emerging artists throughout their careers.

Mandate

Since its foundation in 1988, Centre d'exposition Circa has presented over 225 individual, duo and group exhibitions including works by over 400 artists from Québec, Canada and abroad. Circa's main interest is the dissemination of sculpture and installation.

International exchange program

In addition to its exhibitions and regular programming, Circa has organized numerous important events and exchanges notably with Germany, France, Belgium, Spain, Austria, Mexico, Chile and elsewhere in Canada. These exchanges provide a continued plurality of approaches and the spirit of research that position Circa as an important figure in the contemporary visual art scene across the country.

Bridging emerging and established artists

Circa uncompromisingly presents diversified, quality programming that attracts an informed clientele as much as a wider public interested in the learning and appreciation of contemporary art. In recent years, Circa made its mark through programming that takes into account the bridging of emerging and established artists.

Gilles Mihalcean, Monique Giard, Stephen Schofield, *1200˚ C*, vue de l'exposition du 20ᵉ anniversaire de Circa, 2008.
Photo : Guy L'Heureux

Programming commitee

The programming committee consists of six elected artists and the director of the centre. Proposals are received annually and selected for the quality and originality of their research and artistic expression, as well as their contribution to the advancement of contemporary art practices. The committee takes into account the artist's potential, the relevance of their project and the contribution of the exhibition to their work. Circa is committed to programming emerging and established artists.

CENTRE D'ART ET DE DIFFUSION CLARK

Atelier CLARK, 2010. Photo : Yann Pocreau

5455, avenue De Gaspé
local 114
Montréal (Québec) H2T 3B3
Bureau et galerie
T 514 288-4972
Atelier
T 514 276-2679
info@clarkplaza.org
www.clarkplaza.org

Bureau et galerie
mardi au samedi
12 h – 17 h

Atelier CLARK
mardi au vendredi
9 h – 17 h
samedi
11 h – 18 h

Coordination générale
Yann Pocreau

Administration
Kym Brennan

Atelier CLARK
Yan Giguère

Services éducatifs
Emmanuelle Léonard

Agence CLARK
Claudine Khelil

Appel de dossiers
1er novembre

Galerie

Le Centre d'art et de diffusion est géré par un collectif de quelque 46 membres, artistes et travailleurs culturels. Actif tant en ce qui a trait à la recherche et à la production qu'à la diffusion, CLARK se définit comme un espace souple et polyvalent, ouvert aux formes les plus novatrices de l'expression artistique.

Programmation

La programmation annuelle de la galerie compte deux salles pour dix plages d'exposition consacrées à des projets d'exposition individuels et collectifs. Ne privilégiant aucun champ disciplinaire ou médium en particulier, CLARK se dit ouvert à la pluralité des approches et prête une attention diligente à la qualité des propositions artistiques et à la sensibilité des discours. Qu'il s'agisse de premiers solos ou d'expositions d'artistes aguerris, le Centre encourage particulièrement les pratiques qui manifestent une ouverture vers de nouvelles avenues.

Atelier CLARK

L'Atelier CLARK offre à l'ensemble de la communauté un accès à un atelier de production muni d'équipement et d'outils spécialisés pour le travail du bois et autres matériaux, et le soutien d'un technicien qualifié.

Résidence

Chaque année, CLARK reçoit des artistes en résidence pour une période d'environ quatre semaines. Les artistes accueillis dans le cadre de ce programme de recherche et de création bénéficient d'un studio individuel et de l'accès à l'atelier de production pendant toute la durée de leur séjour.

L'Agence CLARK

L'Agence CLARK se veut une plate-forme de réseautage qui offre aux membres divers services favorisant la diffusion, la promotion et la formation. Elle a été créée dans le but de mieux faire connaître la pratique de ses artistes, de faire circuler leur travail, d'accroître leur visibilité sur la scène internationale, de promouvoir la vente de leurs œuvres et tout cela dans le but d'améliorer les conditions de leur pratique professionnelle.

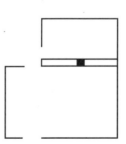

Salle 1
Superficie : 70,36 m²
Hauteur : 3,89 m
Salle 2
Superficie : 26,17 m²
Hauteur : 3,89 m

Marie-Claude Bouthillier, *Apparitions*, vue de l'exposition, 2008. Photo : Bettina Hoffmann

Gallery

Centre d'art et de diffusion CLARK is a not-for-profit organization run by a collective of 46 members, all artists and cultural workers. Active in research as well as the production and dissemination of art, Clark defines itself as a flexible and adaptable meeting place for innovative forms of artistic expression.

Programming

The gallery's annual programming comprises 10 exhibition periods for both galleries and accommodates solo and group shows. While CLARK is interested in a plurality of approaches rather than a specific medium, it pays close attention to the quality of artistic proposals and to their discursive sensibilities, whether considering first-time solo exhibitions or shows by veteran artists.

Residencies

Each year, CLARK receives several artists in residence for periods of approximately four weeks. The artists hosted through this research and creation program are given access to an individual studio and to CLARK's woodshop for the length of their stay. Located next to the members' studios – also in the same building as the Gallery and Atelier CLARK – this work space gives visiting artists the opportunity to produce work within a stimulating context.

Atelier CLARK

The Atelier CLARK offers the entire community access to a well-equipped production shop with specialized woodworking power tools and other materials. Support by qualified technicians is also available on-site.

Agence CLARK

The Agence CLARK is a networking platform that offers members various services pertaining to dissemination, promotion and training. Its goal is to make its members' practices better-known, circulate their work, increase their visibility on the national and international scenes and promote sales. It aims to improve artists' professional status and working conditions.

1. Centre d'affûtage
2. Tour à bois
3. Sableuse à panneau 22"
4. Dégauchisseur 8"
5. Raboteuse 20"
6. Raboteuse 12"
7. Scie à panneau
8. Sableuse de champs
9. Scie sur table 10" avec guide 54" et table coulissante
10. Scie à ruban 20"
11. Ponceuse combinée disque/ruban
12. Mortaiseuse
13. Scie à onglet coulissante 10"
14. Scie radiale 12"
15. Table à toupie
16. Scie à ruban 14" pour métaux
17. Scie à chantourner
18. Outillage manuel, électrique et pneumatique
19. Assortiment de serres
20. Perceuse à colonne 16"
21. Scie à ruban 14"
22. Ponceuse à arbre oscillant
23. Tables de montage

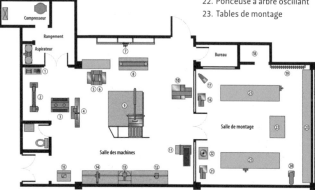

CENTRE DE PRODUCTION DAÏMÕN

Bertrand R. Pitt, *Horizons incertains*, 2009, installation vidéo interactive présentée au Studiõ de DAÏMÕN

78, rue Hanson
Gatineau (Québec) J8Y 3M5
T 819 770-8525
F 819 770-0481
info@daimon.qc.ca
www.daimon.qc.ca

lundi au vendredi
10 h – 17 h

Directeur général
Normand Rivest

Directrice artistique
Marie-Hélène Leblanc

Appel de dossiers
31 janvier et 31 août

Équipements
projecteur vidéo numérique suspendu
grille et console d'éclairage 12 canaux
console audio 24 pistes
système d'amplification quadraphonique
4 haut-parleurs Tannoy
1 haut-parleur d'extrême grave

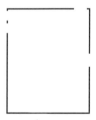

Superficie : 85 m²
Hauteur : 4,8 m

Situé dans l'édifice La Filature – une ancienne filature industrielle magnifiquement rénovée – DAÏMÕN offre des ressources de création, de production et de diffusion dans les domaines de la photographie et des arts médiatiques.

Programmes de création

Par ses programmes *Artiste résident*, *Recherche et création*, *Photographie et impression numérique* et *Soutien aux premières œuvres*, DAÏMÕN encourage les artistes à repousser les limites de leur pratique et à développer de nouvelles approches par le biais de l'image, de la vidéo, ainsi que des arts sonores et électroniques, y compris les pratiques installatives, interactives et performatives.

Le STUDIÕ

Avec son STUDIÕ, espace de production et de diffusion, DAÏMÕN favorise la mise en espace et la mise à l'essai d'œuvres d'envergure, ainsi que le développement des pratiques transversales. Ce STUDIÕ multifonctionnel est offert aux artistes pour l'expérimentation, la production et la présentation d'œuvres dont les composantes requièrent une infrastructure technique particulière.

Équipement

DAÏMÕN met à la disposition des artistes des équipements de tournage et d'enregistrement, des salles de montage audio et vidéo numérique, une chambre noire et un service d'impression numérique.

Located in the La Filature building—a magnificently renovated former industrial textile mill—DAÏMÕN offers resources for creation, production, and dissemination in the areas of media arts and photography.

Creation Programs

By way of its programs Artist Residency, Research and Creation, Photography and Digital Imaging, and Support for First Works, DAÏMÕN encourages artists to push the limits of their practice and develop new approaches in image, video, and sound and electronic art, including installation and interactive and performative practices.

The STUDIÕ

With its STUDIÕ, a production and exhibition space, DAÏMÕN encourages the creation and installation of large-scale works, as well as experimentation with and the development of transversal practices. This multipurpose STUDIÕ is available to artists for the experimentation, production, and presentation of work requiring a specific technical infrastructure.

Equipment

DAÏMÕN provides artists with access to image and sound recording equipment, digital audio and video editing suites, a darkroom, and a digital printing service.

DIAGONALE, CENTRE DES ARTS ET DES FIBRES DU QUÉBEC

5455, avenue de Gaspé
espace 203
Montréal (Québec) H2T 3B3
T 514 524-6645
info@artdiagonale.org
www.artdiagonale.org

mercredi au samedi
12 h – 17 h

Fermé pendant
la période estivale

Diagonale œuvre à diffuser le travail des artistes en arts visuels qui utilisent les techniques ou les concepts relevant du domaine des arts de la fibre, en encourageant notamment les créateurs de la relève. Il organise et suscite des échanges nationaux et internationaux sur les pratiques et questionnements actuels liés à la fibre.

Espace d'exposition

Six expositions par année, solos ou collectives. Plusieurs plages d'exposition dédiées à la relève.

Prix du Centre des arts et des fibres

Remis annuellement aux finissants des universités du Québec qui se sont illustrés en art actuel et fibres (UQAM, Concordia, Université Laval, UQAC, UQO).

Mois des Arts de la Fibre et du Textile (avril)

En collaboration avec d'autres organismes, l'évènement fait la promotion de la fibre et du textile en art actuel par des expositions, des conférences, des performances et autres.

Exposition bénéfice

Chaque fin d'année, expo-vente d'œuvres de petits formats.

Centre de documentation

Centre de documentation sur l'art et les fibres : revues, publications, dossiers d'artistes.

Diagonale is dedicated to promoting the work of visual artists who use techniques or concepts from the fiber arts, seeking particularly to encourage and support the next generation of fiber artists. The gallery organizes and encourages national and international exchanges on practices and questions surrounding the use of fibers in contemporary art.

Exhibition Space

Six exhibitions per year (solo or group) Several exhibition slots dedicated to emerging artists

Prix du Centre des arts et des fibres

Awarded annually to graduating students from Quebec universities who have distinguished themselves in the field of fiber arts (UQAM, Concordia University, Laval University, UQAC, UQO).

Fiber and Textile Arts Month (April)

In collaboration with other organizations, the event promotes the use of fibers and textiles in contemporary arts: exhibitions, conferences, performances, etc.

Fundraiser Exhibition

A show and sale of small works takes place at the end of each year.

Documentation Centre

Documentation on art and fiber arts: magazines, books, artists' files.

Nicole Panneton, *Le bleu de travail - Un, deux, trois, hop!*, 2009

Directrice
Stéphanie L'Heureux
slheureux@artdiagonale.org

Coordination et communications
Joan Doré
info@artdiagonale.org

Appel de dossiers
1er novembre
Volet soutenance (finissants de maîtrise)
1er avril

Publication
Diagonale 01, *Le statut de la fibre en art actuel*, 2008
Diagonale 02, *La rencontre*, 2010

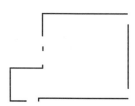

Superficie : 70,3 m²
Surface d'accrochage linéaire : 23 m
Hauteur : 3,65 m

Montréal ▲ Québec

DARE-DARE, CENTRE DE DIFFUSION D'ART MULTIDISCIPLINAIRE DE MONTRÉAL

Julie Faubert, *Apparaître/Disparaître : Les Mots (volet 1)*, action, Montréal, 2009. Photo : Guillermo Lopez Perez

Les bureaux se trouvent dans deux abris mobiles présentement situés au coin des rues Dufresne et Larivière dans le quartier des Faubourgs à Montréal, près du métro Frontenac.

C.P. 320, succursale C
Montréal (Québec) H2L 4K3
info@dare-dare.org
www.dare-dare.org

Programmation artistique
T 514 793-7002

Administration, communauté et centre de documentation
T 514 794-7002

mardi au vendredi
10 h – 18 h
samedi
12 h – 17 h

Coordination de la programmation
Martin Dufrasne
prog@dare-dare.org

Coordination administrative
Jean-Philippe Bolduc
admin@dare-dare.org

Coordination aux relations publiques et communautaires
Kit Malo
public@dare-dare.org

Appel de dossiers
Consulter le site Internet

DARE-DARE soutient la recherche et valorise l'implication d'artistes aux pratiques émergentes. Le centre d'artistes manifeste un intérêt soutenu pour l'exploration et la diversification des modes de présentation et de diffusion des œuvres et des interventions artistiques. DARE-DARE privilégie également les pratiques où se rencontrent diverses communautés et disciplines, qu'elles soient artistiques ou autres.

Fondé par Claire Bourque, Sylvie Cotton et Diane Tremblay, DARE-DARE a ouvert ses portes en 1985. En 1990, DARE-DARE devient centre d'artistes autogéré, réitère son engagement envers la diversité des formes de l'art actuel et se dote d'un comité de programmation composé d'artistes membres.

Recherche et diffusion des pratiques d'art public

Depuis 1996, le centre a développé une expertise au moyen de multiples expériences de terrain. Cette forme de recherche appliquée est nourrie par des projets qui engagent les artistes dans des processus de création complexes et multidimensionnels, des projets qui risquent de nouveaux rapports avec le public. En 2004, cette expérimentation continue a mené à la proposition de *Dis/location : projet d'articulation urbaine*. Depuis, DARE-DARE a installé ses bureaux dans des abris mobiles, s'inscrivant directement et quotidiennement dans la ville. Avec *Dis/location : projet d'articulation urbaine*, DARE-DARE établit un cadre pour la recherche et la diffusion

des pratiques d'art public et contextuel. Cette exploration urbaine s'effectue par amarrages successifs en des lieux de Montréal qui sont porteurs de riches questions sociales et politiques.

Conférences et activités liées aux pratiques artistiques

En plus de sa programmation régulière, DARE-DARE organise ponctuellement une série de conférences et d'activités en rapport avec les pratiques artistiques qu'il affectionne.

Centre de documentation

DARE-DARE met à la disposition de la communauté des livres abordant les idées et les enjeux liés aux projets réalisés par le centre, les publications et les archives de DARE-DARE ainsi qu'une documentation relative aux quartiers où ont été implantés les abris mobiles depuis 2004.

Photo : Janick Rousseau, 2009

DARE-DARE supports research and develops emergent artistic practices. This artist-run centre focuses on and supports the exploration and diversification of methods of presentation and dissemination of art works and artistic interventions. DARE-DARE upholds practices that engage diverse communities and disciplines, whether artistic or other.

Founded by Claire Bourque, Sylvie Cotton and Diane Tremblay, DARE-DARE opened in 1985. In 1990, DARE-DARE became an artist-run centre and, endowed with a programming committee consisting of artist members, continues to engage with a diversity of contemporary art practices.

Since 1996, the Centre has developed an expertise through multiple on-site experiences. This form of applied research is nourished by projects that engage the artists in complex multidimensional creative processes as well as provide opportunities to engage new and different publics. In 2004, this experimentation continued with the adoption of Dis/location: an urban articulation project. Since then, DARE-DARE has set-up office in mobile trailers, which has allowed for direct and daily interactions with the city. With Dis/location: an urban articulation project, DARE-DARE has established a framework for research, and the dissemination of public and contextual art practices. This urban exploration takes

place in various locations in and around Montreal that are rich with social and political issues.

In addition to its regular programming, DARE-DARE regularly organizes conferences and activities that link the artistic practices that it promotes at the Documentation Centre. The Documentation Centre makes available to the community at large the books related to the issues that emerge from the projects organised by the centre, DARE-DARE's publications and archives, and documents related to the various neighbourhoods where its mobile trailers have been located since 2004.

DAZIBAO, CENTRE DE PHOTOGRAPHIES ACTUELLES

Sophie Bélair Clément, *Regarder 24 Hour Psycho*, 2009

335, boul. de Maisonneuve E.
bureau 329
Montréal (Québec) H2X 1K1
T 514 845-0063
info@dazibao-photo.org
www.dazibao-photo.org

Jusqu'à sa relocalisation
prévue pour le début 2012,
Dazibao est en résidence à la
Cinémathèque québécoise au
335, boulevard de
Maisonneuve Est à Montréal

Galerie
Horaire variable, consulter
notre site Internet

Bureau
lundi au vendredi
10 h – 17 h

Direction
France Choinière

Adjointe à la direction
Celia Perrin Sidarous

Coordination des expositions
Amélie Brault

Responsable de la levée de fonds
Jennifer Pham

Appel de dossiers
En tout temps

Programme de résidence
en collaboration avec PRIM
1er octobre

Concours Jeune tête d'affiche
1er juin

Dazibao est voué à la diffusion de la photographie actuelle et de ses pratiques connexes.

Dazibao se positionne dans un inter-lieu où les frontières entre diverses disciplines liées à l'image s'éclipsent pour permettre l'émergence de pratiques artistiques hybrides et de réflexions composites. Dazibao propose une façon autre de penser l'image et stimule l'éclosion d'une manière nouvelle d'appréhender le réel par la poursuite d'une réflexion critique engagée qui vise tant à définir qu'à défier la notion même du photographique.

Le centre sert de relais entre les artistes, les commissaires, les théoriciens, les auteurs, les critiques, les milieux collégial, universitaire et culturel ainsi que le grand public. Dazibao est un lieu d'échanges et de recherche, une galerie, un éditeur et, par ses archives, un centre d'information.

Expositions

Dazibao présente des expositions autour de problématiques ambitieuses témoignant d'un large éventail de pratiques : œuvres résolument conceptuelles, installations, œuvres exploitant les toutes dernières technologies en matière de production et de diffusion d'images. Le centre accueille des artistes du Québec, du Canada et de l'étranger. Dazibao est un tremplin pour de jeunes artistes et, pour les artistes reconnus, un lieu privilégié pour présenter des projets de nature expérimentale.

Publications

Dazibao propose le livre comme lieu complémentaire de diffusion et de discussion des pratiques photographiques actuelles et a publié une quarantaine d'ouvrages, en quatre collections : *Des photographes*, *Les essais*, *Les études* et *Les portables*. S'est ajoutée récemment une collection de monographies réalisées en collaboration avec VU.

Résidence

Chaque année, Dazibao s'associe à PRIM afin d'offrir une résidence de production/ diffusion à un artiste qui bénéficie des ressources de PRIM pour réaliser un projet, présenté par la suite à Dazibao.

Animation

Dazibao propose diverses activités d'animation parmi lesquelles des visites commentées et l'*Exposition portative*, une exposition itinérante destinée aux écoles. Plusieurs activités périphériques enrichissent les programmations.

Manon Labrecque, *mécanismes d'intérieurs*, 2008

Dazibao is a centre dedicated to the dissemination of contemporary photography and its related art forms.

Dazibao positions itself in an in-between space where the borders between the various disciplines tied to the image fade away to allow for the emergence of hybrid artistic practices and composite thinking. Dazibao promotes other means of thinking about the image and stimulates the opening of a new way of grasping reality, by engaging in a critical reflection that can define and even defy the very notion of photography. The centre acts as a link between artists, curators, theorists, authors, critics, the university and college communities, the artistic milieu and the general public. Dazibao is a site for exchange and research, a gallery, a publisher and an archival information centre.

Exhibitions

Dazibao presents exhibitions addressing ambitious issues within a broad spectrum of practices: from work with a strong conceptual basis, to installation, to work embracing the most recent technological advancements in the production and diffusion of images. The centre welcomes artists from Quebec, Canada and abroad. Dazibao serves as both a launching pad for young artists and as an ideal space for more established artists to initiate and present exhibitions with an experimental approach.

Publications

Dazibao posits the book as an alternate site for the dissemination and discussion of contemporary photographic practices and has published over forty major publications, in four series: Des photographes, Les essais, Les études and Les portables. A series of monographs realised in collaboration with VU has recently been added.

Residency

Each year, Dazibao joins forces with PRIM in order to offer a production/diffusion residency to an artist. The selected artist benefits from PRIM's resources to realise a project, which will further be presented at Dazibao.

Activities

Dazibao offers a selection of animation activities including guided tours and the Exposition portative, a portable exhibition devoted to schools. Many peripheral activities also enrich our programming.

Until its relocation planned for early 2012, Dazibao is situated at the Cinémathèque québécoise at 335, boulevard de Maisonneuve Est in Montreal.

61

L'ÉCART... LIEU D'ART ACTUEL

Paul Brunet et Thierry Arcand-Bossé, *La faille*, peinture, 2010. Photo : Cyclopes

Centre des artistes
en arts visuels de
l'Abitibi-Témiscamingue
167, avenue Murdoch
C.P. 2273
Rouyn-Noranda (Québec)
J9X 5A9

T 819 797-8738
F 819 797-8693
ecart@cablevision.qc.ca
www.lecart.org

Galerie
mercredi au vendredi
13 h – 17 h
samedi et dimanche
11 h – 17 h

Bureau
mardi au vendredi
9 h – 17 h

Coordonateur général
Matthieu Dumont

Assistante à la coordination artistique
Sylvie Crépeault

Chargée de projet
Geneviève Crépeau

Appel de dossiers
15 janvier

Superficie : 90,44 m²
Surface d'accrochage linéaire :
murs latéraux (2) : 41,23 m²
mur du fond : 21,08 m²
mur avant : 14,57 m²
Hauteur totale : 3,61 m
Hauteur libre : 3,10 m

L'Écart... lieu d'art actuel est un centre d'artistes autogéré qui agit comme lieu de diffusion de l'art actuel. Il se reconnaît différentes fonctions comme celles d'être un lieu de résidence d'artistes, de production (ateliers d'artistes et accès à des équipements technologiques), de recherche, de création, de formation et d'échanges. Par ses expositions et ses activités parallèles, il privilégie le ressourcement, la discussion, l'information, la documentation outre la diffusion de l'art actuel.

Diffusion axée sur l'expérimentation

L'Écart soutient les artistes professionnels dont la démarche relève d'une recherche et d'une expérimentation sérieuse en art actuel.

Appel de dossiers

La programmation se construit par appels de dossiers à l'échelle régionale, nationale et internationale. La sélection est effectuée par un jury composé d'artistes. L'Écart facilite, favorise et soutient la diffusion et la production de ses artistes, en reconnaissant la spécificité de la production régionale. Il tente de découvrir et de mettre en valeur les propositions différentes, les démarches et les façons de faire particulières.

Hors-les-murs

Le centre favorise la tenue de différentes activités ailleurs qu'en ses murs, tant à l'intérieur qu'à l'extérieur de la région. L'Écart met en valeur les forces de tous les secteurs géographiques de la région, en favorisant la relève et en s'associant à elle, de même qu'en cherchant les affinités avec d'autres milieux. L'éloignement est un paramètre incontournable de notre réalité territoriale. Par conséquent, L'Écart doit mettre en valeur une politique de la différence, de la déviance et de l'audace. Ce vaste territoire doit être joué comme un atout plutôt que comme une limite.

Résidences, espaces de production et centre de documentation

· Accueil d'artistes en résidence
· Équipements ou espaces de production disponibles
· Consultation d'archives et de documentation

Patrice Duchesne, *Avoir de la corne*, dessin et installation, 2009. Photo : Cyclopes

L'Écart... is an artist-run centre dedicated to the documentation and presentation of contemporary art. It fosters artistic research and training through its artist residencies. The production space provides artist studios and technical equipment. Through its exhibitions and related activities, L'Écart offers resources for artists and a place to reflect, converse and exchange ideas about art.

L'Écart supports professional artists whose artistic approach is driven by significant experimentation in contemporary art.

Call for Proposals

L'Écart establishes its programming through calls for projects on a regional, national and international scale. Projects are selected by a jury of visual artists. L'Écart facilitates, promotes and supports artists' work and has recognition for the specificity of regional artistic production. The centre strives to exhibit and promote work that demonstrates a variety of approaches and diverse means of art making.

Geographic Reality

The centre promotes various activities, within and outside the region. L'Écart highlights the strengths of all geographic areas in the region by promoting and encouraging emerging artists, as well as by seeking connections with other fields of interest. The remoteness of the location defines the geographic reality. Therefore, L'Écart adopts a policy of uniqueness, deviation and audacity as a means of creating identity within its vast geographical area of activity. The immense Abitibi-Témiscamingue territory is approached as an advantage rather than a hindrance.

Residencies, Production Spaces and Documentation Centre

- Welcomes artists-in-residence
- Provides production equipment and work spaces
- Archives and documentation available for consultation

ENGRAMME

L'atelier de gravure d'Engramme, 2006.
Photo : Stéphane Lalonde

501, rue de Saint-Vallier Est
Accès à la galerie par le
510, Côte d'Abraham
Québec (Québec) G1K 3P9
T 418 529-0972
info@engramme.ca
www.engramme.ca

Galerie
mercredi au vendredi
12 h – 17 h
samedi et dimanche
13 h – 17 h

Bureau
lundi au vendredi
9 h – 17 h

Directrice artistique et administrative
Louise Sanfaçon

Adjointe administrative
Diane Fournier

**Coordonnateur aux communications
et à la diffusion**
Félix LeBlanc

Chef d'atelier et magasinière
Diane Thuot

Appel de dossiers
En février
Les artistes peuvent soumettre leur dossier
à d'autres moments pour compléter
la programmation

Superficie : 52,17 m²
Surface d'accrochage linéaire : 28,45 m
Hauteur : 5 m

Engramme est un centre d'artistes autogéré qui se consacre depuis plus de 35 ans à promouvoir l'estampe originale. Il favorise sa réactualisation comme domaine privilégié de la création en arts visuels.

Engramme demeure particulièrement présent pour soutenir l'évolution de l'estampe par ses activités de diffusion et de production, qui fournissent autant d'occasions de faire des expériences nouvelles tout en interrogeant constamment ce médium dans sa tradition. Sa programmation offre un reflet privilégié des tendances actuelles de même que de la diversité des recherches en estampe.

Soutien à la création

Engramme accorde une attention particulière au soutien de l'activité de création de ses membres et des artistes invités. Cette activité de création chez Engramme s'articule autour de trois axes : le renouvellement esthétique en encourageant l'investigation des différents champs techniques traditionnels de l'estampe; l'expérimentation du potentiel artistique par la manipulation de nouvelles approches ou de nouveaux outils; la transposition dans la pratique de l'estampe des expériences artistiques d'autres disciplines ou d'autres champs de pratique.

Plusieurs programmes annuels permettent de soutenir et de développer le travail des membres de façon continue : bourses de perfectionnement, ateliers de formation, stages et échanges avec d'autres ateliers d'estampe. Pour intégrer les jeunes artistes, nous offrons aussi des bourses et des concours conçus pour eux.

Documentation

Engramme dispose d'un centre de documentation et publie, cinq fois par année, *La Morsure*, bulletin d'information sur les activités du centre, de même que *Les encarts*, textes d'analyse portant sur une exposition récente. Depuis une vingtaine d'années, Engramme a publié plus de 10 catalogues ou coffrets d'estampes, le plus souvent créés à l'issue d'expositions collectives. À ces publications s'ajoutent les ouvrages *Engramme, 25 ans d'estampe à Québec* et *Sol majeur*.

Marie-Ève Pettigrew, *Se fondre*, 2008. Photo : Hydra Labrie, 2008

Engramme is an artist-run centre devoted to the promotion of original printmaking for more than thirty-five years. It supports this discipline in three principle areas: aesthetic renewal through the investigation of traditional printmaking techniques, experiments generated by manipulating new approaches or new tools, and artistic exploration developed in other fields and applied to printmaking.

Engramme is particularly active in supporting the evolution of printmaking through its production and exhibition activities, which offer many opportunities to develop new skills while constantly questioning the media's traditions. Its programming offers a privileged reflexion on current trends and research in the printmaking medium.

Production Support

Engramme focuses on supporting the creative activities of its members and visiting artists.

Numerous annual programs support the work of members on a continuous basis. These programs include: training scholarships, educational workshops and internships and exchanges with other printmaking workshops. Engramme includes young artists in its activities through scholarships and competitions specifically designed for their needs.

Individual and group exhibitions show the work of members as well as the work of international printmakers. Exhibitions at Engramme strive to show the best printmaking and support research related to the work it presents.

Engramme is particularly dedicated to supporting the evolution of printmaking through its outreach activities and production support program and provides many opportunities to develop new expertise while constantly questioning the medium and its tradition. Its programming provides a privileged reflection on current trends and the diversity of research in printmaking.

Documentation

Engramme has a documentation centre comprised of publications and information specific to fine art printmaking. Five times per year the centre publishes La Morsure, an information bulletin about Engramme's activities and Les Encarts, containing critical texts related to past exhibitions. In the past 20 years, Engramme has published 10 catalogues and boxed print collections related to group exhibitions. Other significant publications include Engramme, 25 ans d'estampe à Québec and Sol majeur.

ESPACE F

Yoanis Menge dans l'atelier d'impression, 2009.
Photo : N. Riverin

520, avenue Saint-Jérôme,
espace 102
Matane (Québec) G4W 3B5
T 418 562-8661
info@espacef.org
www.espacef.org

Galerie
lundi au samedi
13 h – 17 h
dimanche
13 h – 16 h

Bureau
lundi au vendredi
9 h – 17 h

Matane ▶ Québec

Direction artistique
François Wells

Direction administrative
Gilles Arteau

Production et communication
Nathalie Dion

Appel de dossiers
1er février

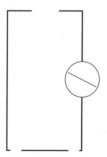

Superficie : 79 m²
Surface d'accrochage linéaire : 35,6 m
Hauteur : 3,5 m

Fondé en 1987, Espace F se voue à la diffusion et à la création dans les domaines de la photographie, de la vidéo et des nouveaux médias. Sa programmation en galerie fait état de la diversité des démarches actuelles sous-tendant ces modes d'expression. À l'intention des photographes et des vidéastes, le centre donne accès à un atelier numérique pour l'impression grand format à jet d'encre, à un studio de montage vidéo et à un service de prêt d'équipements.

Création et médiation

Le centre initie et appuie des projets de création. Il lance en 2009 une mission photographique, *Québec décapé*, destinée à montrer ce qui différencie le Québec d'aujourd'hui de celui d'il y a vingt ans. Le centre s'implique dans sa communauté pour le développement des arts. Il le fait notamment à chaque année par une intervention en milieu scolaire intitulée *Zoom sur ma région*.

Soumission de projets

Les projets d'exposition ou de résidence peuvent être envoyés en tout temps. Notez cependant que notre programmation est déterminée par un jury annuel qui se tient en février. Espace F accueille en tout temps les projets de création qui concernent l'un de ses domaines d'intervention. Après analyse, ces projets peuvent recevoir un soutien administratif, technique ou financier selon des modalités à discuter. Les artistes en début de parcours sont invités à présenter des projets dans le cadre d'une exposition collective qui leur est consacrée chaque printemps. Le jury siège en avril.

Séjour de production

Les artistes qui désirent effectuer des séjours de production peuvent soumettre des propositions en tout temps. Un libre accès à l'atelier d'impression et au studio de montage vidéo ainsi que des tarifs préférentiels pour l'emprunt d'équipements leur sont offerts.

Giorgia Volpe, *La Chambre de fabulation*, 2009. Photo : N. Riverin

Espace F is an artist-run centre dedicated to photography, video, and new media arts. Its gallery presents a wide range of contemporary practices within these fields. For professional photographers and digital filmmakers, it offers access to an editing suite, large format digital printing, and specialized photo/video equipment. Espace F was founded in 1987 and is located in Matane on the Gaspé peninsula.

Creation/Cultural Mediation

The centre initiates and supports diverse projects in the mediums mentioned above. For instance, in 2009, Espace F launched the photographic project Québec décapé whose objective is to explore, using photography, what differentiates Quebec of today from what it was twenty years ago. The centre also engages directly with the school milieu, notably with its annual intervention Zoom sur ma région. In this way, Espace F is highly active in the community regarding the development of the arts.

Submissions

Exhibition or residency proposals can be sent any time. Please note however that the jury meets once a year in February to organize the following year's programming.

Emerging artists are also encouraged to present collective exhibition projects. Every spring, a special collective exhibition is organized to assure visibility for young professional artists. The deadline for project proposals for this particular exhibition is in April.

Espace F welcomes at all times research/creation project proposals concerning its fields of interest. After assessment, these projects may receive administrative, technical, or financial support with all terms and conditions to be negotiated.

Production Residency

Artists can submit short production residency proposals at anytime. The center offers free access to its video-editing suite and print workshop. It also offers preferential rates for the rental of its professional equipment. Please contact us for more information.

ESPACE VIRTUEL

Collectif 34-7 (Boran Richard et Geneviève Bouchard), *Le conte moderne de la Femme Poisson*, 2009. Photo : Valérie Lavoie

534, rue Jacques-Cartier Est
Chicoutimi (Québec) G7H 1Z6
T 418 698-3873 /
  1 877 998-3873
F 418 698-3874
information@espacevirtuel.ca
www.espacevirtuel.ca

mardi, mercredi, vendredi
9 h – 17 h
jeudi
10 h – 20 h
dimanche
13 h – 16 h

Direction
Sébastien Harvey

Coordination
Julien Boily

Communication
Jessy Bilodeau

Appel de dossiers
10 février

Depuis 1986, le centre d'artistes Espace Virtuel soutient le travail des artistes en arts visuels et leurs recherches, agit comme médiateur culturel, stimule l'échange et la réflexion critique sur l'œuvre et son créateur et participe à la vitalité de son milieu en collaborant avec les organisations poursuivant des objectifs similaires aux siens. Notre direction artistique n'a pas de cloisonnement disciplinaire. Le centre d'artistes Espace Virtuel diffuse le travail de la relève et celui des artistes établis.

Expositions et événements

Espace Virtuel organise des expositions en art actuel, des évènements d'art-performance, des projets nomades de recherche et de diffusion, des résidences de formation, des ateliers de formation, diffuse le livre d'art et le livre d'artiste dans sa librairie spécialisée.

Librairie

Annexée à Espace Virtuel, la librairie Point de suspension diffuse des publications sur l'art contemporain ainsi que des livres d'artiste. Pour chaque exposition présentée dans la galerie, nous ajoutons à notre catalogue une sélection de livres liée au contenu du travail présenté. Point de suspension soutient la rédaction et la diffusion de textes d'auteur et organise des conférences et des soirées de discussion sur l'art, son marché, ses institutions et sa critique.

Situé en plein cœur de Chicoutimi, faisant partie du croissant culturel de Ville Saguenay, Espace Virtuel offre à la population et aux artistes professionnels de partout l'occasion de participer à l'essor du dynamisme culturel régional.

Salle I
Superficie : 104,04 m²
Hauteur : 3,05 m
Plancher de bois, peint gris
Murs en gypse blanc
Éclairage : trois rangées de projecteurs sur rails
Salle II
Superficie : 84,76 m²
Hauteur : 3,05 m
Plancher en céramique
Éclairage : 1 rangée de projecteurs sur rails
et dix fenêtres

Pierre Durette, *Peur et barbarie*, 2009. Photo : Valérie Lavoie

Located in downtown Chicoutimi and established in 1986, Espace Virtuel is an artist-run centre dedicated supporting contemporary artists and their work. The centre is a meeting place for artists and the public and promotes research and reflection on the work it presents. The centre also engages in critical discourse between the artwork and the creator and collaborates on various projects with artistic partners who share similar interests. Espace Virtuel encourages the exhibition of work and creative practices of emerging and well-established artists.

Exhibitions and Events

Espace Virutel pursues its primary concerns through activities that include: contemporary art exhibitions, performances, travelling exhibitions, research projects, residencies and educational workshops. It further promotes contemporary art through the distribution of art publications and artist books in its specialised bookstore.

Bookstore

The recently opened bookstore, Point de suspension, proudly carries a number of publications, books and other printed material related to contemporary art. In honour of each exhibition, the bookstore adds a selection of new books inspired by and related to the content of the work exhibited.

Espace Virtuel plays an active role in the cultural growth of the Saguenay region and offers professional artists the opportunity to take part in the development of the region's cultural environment.

EST-NORD-EST, RÉSIDENCE D'ARTISTES

Est-Nord-Est, résidence d'artistes, 2008.
Photo : Franck Michel

335, avenue de Gaspé Ouest
Saint-Jean-Port-Joli (Québec)
G0R 3G0
T 418 598-6363
F 418 598-6363
estnordest@videotron.ca
www.estnordest.org

Bureau
avril à décembre
lundi au vendredi
9 h – 17 h

Directrice
Ariane Lord
direction.estnordest@videotron.ca

Coordonnatrice
Noémie Villeneuve
nvilleneuve@videotron.ca

Adjointe à la direction
Lucie Rochette
administration.estnordest@videotron.ca

Technicien
Denis Raby

Appel de dossiers
15 novembre

Fondé en 1992, Est-Nord-Est, résidence d'artistes (ENE) est un lieu de production en art contemporain dont le mandat est d'offrir du soutien aux artistes en processus de recherche et d'exploration. Son nom, qui emprunte aux coordonnées géographiques du lieu, en traduit les particularités : nous sommes situés en région et à l'est des importants centres urbains. La présence du fleuve Saint-Laurent et des Appalaches définit le paysage particulier de Saint-Jean-Port-Joli. L'accueil convivial ainsi que les échanges avec la communauté artistique locale et entre artistes d'expérience et d'origines diverses caractérisent nos résidences. ENE est membre du réseau Res-Artis et constitue une structure d'accueil pour les Pépinières Européennes pour jeunes artistes.

Résidences

Le programme de résidences d'ENE permet à des artistes d'avoir accès à des ressources humaines et à des services techniques professionnels dans un climat propice à la création. Nos résidences s'adressent aux artistes en arts visuels et aux commissaires. Chaque résidence, d'une durée de deux mois, réunit jusqu'à six artistes de toute provenance, au printemps, à l'été et à l'automne. ENE réalise des évènements thématiques, des expositions, des conférences, des publications et des ateliers; autant d'activités qui multiplient les rencontres et accroissent la portée du travail des artistes.

Équipements

Est-Nord-Est se veut un laboratoire qui encourage la recherche en art contemporain. Bien que l'expertise technique du centre de même que son outillage et sa machinerie répondent surtout aux besoins de la pratique de la sculpture, ENE favorise toutes les formes d'arts visuels : installation, œuvres *in situ*, photographie, vidéo, peinture, nouveaux médias, etc. L'expérimentation de nouveaux matériaux et procédés ainsi que la réflexion sur la pratique artistique y sont encouragées.

Ateliers

Est-Nord-Est offre plus de 600 m² d'espace de production et un atelier individuel de 32 m² pour chaque artiste en résidence.

Sandra Fererri, *Vue d'atelier*, 2008. Photo : Franck Michel

Founded in 1992, Est-Nord-Est, résidence d'artistes (ENE) *is a centre for the production of contemporary art. Its mandate is to offer support to artists in their research and exploration processes. Referencing the site's geographic coordinates, its name conveys the centre's particular location: a rural region to the east of major urban centres. Saint-Jean-Port-Joli's landscape is defined by the nearby St. Lawrence River and Appalachian Mountains. Our residencies are characterised by a welcoming atmosphere as well as exchanges with the local arts community and experienced artists from various backgrounds. ENE is a member of the Res-Artis network and a host structure for the Pépinières Européennes pour jeunes artistes program.*

Residencies

ENE's residency program offers visual artists access to human resources and professional technical services in a highly supportive creative environment. Our residencies are for visual artists and curators. Each two-month residency (in the spring, summer, and autumn) brings together up to six artists from various locations. ENE presents thematic events, exhibitions, conferences, publications, and workshops. These activities multiply opportunities for new encounters and encourage the growth of the artists' range of work.

Tools

Est-Nord-Est sees itself as a laboratory that stimulates research in contemporary art. Although the centre's expertise, tools, and equipment respond mainly to the needs of sculptors, ENE favours all practices, including installation, public art, photography, video, painting, new media, and more. The centre encourages experimentation with new materials and processes, as well as reflection on art practices.

Studios

Est-Nord-Est offers more than 600 m² of production space as well as individual studios measuring 32 m² for each artist-in-residence.

EASTERN BLOC

Electrical Live Cinema (performance A/V) de RKO, 2010.
Photo : Emily Gan

Centre de production et
d'exposition en nouveaux
médias et arts interdisciplinaires
7240, rue Clark, 2ᵉ étage
Montréal (Québec) H2R 2Y3
T 514 284-2106
info@easternbloc.ca
www.easternbloc.ca

Galerie
mardi au samedi
12 h – 18 h

Bureau
lundi au vendredi
10 h – 17 h

Montréal ▶ Québec

Direction artistique
Eliane Ellbogen
art@easternbloc.ca

Direction technique
Sandor Pölöskei
tech@eatsernbloc.ca

Appel de dossiers
En tout temps

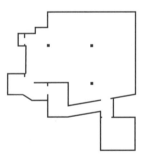

Superficie : 300 m²
Surface d'accrochage linéaire : 55 m
Hauteur : 3,5 m

Eastern Bloc est un centre de production et d'exposition voué à la promotion des nouveaux médias et des arts interdisciplinaires, soutenant particulièrement l'exploitation créatrice dans les domaines des arts numériques, électroniques et audiovisuels, de la performance multimédia et autres pratiques émergentes. Le mandat de l'organisme est de soutenir la communauté artistique de la relève en permettant des échanges créatifs entre ces artistes et les artistes établis en vue de favoriser l'accès à une audience à un auditoire plus vaste et à de plus amples occasions de développement.

Résidences

Eastern Bloc offre un programme de résidences aux artistes de la relève. L'organisme met à la disposition de ces artistes un laboratoire de nouveaux médias (incluant salle de montage), de l'équipement audiovisuel et informatique, de l'assistance technique et un lieu d'exposition.

Festival/événements spéciaux

Eastern Bloc organise le festival audiovisuel annuel SIGHTandSOUND:::SONetVUE, qui présente le travail d'artistes locaux et internationaux œuvrant dans la performance A/V, l'installation A/V, la vidéo et l'art audio.

Eastern Bloc is an exhibition and production centre dedicated to the advancement of new media and interdisciplinary art, supporting in particular creative exploration in the fields of digital and electronic arts, sound and video, multimedia performance and other emerging practices. The organisation's mandate is to act as a support network to Montreal's emerging artist community by enabling creative exchanges amongst emerging and established artists so that young artists may have access to a larger body of spectators, a network of established art organisations and professionals in the milieu, and further artistic opportunities.

Residencies

Eastern Bloc offers an artist-in-residency program to emerging artists. The organisation provides resident artists with a New Media lab (including editing suite), audiovisual and computer equipment, technical assistance and an exhibition space following the production phase of the residency.

Festival/Special Events

Eastern Bloc organizes the yearly audio/visual festival SIGHTandSOUND:::SONetVUE, which presents the work of local and international artists in the fields of A/V performance, A/V installation, video art and sound art.

Les Sœurs Couture, *Goût profond d'égout, À la rencontre des regards*, 2008. Photo : Ivan Binet

260 A, rue Arago Est
bureau 101
T 418 649-0999
F 418 649-0124
fc@folieculture.org
www.folieculture.org

adresse postale
281, rue De Saint-Vallier Est
Québec (Québec) G1K 3P5

lundi au vendredi
9 h – 17 h

Organisme artistique atypique de sensibilisation en santé mentale, Folie/Culture conçoit, produit et diffuse, depuis 1984, des événements multidisciplinaires rassemblant des artistes de toutes pratiques. L'organisme favorise le travail d'artistes professionnels dont la production reflète le résultat de recherches inusitées.

Chaque projet de Folie/Culture s'articule à travers plusieurs disciplines et s'inscrit dans la continuité d'une recherche sur la double nature de l'organisme. Folie/Culture provoque des rencontres entre des artistes ayant des pratiques, des niveaux de carrière et des statuts différents.

Pratique artistique et sensibilisation en santé mentale

À l'aide d'une thématique annuelle, l'organisme conçoit des programmations visant à susciter une réflexion et un questionnement à la fois sur une pratique artistique et sur une méthode de sensibilisation à la santé mentale.

Lieux

L'organisme a choisi de ne pas avoir de lieu de diffusion fixe. Flexible et réceptif dans ce qu'il entreprend, il présente ses activités dans des endroits susceptibles de donner plus de sens à ses projets.

An atypical artistic organisation that focuses on raising awareness about mental health. Since 1984, Folie/Culture has planned, produced, and distributed multidisciplinary events that bring together artists from all fields. The organisation encourages work by professional artists whose production reflects unusual research practices.

Each Folie/Culture project is expressed across several disciplines, reflecting a range of research on its dual role. The organisation motivates collaboration among artists who have different practices and are at different stages of their respective careers.

Artistic Practice and Awareness-Building in Mental Health

The organisation develops programming based on an annual theme, while aiming to encourage reflection and research about artistic practices and methods for raising awareness about mental health

Location

The organisation has chosen not to have a fixed location for the presentation of its programming. Flexible and accessible, Folie/Culture presents activities in locations that are likely to give more meaning to its projects.

Directrice
Céline Marcotte
cm@folieculture.org

Appel de dossiers
Consulter le site Internet

Confection
Cahiers objets d'art
Casquette
Catalogues
CD
Coffrets
Dictionnaire-objet
DVD
Épinglettes (pins)
Gravures
Nains de jardin
Regards de chaussée
T-shirts

Québec ▶ Québec

LA GALERIE D'ART DE MATANE, CENTRE D'EXPOSITION EN ART ACTUEL

520, avenue Saint-Jérôme
bureau 101
Matane (Québec) G4W 3B5
T 418 566-6687
gartm@globetrotter.net
www.galerieartmatane.org

mardi au vendredi
9 h – 17 h
samedi et dimanche
13 h – 16 h

Larry Williams, Jean Bouchard, Mélanie Langevin, Vue de l'exposition *Éphémérides*. Photo : Chantal Poirier, 2009

Direction générale
Chantal Poirier

Adjoint à la direction
Yann Guillon

Appel de dossiers
30 septembre

Superficie au sol : 110 m²
Surface d'accrochage linéaire : 37 m
Hauteur : 3,1 m

La Galerie d'art de Matane a comme mandat principal la diffusion, la promotion et la démocratisation de l'art actuel par l'organisation et la présentation d'expositions et d'événements de qualité.

En salle

De six à huit expositions d'artistes professionnels forment la programmation annuelle, déterminée par un jury. La période estivale est réservée aux artistes, toujours en art actuel, du Bas-Saint-Laurent et de la Gaspésie.

Historique

Fondée en 1976 par des artistes désireux de voir à Matane un lieu d'expression, d'échanges et de diffusion, la GAM compte plus de trente ans d'expositions, d'événements, de performances, d'ateliers, de conférences d'envergure nationale et internationale.

Éducation

Depuis 2006, la galerie développe son volet éducatif par l'organisation d'ateliers de création, tous médiums confondus, pour les jeunes de 6 à 11 ans. Des artistes de la région enseignent leurs techniques et supervisent la création d'œuvres, individuelles ou collectives. Une exposition des travaux réalisés a lieu une fois l'an.

The Galerie d'art de Matane's main mission combines the dissemination, promotion, and democratization of current art practices through the organization and presentation of exhibitions and high-quality events.

Exhibition Space

Selected by a jury, 6 to 8 professional artists make up the gallery's annual programming. The summer period is reserved for contemporary artists from Bas-Saint-Laurent and Gaspésie.

Chronology

Founded in 1976 by artists eager to have a platform for expression, exchange, and presentation, the GAM now has a history of over thirty years of exhibitions, events, performances, workshops, conferences presented on a national and international scale.

Education

Since 2006, the GAM has developed an educational program, organizing creation workshops in all mediums for youth ages 6 to 11. Local artists teach techniques and supervise the creation of artworks, whether individual or collective. An exhibition of these works takes place once a year.

4001, rue Berri, espace 105
Montréal (Québec) H2L 4H2
T 514 271-5506
F 514 271-6980
info@givideo.org
giv@videotron.ca
www.givideo.org

mardi au vendredi
10 h – 17 h

Gabriela Golder, *Domestico*. Photo : Suzanne Girard, 2009

Distribution, diffusion et production d'œuvres vidéo et multimédias réalisées par des femmes. Année de fondation : 1975

Distribution

Vidéos d'art, œuvres expérimentales, courts métrages, documentaires.
Vente et location, catalogue en ligne, visionnements gratuits sur place.
La collection comprend 870 œuvres (en plusieurs langues) réalisées par 290 artistes. Circulation dans les festivals, bibliothèques, galeries, musées et manifestations culturelles au Québec, au Canada et dans le monde.

Diffusion

Programmations : Vidéos de femmes dans le Parc (VFP), Topovidéographies, Laissez-Passer, La Voûte, GIV se promène, et plus.

Lancements d'acquisitions

Activités de diffusion en collaboration avec des artistes de toutes les disciplines, des organismes de différents milieux et des commissaires invités.

Production

Le GIV offre des services et du soutien professionnel à ses membres, aux artistes et à la communauté.
- Ateliers de formation
- Coproduction
- Projets en ligne
Location d'équipements de tournage, de montage, de copies de reproduction et de transferts

Groupe Intervention Vidéo has been distributing, exhibiting and producing videos and multimedia works by women since 1975.

Distribution

Video art, experimental, shorts, documentaries.
Sales, rentals, free on-site viewing, online catalogue.
Our collection: 290 artists, 870 works, videos available in several languages.
Distribution in: festivals, libraries, galleries, museums and events throughout Quebec, Canada and internationally.

Exhibition

Programming events include: VFP (Vidéos de femmes dans le parc), Topovidéographies, Laissez-Passer, The Vault + more.
Throughout the year, GIV premieres new acquisitions.
We present a diverse program of activities in collaboration with artists from every discipline, other arts groups and guest curators.

Production

GIV provides production services and professional development for artists, members and the community.
- Workshops
- Co-production Program
- Web projects
Equipment rental: production, editing, duplication, transfers.

Codirectrice, administration et production
Petunia Alves

Codirectrice, programmation et distribution
Anne Golden

Adjointe à la direction, coordination des festivals
Liliana Nunez

Montréal ▸ Québec

GRAVE / GROUPEMENT DES ARTS VISUELS DE VICTORIAVILLE

L'artiste Christine Palmiéri en train de monter son installation, *L'être des objets*, 2010. Photo : Guy Samson

Directeur général et artistique
Jocelyn Fiset

Coordonnatrice administrative
Michèle Rappe

Appel de dossiers
15 novembre

Salle 1
Superficie : 95,2 m²
Hauteur : 3,3 m
Salle 2
Superficie : 59,84 m²
Hauteur : 3,3 m

17, rue des Forges
C.P. 304
Victoriaville (Québec)
G6P 6S9
T 819 758-9510
info@legrave.ca
www.oculiartes.org
www.legrave.ca

Galerie
mercredi au dimanche
13 h – 17 h

Bureau
mercredi au vendredi
9 h – 17 h

Fondé en 1985, le Grave est un centre de diffusion d'art actuel géré par un collectif d'artistes professionnels. Comptant une soixantaine de membres provenant de partout au Québec, il a comme mandat de faire connaître et de promouvoir les démarches artistiques axées sur la recherche et l'expérimentation, et travaille à la reconnaissance des artistes profession-nels. Depuis 1997, il privilégie l'exploration des notions de récupération (reprendre ou recueillir ce qui pourrait être perdu) et de recyclage (réintroduire dans un cycle).

Recherche, production, diffusion, résidences

Afin de favoriser la recherche, la production et la diffusion d'œuvres s'inscrivant dans la sphère des pratiques recyclantes, le Grave présente annuellement cinq périodes d'exposition dans ses salles de diffusion, deux résidences d'artistes et deux expositions à la galerie d'art du cégep de Victoriaville (réservées aux artistes en début de carrière). Un comité effectue la sélection une fois l'an, en tenant compte de l'orientation du centre et du caractère novateur des propositions.

Publication

Le Grave souhaite également participer à l'évolution d'un discours critique en entretenant une réflexion sur les pratiques recyclantes. Initiée en 2009, la publication d'opuscules s'inscrit dans cette volonté, tout comme la tenue de résidences d'écriture et d'activités ponctuelles.

Le grand recyclage du Grave

Ayant maintenant célébré son 25ᵉ anniver-saire, le Grave est mûr pour franchir de nouvelles frontières tant conceptuelles que factuelles autour, en dedans et au-delà du concept des pratiques recyclantes. C'est pourquoi l'équipe a élaboré et mis en œuvre « Le grand recyclage du Grave », dont l'objectif est de faire du centre un phare de création ainsi qu'un partenaire culturel incontournable, tant sur la scène locale et régionale que nationale et internationale.

Situé au centre-ville de Victoriaville, reconnue comme le berceau du développement durable au Québec, le Grave est le seul centre d'artistes autogéré présent dans la grande région du Centre-du-Québec.

Christine Palmiéri, *L'être des objets*, installation, 2010. Photo : Guy Samson

Founded in 1985, le Grave is a professional artist-run centre specializing in current contemporary visual arts. With a membership of about sixty persons from all parts of Quebec, its mandate is to disseminate and promote artistic approaches based on research and experimentation, as well as to work towards the recognition of the status of professional artists. Since 1997, it has favoured the exploration of concepts like recuperation (taking back or salvaging what could be lost) and recycling (reinserting in a cycle).

Research, Production, Dissemination, Residencies

Each year, with the objective of favoring creative research, production, and dissemination of works in line with recycling practices, le Grave programs five periods for exhibitions in its galleries, two artist residencies, and two solo exhibitions at the art gallery of the Victoriaville Cégep (reserved for emerging artists). Once a year, a committee makes a selection based on the mandate of the Centre and the innovative character of the proposals.

Publications

Le Grave also wishes to take part in the development of a critical discourse by engaging in a reflection on recycling practices. Starting in 2009, the publishing of booklets was a step towards that goal, in tandem with residencies for writers and other regular activities.

Le grand recyclage du Grave

Having celebrated its 25th anniversary, le Grave has ample knowledge to envision crossing new conceptual and factual borders around, within, and beyond the concept of recycling practices. For this reason, the team has worked together and implemented "Le grand recyclage du Grave", whose main goal is to make the centre a beacon for creation as well as an important cultural partner in local and regional milieus, and in the national and international scene.

Located in downtown Victoriaville, known as the birthplace of sustainable development in the province of Quebec, le Grave is the only artist-run centre in the region of Centre-du-Québec.

LA BANDE VIDÉO

Milutin Gubash, *Hôtel Tito*, 2009

541, rue de Saint-Vallier Est
BP 2
Québec (Québec) G1K 3P9
T 418 522-5561
F 418 522-4041
info@labandevideo.com
www.labandevideo.com

Bureau
lundi au vendredi
9 h – 17 h

Galerie
mercredi au samedi
12 h – 17 h
Fermé en juillet

Directeur artistique
Jean-François Côté
art@labandevideo.com

Directrice administrative
Geneviève Desmeules
adm@labandevideo.com

Directeur technique
John Blouin
dt@labandevideo.com

Appel de dossiers
1er février

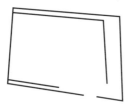

Superficie : 33 m²
Surface d'accrochage linéaire : 18,08 m
Hauteur : 2,44 m

Fondée en 1977, La Bande Vidéo est un centre de création et de recherche en arts médiatiques. Notre engagement se traduit par la création d'activités de recherche, de production, de diffusion, ainsi que la location d'équipements spécialisés.

Programme de résidence et de résidence-exposition

Le programme de résidence s'adresse aux artistes du Canada et de l'étranger. Dans le cadre de ces résidences, La Bande Vidéo fournit à l'artiste l'équipement, les salles de travail et les ressources humaines nécessaires à la réalisation de son œuvre. Certains projets de résidence sont sélectionnés pour une exposition d'un mois dans le contexte d'une résidence-exposition.

Espace d'exposition

La Bande Vidéo souhaite promouvoir les pratiques qui créent un langage vidéographique original et propre au médium. De la monobande à l'installation, le centre soutient la diffusion d'œuvres indépendantes qui déplacent les règles habituelles de présentation.

Festival Vidéastes Recherché·es

Fondé en 1990, le festival Vidéastes Recherché·es est dédié à la promotion et à la diffusion du court métrage indépendant et des pratiques installatives qui innovent dans le domaine du cinéma et de la vidéo.

Founded in 1977, La Bande Vidéo is a centre for creation and research in media art. Our centre is committed to the development of activities involving research, production and exhibition. In addition, La Bande Vidéo offers guidance to artists and the rental of specialised equipment.

Residency and Residency-Exhibition Programs

The artist-in-residence program is open to artists from Canada and abroad. As part of these residencies, the artist has free access to production studios, equipment and technical support. Some residency projects are chosen for a month-long exhibition in the context of the Residency-Exhibition program.

Exhibition Space

La Bande Vidéo strives to promote practices that develop an original video language inherent to the medium. From single-channel videos to installations, the centre supports the presentation of independent work that bends the rules.

Vidéastes Recherché·es Festival

Founded in 1990, the Vidéastes Recherché·es Festival is devoted to the presentation of independent short film and installation and showcases the innovative edge of contemporary media art.

LABORATOIRE NT2 : NOUVELLES TECHNOLOGIES, NOUVELLES TEXTUALITÉS

405, boul. De Maisonneuve E.
local B-2300
Montréal (Québec) H2L 4J5
T 514 987-0425
F 514 987-8218
nt2@uqam.ca
www.nt2.uqam.ca

lundi au jeudi
9 h 30 – 17 h 30

Le Laboratoire NT2 possède un espace physique, les locaux du Laboratoire, et un espace virtuel, la plateforme de gestion de projets du NT2 qui repose sur une expertise unique dans la gestion de systèmes de données en ligne.

Mission

Depuis 2005, le NT2 a pour mission de promouvoir l'étude, la création et l'archivage de nouvelles formes de textes et d'œuvres hypermédiatiques. Afin de remplir cette mission, le NT2 a créé des stratégies inédites de recherche en arts et littératures afin de témoigner des manifestations d'une culture de l'écran et d'animer les activités de recherche de la communauté des chercheurs. Le NT2 s'emploie à rendre compte des possibilités de développement d'environnements de recherche et de connaissance qui annoncent une nouvelle ère de recherche universitaire en phase avec la cyberculture.

The NT2 Laboratory is a university-based research project whose mission is to promote the reading, understanding, and archiving of Hypermedia Literature and Art (Web art, net art, e-literature, etc.).

Mandate

Its main purpose is to assess and promote the expressions of cyberculture, while developing new publishing strategies for ongoing research relating to contemporary imagination and culture. NT2 and its online environment play a seminal role within the digital community (artists, students, researchers, writers) interested in Hypermedia. The Hypermedia Art and Literature Directory is at the core of the NT2 project. Our site also offers short films about hypermedia artists, an extensive critical bibliography, extended descriptions of Hypermedia creations, and articles outlining ideas for reflection or simply the latest news on the Web. Thus, NT2's Website is not just a showcase for Hypermedia Art and Literature, but a complete and dynamic knowledge and research environment, available to both scholars and the public.

Directeur
Bertrand Gervais
gervais.bertrand@uqam.ca

Coordination
Isabelle Caron
isabelle@labo-nt2.org

Responsable des opérations
Daniel Veniot
daniel@labo-nt2.org

Montréal ▶ Québec

LANGAGE PLUS

Stéphane Boulianne, *Phano l'imposteur*, 2009.
Photo : Jean Briand

555, rue Collard, C.P. 518
Alma (Québec) G8B 5W1
T 418 668-6635
F 418 668-3263
info@langageplus.com
www.langageplus.com

Galerie
mardi au vendredi
12 h – 16 h 30

dimanche
13 h – 16 h et sur
rendez-vous

Bureau
lundi au vendredi
9 h – 17 h

Directrice
Jocelyne Fortin

**Chargée de projets
pour les résidences internationales**
Noémie Payant-Hébert

Appel de dossiers
31 janvier pour les projets de résidence et
d'exposition (artiste et commissaire)
Projets spéciaux
Consulter le site Internet ou le centre

Langage Plus est un centre d'art actuel
où la recherche et la création donnent lieu
à une programmation diversifiée. Le centre
propose un service de qualité au public et
aux artistes qu'il soutient et travaille avec
conviction à leur reconnaissance, tant
à l'échelle régionale que nationale et
internationale. Depuis sa fondation en 1979,
l'organisme a initié plusieurs projets afin
d'offrir une plate-forme de réciprocité
artistique permettant aux artistes de
développer leur carrière sur la scène
internationale, tout en faisant bénéficier
la communauté de diverses initiatives
témoignant de l'évolution des sociétés.

Le centre réalisera un projet d'immobili-
sation ambitieux en 2010-2011. Soucieux
d'offrir des installations de qualité et
des équipements à la fine pointe de la
technologie, les nouvelles infrastructures
permettront l'aménagement de nouvelles
salles d'exposition, d'un laboratoire
d'expérimentation, de deux ateliers
consacrés aux résidences d'artistes,
d'un centre de documentation et d'un
service éducatif.

Direction artistique

Langage Plus oriente ses préoccupations
artistiques sur les questions d'identité, de
l'importance du lien au territoire, du rapport
de l'art avec la vie, de l'ancrage dans la
communauté, ainsi que sur celles de l'art
actuel et de son développement.

Expositions

Langage Plus se distingue par son ouverture
sur le monde, par la diffusion nationale et
internationale d'œuvres d'artistes d'ici et
d'ailleurs. Le centre propose plusieurs salles
d'exposition offrant une programmation
régulière et des projets artistiques.

Résidences internationales

Favorisant l'expérimentation, le programme
est à l'affût des pratiques émergentes en art
actuel et regroupe les Résidences croisées
Alsace, France / Lac-Saint-Jean, Québec,
les Pépinières européennes pour jeunes
artistes et deux autres programmes en
développement.

Actions culturelles

À la programmation s'ajoutent l'édition de
publications, la présentation de discussions,
de conférences, d'activités éducatives et de
médiation, ainsi que de divers événements
de performance, de vidéo, d'expérimentation sonore et/ou musicale.

Alma ▶ Québec

Paul Souviron, *Chandail de loup deux temps*, 2009. Photo : Jean Briand

As a contemporary art centre that promotes research and creation through diversified programming, Langage Plus provides quality services to the public and the artists it supports, by ensuring the latter's recognition on regional, national, and international levels. Since its foundation in 1979, the organisation has initiated various projects offering artists a platform to develop their careers internationally, while benefiting the community through various activities that explore societal development.

In 2010-2011, the centre will carry out an ambitious building campaign with state-of-the-art facilities and cutting-edge equipment, including exhibition galleries, a research laboratory, two studios for artist residencies, a reference library, and an education department.

Artistic Direction

In addition to the advancement of contemporary art, Langage Plus is interested in issues of identity, the importance of being connected to the region and anchored in the community, and the relationship between art and life.

Exhibitions

Langage Plus is characterized by its engagement with the arts milieu through the national and international dissemination of works by artists from here and abroad.

The centre's exhibition galleries are devoted to regular programming as well as the presentation of various artistic projects.

International Residencies

Promoting experimentation, the centre focuses on emerging practices in contemporary art. Programming includes Résidences croisées Alsace, France / Lac-Saint-Jean, Québec, Pépinières européennes pour jeunes artistes, as well as two other programs currently in development.

Cultural Activities

Other facets of the centre's programming are publishing, discussions, lectures, and other educational and cultural mediation activities, as well as events involving performance, video, and audio/musical experiments.

LE LIEU, CENTRE EN ART ACTUEL

Mirco Sabatini, *Cane (Chien)*, 2010. Photo : Patrick Altman

345, rue du Pont
Québec (Québec) G1K 6M4
T 418 529-9680
F 418 529-6933
infos@inter-lelieu.org
www.inter-lelieu.org

Galerie
lundi au dimanche
13 h – 17 h

Centre de documentation
lundi au vendredi
9 h – 15 h

Bureau
lundi au vendredi
9 h – 17 h

Coordonnateur
Richard Martel

Coordination administrative
Sylvie Côté

Appel de dossiers
En tout temps

Actif à Québec depuis près de trente ans, Le Lieu est engagé dans des activités sédentaires à Québec ainsi que dans des opérations nomades, activités et projets au Québec comme à l'étranger. Le caractère multidisciplinaire du centre fait côtoyer installation, performance, manœuvre, art action, art audio, poésie sonore, vidéo et autres explorations des paramètres de l'expressivité artistique.

Pratiques interdisciplinaires, manœuvres et esthétique relationnelle

Depuis sa fondation, Le Lieu a toujours inclus à sa programmation des activités *in situ* et hors murs ainsi que des opérations proches de ce que l'on nomme aujourd'hui pratiques interdisciplinaires, manœuvres ou esthétique relationnelle. Dans un but d'échange et pour contourner l'épineuse question de la documentation des pratiques éphémères, Le Lieu invente des moyens de faire interagir directement les générations d'artistes pour favoriser le transfert des connaissances, et ce, tant localement qu'internationalement. Un des leitmotive du Lieu demeure la notion de réseau.

Inter Éditeur : art vivant, art action et performance

La collection Inter Éditeur compte à ce jour plus de trente-cinq titres dont la plupart concernent les processus d'art vivant, d'art action et de performance. Plusieurs documents se rapportent aux différents événements de la *Rencontre internationale d'art performance* ainsi qu'à nos échanges avec d'autres villes. Notons l'importante publication *Art action 1958-1998* qui constitue un bilan historique mondial de l'art action, une source d'information essentielle en français et en anglais. La collection Inter Éditeur témoigne autant des idées que des pratiques de l'art et de son contexte. Elle a été fondée afin d'affirmer l'orientation autogestionnaire qui est à l'origine de notre volonté d'agir sur la transformation sociale par la dissémination des idées et des pratiques.

Collection DVD

Le Lieu possède une importante collection de DVD liée à des activités performatives réalisées au Québec au fil de sa programmation ou à l'étranger lors de ses pérégrinations. Tous ces documents sont disponibles pour consultation, achat ou location.

Superficie : 72 m²
Surface d'accrochage linéaire : 23,3 m
Hauteur : 2,80 m

Québec ▸ Québec

Guillaume La Brie, *Les entre-deux*, installation, 2009. Photo : Patrick Altman

Le Lieu has been active in Quebec City since 1982, where it carries out both local activities and others abroad or with international partners. The centre's interdisciplinary nature brings together installation, performance, manoeuvres, sound art, sound poetry, video and other explorations of the new frontiers of artistic expression.

Interdisciplinary Practices

Le Lieu has always included on-site and off-site activities in its programming, and activities commonly referred to as interdisciplinary practices, manoeuvres or relational aesthetics. In a spirit of exchange and in order to get around the thorny question of documenting ephemeral practices, Le Lieu develops ways of bringing different generations of artists into direct contact with each other in order to promote the transfer of knowledge, both on a local

and international scale. One of the leitmotifs of Le Lieu remains the concept of networking. The centre has brought this concept up to date by bringing together, through events, publications and participation in international activities, various interlocutors, publishers, centres and communities in so-called peripheral (with respect to the major centres of official art) towns and regions.

Inter Éditeur

Since 1988, the Inter Éditeur imprint has published more than thirty-five titles, most of them concerned with the processes involved in living art, action art and performance art. Many of these documents relate to the Rencontre internationale d'art performance, and with exchanges with other cities. The major publication Art Action 1958-1998 provides a historical overview of action art around the world and is an essential source of information, in both

French and English. Through its publications, Inter Éditeur bears witness to the contribution of artistic ideas and practices and to their context, and reaffirms the centre's roots and reality as a self-managed organization.

LE LOBE

Patric Lacasse, *Remise en forme*, 2010.
Photo : ©Jean-Marc E. Roy

114, rue Bossé
Chicoutimi (Québec) G7J 1L4
T / F 418 690-3182
www.lelobe.com
facebook.com/lelobe
myspace.com/lelobe
twitter.com/lelobe1993
skype : lelobe1993

Galerie
mardi au samedi
11 h – 16 h
et sur rendez-vous

Bureau
mardi au vendredi
8 h 30 – 16 h 30

Saison estivale
Bureau fermé
fin juin à mi-août

Chicoutimi ▶ Québec

Coordination artistique et programmation
Jean-Marc E. Roy
residences@lelobe.com

Coordination et administration
Christine Gauthier
lelobe@videotron.ca

Appel de dossiers
Programmation régulière
Longue résidence d'été
LobeScène
Plate-forme
31 janvier

Espace résidence | Galerie
Superficie : 82,5 m²
Surface d'accrochage linéaire : 29.90 m
Hauteur : 3,5 m
Sous les poutres : 2,9 m

Depuis 1993, Le Lobe se consacre au soutien de la production et de la diffusion de projets d'art actuel réalisés en résidence. Administré par des artistes chevronnés et d'autres en début de carrière, il possède une connaissance et une sensibilité particulières des besoins des créateurs. Situé dans l'immeuble des Ateliers Touttout, Le Lobe profite d'un environnement exceptionnel, facilitant échanges et complicité.

Le Lobe perçoit l'artiste et son œuvre comme des générateurs de sens, de questionnement. Il avoue son penchant pour les pratiques innovantes faisant réfléchir à la place et aux modes de présentation de l'art. Non seulement Le Lobe désire soutenir et diffuser des projets artistiques conçus en résidence, mais il participe activement à l'évolution de cette pratique.

Le centre se veut attentif aux besoins des artistes, perpétuellement en phase avec les diverses mouvances et avancées de l'art actuel, vigilant et informé pour nourrir l'appétit d'un public exigeant, passionné.

Résidences

Le Lobe offre aux artistes en mi-carrière la possibilité de décrocher, de bouleverser leur démarche. Dans cette optique, contre-pratiques et projets casse-gueule deviennent presque nécessaires ! S'ajoute également une résidence bisannuelle sur invitation pour artistes seniors. Enfin, nous réservons aux artistes en début de carrière une longue résidence estivale (trois mois) permettant le développement d'un projet ambitieux.

Plate-forme

Inauguré en 2008, l'espace Plate-forme est réservé aux artistes en début de carrière membres du Lobe. Cet espace, intérieur et extérieur, répond à un besoin criant de lieux parallèles de diffusion destinés à la relève et permet de présenter une première exposition individuelle dans un contexte professionnel.

LobeScène/événements ponctuels

Plusieurs événements complètent notre programmation : soirées conférences, collaborations, lancements, soirées performances, ImproVidéo (improvisation vidéographique sous contrainte) et événements signés LobeScène. Audacieux, surprenants, ces derniers présentent des artistes dont la pratique oscille entre arts visuels et arts de la scène.

Équipements

Ordinateurs MAC et PC
Projecteur vidéo
Projecteur de diapositives
Lecteur DVD
Système de son
Éclairage
Outils de base

Daniel Jean et Guy Blackburn, *Se-revoir, hors les murs*, 2008. Photo : ©Jean-Marc E. Roy

Since its foundation in 1993, *Le Lobe*
focuses on supporting the production and
dissemination of contemporary art projects
created during residencies. *Le Lobe* is run by
experienced and emerging artists who bring
a particular know-how and sensitivity to
the needs of artists who come here to create.
Located in the Ateliers TOUTTOUT building,
Le Lobe benefits from an outstanding
atmosphere that fosters exchanges and
close collaborations.

Mission

Le Lobe has always perceived artists
and their work as creators of meaning
and critical discourse. The centre prefers
innovative practices that raise questions
about the place of art and the ways it is
presented. While the centre supports and
promotes artistic projects developed during
residencies, it also takes an active part in
the evolution of the very practice of artist
residencies.

The centre strives to be respond to the
needs of artists, keep up with the different
movements and evolutions in contemporary
art, and remain vigilant and informed
in order to satisfy a demanding and
passionate audience.

Residencies

Le Lobe offers mid-career artists the
opportunity to take a step back from their
practice, to re-examine it, disrupt it and
even take it in a new direction. In this
environment, risky projects and ground-
breaking techniques may emerge. Every
two years, *Le Lobe* invites a senior artist to
conduct a residency. For emerging artists,
Le Lobe offers a 3-month summer residency,
which gives them the time and space to
develop an ambitious project.

Plate-forme

Inaugurated in 2008, the *Plate-forme* space
is reserved for emerging artists who are
members of *Le Lobe*. Indoors and out, this
space fills a critical need for alternative
dissemination spaces for emerging artists
and allows them to present a first individual
exhibition in a professional setting.

LobeScène/Selective Events

Our programming also includes evening
conferences, collaborations, launches,
performance, ImproVidéo (video improvisation
with restrictions), and LobeScène events.
Bold and unpredictable, these events feature
artists whose creative process alternates
between visual and performing arts.

Equipment

MAC and PC computers
Video projector
Slide projector
DVD player
Sound system
Lighting
Basic toolkit

MAISON DE L'ARCHITECTURE DU QUÉBEC

Vue de l'exposition, *Les Archi-Fictions de Montréal II : Frontières émouvantes*, 2008. Photo : Alain Laforest

181, rue Saint-Antoine Ouest
Montréal (Québec) H2Z 1H2
T 514 868-6691
info@maisondelarchitecture.ca
www.maisondelarchitecture.ca

mardi au vendredi
13 h – 18 h

samedi
12 h – 17 h

Directrice générale et artistique
Sophie Gironnay
info@maisondelarchitecture.ca

Appel de dossiers
En tout temps
Consulter le site Internet

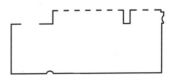

Espace d'exposition principal
avec façade patrimoniale vitrée donnant
sur la rue Saint-Antoine
Superficie : 93 m²
Surface d'accrochage linéaire : 18 m
Hauteur : 5,5 m
Vitrine d'exposition*
Superficie : 13,5 m²
Surface d'accrochage linéaire : 11,3 m
Hauteur : 3,5 m
*Située dans un espace de circulation qui relie le
Palais des congrès de Montréal et la Caisse de dépôt

La Maison de l'architecture du Québec vise à stimuler et à diffuser la création et la réflexion touchant aux disciplines de l'architecture, de l'architecture de paysage et de l'urbanisme. La MAQ agit pour favoriser le développement d'une culture de l'architecture au Québec et au Canada, en collaboration avec ses 10 700 praticiens actifs et de nombreux chercheurs, stagiaires et étudiants en aménagement.

Expositions

Entre 2001 et 2010, la MAQ a fait connaître le travail de 300 firmes et individus en accueillant et/ou en produisant de quatre à cinq expositions importantes par année, pour lesquelles elle a passé commande d'une centaine d'œuvres originales qui ouvrent les frontières entre divers arts, du design à la sculpture, de la littérature aux arts de la scène.

Activités

La MAQ propose également des activités de laboratoire, de tables rondes et de lectures publiques, de publications, d'ateliers, des visites guidées et, plus récemment, d'éducation.

The Maison de l'architecture du Québec aims to promote and initiate creation and reflection in the disciplines of architecture, landscape architecture and urban planning. The MAQ supports the development of a culture of architecture in Quebec and Canada together with 10,700 active architects and many researchers, interns and students in architecture.

Exhibitions

From 2001 to 2010, the MAQ has presented the work of 300 firms and individuals with four to five major exhibitions per year, and has also commissioned a hundred original works that open the boundaries between architecture, design, sculpture, literature and the performing arts.

Activities

The MAQ also offers public readings, conferences, workshops, interactive tours and more recently, education activities.

Vue de l'exposition *Les fils du temps*, Marcel Marois, 2006.
Photo : Centre Materia

Galerie
395, boulevard Charest Est
Québec (Québec) G1K 3H3

Bureau
367, boulevard Charest Est
Québec (Québec) G1K 3H3

T 418 524-0354
1 888 524-7768
F 418 524-3874
www.centremateria.com
info@centremateria.com

Galerie
mercredi au dimanche
12 h – 17 h et
jusqu'à 20 h le jeudi

Bureau
lundi au vendredi
9 h – 17 h

Le Centre Materia a pour mission de diffuser et de promouvoir la recherche et la création dans le domaine des métiers d'art, sur les plans national et international.

Objectifs

Seul centre d'artistes en métiers d'art au Canada, Materia favorise le développement de la connaissance de cette pratique dans toute sa diversité disciplinaire ainsi que la reconnaissance de ses artistes. Materia s'emploie ainsi à mettre en valeur le travail des plus grands créateurs du domaine ainsi que ceux de la relève, en le présentant dans un contexte professionnel. Le Centre Materia propose des productions qui s'inscrivent à la croisée des disciplines du design, de la scénographie, des arts visuels et de la valorisation du patrimoine.

Mandat

Expositions, publications, commissariats, classes de maître, boutiques physique et virtuelle, colloques, tables rondes, conférences, ateliers de création, visites commentées, services aux membres artistes (services professionnels, bulletin électronique, soutien à la carrière, mises en candidature) et développement de partenariats à l'échelle régionale, nationale et internationale.

Materia is an artist-run centre whose mandate is to disseminate and promote artistic enquiry and creation in the field of handcrafted art objects, both nationally and abroad.

Vision

Materia seeks to broaden familiarity with and the recognition of this art form and its artists, in all their disciplinary diversity. Materia works to make known both the most important artists in the field as well as younger artists by presenting their work in a professional setting. Materia presents works that bring together such disciplines as design, scenography, visual arts, and heritage.

Mandate

Exhibitions, publications, curators, master classes, in-house and online boutique, panel discussions, conferences, creative workshops, guided tours, member services (professional advice, electronic newsletter, career support, nominations), and partnership development on regional, national, and international levels.

Directrice
Marianne Thibeault
mthibeault@centremateria.com

Chargée de projets
Caroline Chabot
cchabot@centremateria.com

Appel de dossiers
Consulter le site Internet

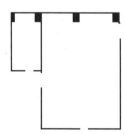

Superficie : 166 m²
Surface d'accrochage linéaire : 40 m
Nous disposons d'autres surfaces d'accrochage pouvant être ajoutées puisque nous disposons de murs temporaires
Hauteur : 4 m
Hauteur des murs temporaires : 3,13 m

Québec ▶ Québec

OBORO

OBORO – Chantal Dumas, *Les petits riens (mécanique du quotidien)*, résidence 2009. Photo : Stéphane Claude

4001, rue Berri, espace 301
Montréal (Québec) H2L 4H2
T 514 844-3250
F 514 847-0330
oboro@oboro.net
www.oboro.net

*Laboratoire
nouveaux médias*
lab@oboro.net

Galerie
mardi au samedi
12 h – 17 h

*Laboratoire nouveaux
médias*
lundi au vendredi
10 h – 17 h

Bureau
mardi au vendredi
10 h – 17 h

Directeur général et artistique
Daniel Dion

La composition de l'équipe complète
est disponible sur le site

Appel de dossiers
Consulter le site Internet

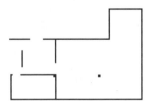

Grande galerie
Superficie : 155 m²
Surface d'accrochage linéaire : 45 m
Hauteur : 3,35 m

Petite galerie
Superficie : 27 m²
Surface d'accrochage linéaire : 21 m
Hauteur : 3,35 m

OBORO est un centre dédié à la présentation et à la production de l'art et des pratiques actuelles. Fondé sur la conviction que l'expérience artistique transculturelle vivante contribue au mieux-être de l'humanité, OBORO favorise le développement des pratiques artistiques sur la scène locale, nationale et internationale. Son champ d'action couvre les arts visuels et médiatiques, les nouvelles technologies, les arts des nouvelles scènes et les pratiques émergentes.

OBORO s'est donné le mandat de soutenir plus particulièrement la création issue de diverses pratiques culturelles; d'encourager l'innovation, l'expérimentation, l'échange d'idées et le partage du savoir. L'objectif d'OBORO est de susciter la réflexion dans le domaine artistique et la société en général et de contribuer à une culture de paix.

Expositions, résidences et événements

OBORO accueille les projets d'artistes, de collectifs et de commissaires qui souhaitent réaliser une exposition, un événement ou une résidence. Avec son personnel hautement qualifié et sympathique, OBORO offre un soutien à la gestion, à la coordination, à la promotion et à la documentation. Afin de permettre la réalisation et la présentation d'activités de toutes sortes, deux galeries ainsi que des studios et des équipements spécialisés sont mis à la disposition des artistes.
Laboratoire nouveaux médias

Le Laboratoire nouveaux médias est une plateforme unique de recherche, de production, de diffusion et de formation qui propose une approche intégrée à une variété de pratiques dont l'audio, la vidéo, le multimédia, le Web, les télécommunications, l'interactivité, les technologies immersives, les arts vivants et les arts de la scène.

Publications et diffusion Web

Afin de contribuer au rayonnement de diverses recherches artistiques, OBORO publie régulièrement des dépliants et des livres d'artistes. Par ailleurs, plus de soixante capsules vidéo incluant des œuvres originales et des entretiens avec des artistes de premier plan sont également offerts sur *oboro.tv*.

OBORO – Érick d'Orion, *Solo de musique concrète pour six pianos sans pianiste*, 2008. Photo : Paul Litherland

OBORO is a centre dedicated to the presentation and production of contemporary art. Founded upon the conviction that living, transcultural, artistic experience contributes to the betterment of humankind, OBORO fosters the development of local, national and international art practices. Its sphere of activity encompasses visual, performance, and media arts, new technologies and emerging practices.

More specifically, OBORO strives to support creation in various cultural practices while encouraging innovation, experimentation, the exchange of ideas and the sharing of knowledge.

OBORO's objective is to contribute to a culture of peace by promoting awareness and dialog within the art world and society at large.

Exhibitions, residencies and events

OBORO welcomes projects from artists, collectives, and curators who wish to realize an exhibition, an event or a residency. With its knowledgeable and friendly staff, OBORO provides support through coordination, promotion and documentation. The center offers two galleries as well as studios and specialized equipment to artists for the production and presentation of various activities.

New Media Lab

The New Media Lab offers research, production, presentation and training resources. It proposes an integrated approach to a wide variety of related practices including audio, video, multimedia, web, telecommunications, interactivity, immersive technologies, and live arts.

Publications and webcasting

To contribute to the dissemination of diverse artistic research, OBORO regularly publishes books, brochures and catalogues. With the website oboro.tv, OBORO offers more than sixty video clips presenting original works of art and interviews with leading artists.

L'ŒIL DE POISSON

Diane Landry, *Chevalier de la résignation infinie*, 2009.
Photo : Ivan Binet

541, rue de Saint-Vallier Est
Québec (Québec) G1K 3P9
T 418 648-2975
info@oeildepoisson.com
www.oeildepoisson.com

Adresse de la galerie
580, côte d'Abraham
Québec

Atelier de production
T 418 647-0510

Galeries
mercredi au dimanche
12 h – 17 h
lundi et mardi sur
rendez-vous

Atelier de production
lundi au vendredi
9 h – 17 h

Bureau
lundi au vendredi
9 h – 17 h

Directrice
Caroline Flibotte

Appel de dossiers
Projets d'exposition, de commissariat,
projets multidisciplinaires
15 septembre
Résidence recherche et production
1er février
Soutien à la production
En tout temps

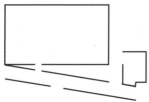

Grande galerie
Superficie : 115,18 m²
Surface d'accrochage linéaire : 191,7 m
Hauteur : 4,3 m
Petite galerie
Superficie : 15,47 m²
Surface d'accrochage linéaire : 56,24 m
Hauteur : 4,3 m

Le centre de diffusion et de production d'art actuel l'Œil de Poisson existe depuis 1985. À l'origine il se consacrait uniquement à la photographie. Il a par la suite élargi progressivement ses activités et étendu son action à l'ensemble des arts visuels ainsi qu'à la réalisation d'événements multidisciplinaires. Depuis 1995, l'Œil de Poisson est membre de la coopérative Méduse, qui regroupe dix organismes tant producteurs que diffuseurs.

L'Œil de Poisson privilégie un art de recherche et d'exploration qui encourage le décloisonnement des pratiques artistiques et stimule les transferts et les rencontres entre disciplines. Le facteur prioritaire de son mandat est son engagement au sein de la communauté culturelle immédiate, notamment auprès de la jeune pratique qu'il soutient activement. Le centre cherche à répondre par la diversité de ses interventions en galerie et en atelier aux multiples préoccupations et avenues de l'actualité artistique. Il souhaite rendre compte, à travers divers champs d'intérêt, des pratiques inhérentes aux enjeux de l'art qui se fait ici, maintenant.

Pensons nommément à la mise sur pied de projets d'exposition, de production et de diffusion d'activités multidisciplinaires inusitées, de collaboration à des projets réalisés en atelier, de résidences d'artistes, d'échanges avec la communauté artistique locale, provinciale, nationale et internationale, ou encore de projets d'édition.

Espaces de diffusion et de production

Le centre possède trois espaces de diffusion : les Grande et Petite galeries, ainsi que l'Entrée vidéo. L'accès aux ateliers de production (équipements spécialisés pour le travail du bois et du métal, chambre de finition) est offert à tout artiste exposant et favorise ainsi la réalisation de projets en contexte.

Résidence

Depuis 2008, une résidence de recherche et production d'une durée de trois mois est offerte, suivie d'une exposition dans la Grande galerie. Le centre collabore également à la réalisation de projets, au moyen de son programme de soutien à la production.

L'atelier de L'Œil de Poisson, 2009. Photo : Christian Barré

The contemporary art gallery and production centre L'Œil de Poisson was founded in 1985. Initially a centre for photography, it rapidly came to encompass all forms of visual art and multidisciplinary events. Since 1995, L'Œil de Poisson has been a member of the Méduse cooperative, comprised of 10 production centres and galleries.

L'Œil de Poisson promotes research, exploration, and interdisciplinary practices. The most important feature of its mandate is its commitment to the immediate cultural community and particularly young practitioners, whom it actively supports. Through highly diverse activities in both its galleries and its workshops, the centre seeks to respond to the multiple trends and concerns of current art.

Its varied fields of interest enable L'Œil de Poisson to accommodate practices that speak of art here and now. Examples include exhibitions, unique multidisciplinary activities, workshop collaborations, artist residencies, exchanges with the local, provincial, national, and international arts communities, and publications.

Exhibition and Production Spaces

The centre features three exhibition spaces: the Big and Small galleries, and a street-level video terminal. Access to production shops (wood, metal, and a spray chamber) is offered to all exhibiting artists, encouraging site-specific projects.

Residency

Since 2008, L'Œil de Poisson has offered a three-month research and production residency, followed by an exhibition in the Big gallery. The centre also contributes to other projects through its production support program.

Entrée vidéo / Équipement
Écran de télévision : 94 cm, LCD
Toshiba 37HL95
Dimensions de la vitre antireflet : 86 x 51 cm

OPTICA, UN CENTRE D'ART CONTEMPORAIN

Anne-Lise Seusse, *Mont-Royal, jeu de rôle, Marc-André*, 2009. Résidence de recherche jeune création Montréal -Valence (France). Projet d'artiste distribué sous forme d'affiches instaurant un parcours culturel à Montréal, à Paris et à Valence. Photo : ©Anne-Lise Seusse

372, rue Sainte-Catherine O.
espace 508
Montréal (Québec) H3B 1A2
T 514 874-1666
F 514 874-1682
info@optica.ca
www.optica.ca

Galerie
mardi au samedi
12 h – 17 h

Bureau
mardi au vendredi
10 h – 17 h

Période estivale
OPTICA est fermé de la
mi-juin à la mi-août

Montréal ▶ Québec

Direction
Marie-Josée Lafortune
mjlafortune@optica.ca

Adjoint de direction, conseils techniques et aide à la production
Marc Dulude
mdulude@optica.ca

Adjointes aux communications et aux archives
Josianne Monette, Dagmara Stephan
communications@optica.ca

Distribution – publications
distribution@optica.ca

Appel de dossiers
Programmation régulière
28 février
Résidence de recherche jeune création –
Valence, France
1er mars

Fondé en 1972, Optica se définit comme un lieu de diffusion dédié aux pratiques contemporaines de la scène locale, nationale et internationale. Le centre présente annuellement un programme varié d'expositions – s'investissant par ailleurs dans la production de commissariats – ainsi que de colloques et de rencontres avec les artistes. L'ensemble de ces programmes propose une réflexion critique sur l'actualité de l'art, soutenue par une activité éditoriale.

Fonds documentaire Optica

Le Fonds documentaire Optica est administré par le Service des archives de l'Université Concordia; y sont répertoriés les documents originaux de la programmation (revue de presse, documentation visuelle et sonore) et les dossiers administratifs du centre depuis sa fondation. Les archives électroniques « Décades » peuvent être consultées au www.optica.ca/decades

Éditions Optica

Optica, c'est également une approche de l'art qui valorise la recherche et stimule la création d'œuvres nouvelles, mandats soutenus par des écrits de commissaires et d'artistes auxquels le centre accorde une place prépondérante. Sa politique éditoriale privilégie les essais théoriques de nature interdisciplinaire, les actes de colloque et les livres d'artistes de même qu'une variété de supports de diffusion (multiples, affiches). Il est possible de consulter le catalogue virtuel et de commander les publications en ligne.

Résidence de recherche jeune création, Montréal – Valence (France)

Optica et art3 (www.art-3.org) ont initié une résidence de recherche dédiée à la jeune création à laquelle est rattachée une bourse. Le rôle des structures hôtes est d'agir comme médiateurs auprès de l'artiste qui évolue dans un cadre de vie distinct, ainsi que d'organiser des conférences et des rencontres avec des professionnels du milieu. Au terme de la résidence de trois mois, le boursier rend publique sa recherche, qui paraîtra dans un ouvrage coédité.

Participez à Optica

Devenez membre, impliquez-vous comme bénévole ou effectuez un stage auprès d'une équipe qualifiée !

Founded in 1972, Optica is dedicated to the dissemination of contemporary practices on the local, national, and international scenes. Optica's annual programming includes exhibitions, symposia and artist talks as well as support for curatorial projects. The centre's critical perspectives on current art are expressed through its activities and further reflected in its publications.

Serge Murphy, *Rien de tout cela*, installation, 2009. Photo : ©Bettina Hoffmann

The Optica archives

Managed by the Concordia University Archives, the centre's archive (Fonds documentaire Optica) includes administrative files and original programming documents, including press clippings, sound and visual documentation, dating back to the foundation of the centre. "Decades", Optica's digital archives, can be viewed at www.optica.ca/decades.

Optica Publications

Writings by curators and artists hold a central role at Optica as they further the organization's mandate to encourage research and the creation of new work. Optica's editorial policy favours multidisciplinary theoretical essays, conference proceedings and artist books along with a range of media (multiples, posters). Publications can be ordered online through the digital catalogue.

Résidence de recherche jeune création, Montréal – Valence (France)

Optica and art3 (www.art-3.org) initiated a combined residency and grant program for young artists working in new environments. The host organization acts as a mediator to connect the artists with other art professionals and organize public presentations. At the end of the three-month residency, the grant recipient presents his or her work which is also be featured in a joint publication.

Get involved at Optica

Become a member, volunteer, or intern with a professional team!

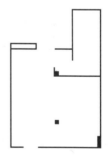

Galerie principale
Superficie : 126,46 m²
Surface d'accrochage linéaire : 115 m
Hauteur : 3,05 m
Salle multidisciplinaire
Superficie : 27,32 m²
Surface d'accrochage linéaire : 70,23 m
Hauteur : 3,05 m

OCCURRENCE, ESPACE D'ART ET D'ESSAI CONTEMPORAINS

Ève Cadieux, *Les lieux valises*, vue de la série *Les Antres*, 2009. © Éliane Excoffier

5277, avenue du Parc
Montréal (Québec) H2V 4G9
T 514 397-0236
F 514 397-8974
info@occurrence.ca
www.occurrence.ca

mardi au samedi
12 h – 17 h

Directrice générale
Lili Michaud
lilimichaud@gmail.com

Président
Serge Clément
serge@sergeclement.com

Appels de dossiers
À l'automne

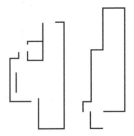

Salle 1 (sous-sol)
Superficie : 59,3 m²
Surface d'accrochage linéaire : 32,74 m
Hauteur : Espace A : 2,18 m; Espace B : 2,13 m;
Espace C : 2,50 m
Salle 2 (rez-de-chaussée)
Superficie : 37,88 m²
Surface d'accrochage linéaire : 31,15 m
Hauteur : 2,95 m; sous les poutres : 2,61 m

Fondé en 1989, Occurrence a pour mandat de représenter la recherche dans le domaine des arts visuels et médiatiques tout en maintenant une expertise dans le champ photographique. Le centre encourage et diffuse le travail de la relève autant que celui des artistes établis.

Espaces d'exposition

Nous disposons de deux salles distinctes et d'une vitrine donnant sur l'avenue du Parc, ce qui augmente considérablement la visibilité du travail de nos artistes.

Aide technique

Nous fournissons les services de techniciens professionnels lors des montages d'expositions.

Évènements spéciaux

Nous participons activement aux festivités de la Nuit Blanche à Montréal ainsi qu'au Mois de la photo et organisons ponctuellement des évènements festifs afin de publiciser nos activités.

Réseautage

Occurrence établit fréquemment des partenariats locaux et internationaux et veille à l'entretien des réseaux professionnels de ses collaborateurs.

Édition / publication

Occurrence facilite la réalisation d'ouvrages théoriques accompagnant les expositions, cela sous la forme d'un fascicule en couleur et parfois d'un catalogue d'exposition.

Founded in 1989, Occurrence has a mandate to present work currently being created in visual and media arts, while maintaining its expertise in photography. The centre supports and presents both emerging and established artists' works.

Space

We offer many exhibition options. Two distinctive spaces are available as well as a street-level window that can be seen from the very busy Park Avenue.

Technical Help

We provide technical support through the hiring of professionals for exhibition installations.

Special Events

We are an ongoing participant in such events as La Nuit Blanche à Montréal and Le Mois de la Photo à Montréal. Periodically, we also organize festivities of our own to promote the gallery's varied activities.

Networking

Occurrence frequently establishes local and international partnerships with different organizations and individuals, thus enriching the professional networks of its collaborators.

Publications

Occurrence presents an accompanying publication for each featured exhibition, ranging from colour booklets to more substantial catalogues.

PANACHE ART ACTUEL

850, rue de l'Étang
Sept-Îles (Québec) G4R 0B4
panache@emdx.org

Horaire
Saisonnier

Nos espaces d'exposition
sont actuellement
temporaires
*Currently, our exhibition
spaces are temporary*

Événement de pré-lancement de Panache art actuel, 2009.
Photo : Christine Dufour

Rassembler les artistes professionnels en arts visuels de la grande région de la Côte-Nord pour dynamiser le milieu de l'art actuel et encourager des projets de recherche mettant en valeur les singularités nord-côtières.

Le centre s'intéresse aux notions de rapprochement/éloignement et d'espace/temps. Pour ce faire, Panache soutient la recherche au moyen de projets de résidence, de jumelages d'artistes et de collectifs, parfois interdiciplinaires, impliquant commissaires et critiques d'art.

Événements

Dans une volonté de rapprochement et d'ouverture au monde, le centre organise des manifestations d'arrimage de l'actualité culturelle à l'activité sociale, et souhaite favoriser la diffusion d'expositions itinérantes sur l'ensemble de son territoire.

Panache est une plate-forme de dialogue entre l'artiste et la population, une réflexion sur l'humain, le territoire et ses paradoxes.

Résidences

Le centre possède plusieurs lieux de résidence dans différentes villes de la Côte-Nord. Ce sont les ateliers d'artistes soudeurs, graveurs, peintres, sculpteurs, photographes ou performeurs, membres actifs de Panache art actuel.

To bring together professional visual artists from Quebec's North Shore in order to engage with contemporary art practices, while encouraging research projects with a focus on the region's uniqueness.

The Centre is interested in the exploring concepts of closeness and remoteness, space and time. Panache supports research through artist residencies, sometimes linking artists and collectives in an interdisciplinary way, and involving curators and art critics.

Events

With the goal of opening up and getting closer to its community, the Centre organizes happenings related to cultural and social current events. It also aims to promote artists' works through travelling exhibitions all over the surrounding region.

Panache is a platform for discussion between the artists and the population, a reflection about human beings and territory, in all of their paradoxes.

Residencies

The centre runs several residences in different locations throughout the region. These are studios for welding, printmaking, painting, sculpture, photography, or performance; all studios are occupied by Panache's active artist members.

Présidente du conseil d'administration
Christine Dufour
T 418 968-2070, poste 29

Secrétaire du conseil d'administration
Michelle Lefort
T 418 766-2482

Appel de dossiers
En tout temps

La Côte-Nord représente le quart de la superficie du Québec, soit 1 280 km de littoral de Tadoussac à Blanc-Sablon et plus de 600 km de route sinueuse de Baie-Comeau à Fermont.

The North Shore region represents a quarter of Quebec's surface area: 1280 kilometres of coastline from Tadoussac to Blanc-Sablon, and over 600 kilometres of winding road from Baie-Comeau to Fermont.

Sept-Îles ▸ Québec

PERTE DE SIGNAL

Sofian Audry, Jonathan Villeneuve, Samuel Saint-Aubin et Myriam Bessette, *Trace*, 2008. Photo : Alexis Bellavance

2244, rue Larivière
Montréal (Québec) H2K 3P8
T 514 273-4813
info@perte-de-signal.org
www.perte-de-signal.org
www.vimeo.com/pertedesignal
skype : perte.de.signal

lundi au vendredi
9 h – 15 h

Directeur
Robin Dupuis
info@perte-de-signal.org

Montréal ▶ Québec

Appel de dossiers – Recherche-création
Résidences de recherche-création
15 février
Résidences de recherche *Open Source*
15 décembre
Laboratoires de recherche-création
Production d'œuvres d'arts médiatiques
En tout temps
Projet émergent
Résidences commutations
Consulter le site
Appel de dossiers – Diffusion
Représentation d'artistes/distribution
Partenariats, développement de projets de diffusion et présentation
En tout temps

Perte de Signal est un centre de production, de recherche et de développement de projets artistiques en arts néomédiatiques. Prenant différentes formes – de la création sur disque numérique à l'installation nouveaux médias –, les projets de diffusion cherchent à repenser les modes de présentation des œuvres numériques. De plus, l'organisme sans but lucratif possède une structure d'accompagnement qui offre à la collectivité un apport professionnel en terme de représentation d'artistes, de production d'œuvres et d'événements, de commissariat d'exposition, de réseautage, d'édition, de défense des droits d'auteur, d'appui à l'amélioration du statut socio-économique de l'artiste et de soutien au rayonnement des arts médiatiques.

Résidence et diffusion

Les activités de production du centre se déroulent en utilisant le Rustines|Lab. À la fois atelier, lieu de résidence et espace de diffusion, le laboratoire de recherche-création Rustines|Lab est dédié au soutien de projets d'artistes en arts médiatiques, en nouveaux médias et en art audio.

Perte de Signal is a media arts research and development centre. Taking different forms — from digital disc production to new media installations — featured projects attempt to reconsider how digital works are presented. This non-profit organization also manages a structure that provides professional services to the community, including artist representation, production of artworks and events, equipment rental, curatorship, mentorship, networking, laboratories, residencies, publishing, advocacy for artist rights, ancillary support for improving artist's socioeconomic conditions, and promotion of media arts.

Workshop, residency, and dissemination

The centre's production activities are organised within the framework of Rustines|Lab. Used as a workshop, residency centre, and venue for dissemination, Rustines|Lab is a research-creation lab dedicated to supporting media arts, new media, and audio art projects.

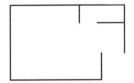

Superficie : 27,8 m²

2180, rue Fullum
Montréal (Québec) H2K 3N9
T 514 524-2421
F 514 524-7820
info@primcentre.org
www.primcentre.org

lundi au vendredi
10 h – 18 h

Photo : Sylvain Cossette, 2010

PRIM est ouvert à tout artiste ou producteur professionnel indépendant en arts médiatiques désirant utiliser ses ressources à des fins artistiques, communautaires ou de recherche. Son mandat en tant que centre autogéré est de soutenir, d'une part la formation par un programme pédagogique et d'autre part, la production d'œuvres médiatiques par des programmes de soutien à la création.

Résidences

PRIM accueille trois artistes en résidence et reçoit des artistes de l'étranger dans le cadre de deux échanges internationaux (Pépinières européennes et Center for Contemporary Art de Glasgow, Écosse)

Équipements

Production
caméras/éclairage/prise de son
Salle de montage Avid SD/HD
Media Composer
Media composer Nitris DX
Symphony Nitris HD
Studio de son Pro Tolls HD
Recherche, expérimentation, enregistrement et mixage

Transferts tous formats, conversion SD/HD, transcodage PAL/NTSC

PRIM offre plusieurs programmes de soutien à la création offrant des rabais de 50 à 75 % sur ses services.

PRIM donne des formations sur mesure et sur demande, en audio et en vidéo.

PRIM is open to all independent artists and professional producers who wish to use its resources for artistic, community, or research purposes. As an artist-run centre, PRIM's mandate is to provide training through its educational programs, and support the production of media works through grants and co-productions.

Residencies

PRIM has 3 artist residencies and 2 international exchanges (Pépinières européennes and Center for Contemporary Arts, Glasgow, Scotland).

Equipment

*Shooting
Cameras/lighting/sound
Avid editing suite
Media Composer
Media composer Nitris DX
Symphony Nitris HD
Sound Studio Pro Tools HD
Research, experimentation, recording, and mixing*

Transfers all formats, transcoding, and HD/SD conversions

PRIM has many creative support programs offering a 50 to 75% discount on its services.

PRIM offers custom and on-demand training in both audio and video.

Directrice générale
Danielle Leblanc

Coordonnatrice services aux membres et communications
Isabelle L'Italien

Coordonnateur technique
Sylvain Cossette

Accueil, réservation et soutien administratif
Amandine Brun

Secteur audio
Bruno Bélanger

Appel de dossiers
Septembre, octobre, janvier, mars, avril

Montréal ▶ Québec

PRAXIS ART ACTUEL

Mathieu Latulippe, *Bénévolat : Truck*, du projet « Free ? »,
2009, Praxis art actuel, Mon espace/ Your space : bloc 2,
2009. Photo : Anonyme

34, rue Blainville Ouest
C.P. 98549
Sainte-Thérèse (Qc) J7E 1X1
T 450 434-7648
praxis@artactuel.ca
www.artactuel.ca

Bureau
mardi au jeudi
10 h – 17 h
ou sur rendez-vous

Directrice
Geneviève Matteau

Coordonnatrice de la programmation
Véronique Grenier

Coordonnatrice des initiatives de financement
Julie Boisvert

Appel de dossiers
Novembre

Sainte-Thérèse ▲ Québec

Situé en banlieue de Montréal, au centre-ville de Sainte-Thérèse, Praxis art actuel est un centre d'artistes autogéré qui offre un contexte particulier et original de résidences-laboratoires. Ces dernières s'adressent aux artistes de toutes les pratiques en art actuel qui sont intéressés à mettre en question et à approfondir des problématiques liées à leur démarche. Praxis offre un espace de réflexion et encourage les échanges et les collaborations avec les communautés afin de stimuler autrement le processus de création. À Praxis, les artistes s'éloignent du cadre habituel d'exposition, s'infiltrent dans l'espace public et s'inspirent des caractéristiques du lieu dans lequel ils se trouvent.

Programmation

Notre programmation s'organise par BLOCS de trois artistes qui expérimentent simultanément sur une période de trois mois. Au cours de ces résidences-laboratoires, les artistes sont amenés à échanger et à mettre en commun leurs connaissances par des rencontres de travail. Soutenus par l'équipe et les membres de Praxis, ils reçoivent un accompagnement, en plus d'avoir la possibilité d'entrer en dialogue avec un auteur invité. Cette structure contribue à élargir les possibilités de collaboration, à nourrir leurs réflexions et à aborder sous un angle différent la réalisation de leurs projets. À la fin d'un BLOC, l'organisation d'une soirée de finissage et la production d'une publication témoignent des propositions explorées et de l'expérience vécue par chacun. Les artistes profitent donc d'un essai sur leur travail publié dans un ouvrage de référence en plus d'une exposition en marge de leur processus habituel de création.

Devenir membre

Nous recherchons des membres actifs qui croient en l'apport du mandat de Praxis comme source de développement et de rayonnement de l'art actuel. Notre organisation offre à ses membres des possibilités de projets satellites et de médiation culturelle avec ses partenaires tant sur la scène régionale et nationale qu'internationale. En plus d'offrir un réseau d'échanges et un cadre favorisant le développement professionnel, le centre met le laboratoire à la disposition de ses membres selon les disponibilités.

Located just outside Montreal, in downtown Sainte-Thérèse, Praxis art actuel is an artist-run centre that provides the unique and special context of lab-residencies. These residencies are geared to contemporary artists with varying practices who wish to examine their respective creative processes and develop particular aspects of their work. In an ongoing effort to find new ways of stimulating the creative process, the centre offers a space for reflection while encouraging exchanges and partnerships with the community. At Praxis, artists forego the conventional exhibition format, infiltrating public space and drawing inspiration from the character of their surroundings.

Sophie Castonguay, *Exploration 3*, du projet « Prêter l'oreille ; parcours d'une adolescente », 2009. Photo : Praxis art actuel, Mon espace / Your space : bloc 3, 2009

Programming

Our programming is structured into BLOCKS wherein three artists experiment simultaneously over a period of three months. During these lab-residencies, meetings are set for the artists to discuss and share their knowledge and findings. Supported and accompanied by the Praxis staff and its members, artists are also given the opportunity to collaborate with a guest author. This structure helps broaden collaborative possibilities, nourishes critical reflection, and offers different perspectives on the realisation of their projects. The end of a BLOCK is marked by a closing event, as well as the publication of a catalogue documenting the explorations undertaken and the participants' experience. Artists thus benefit from a publication and essay devoted to their work, and from an exhibition complementing their creative process.

Becoming a member

We are looking for active members who believe in the contribution Praxis can make to the development of and impact on contemporary art. Our organization offers its members opportunities for tangential projects, as well as cultural mediation with regional, national, and international partners. In addition to the network of creative exchange and a setting conducive to professional development, the Praxis lab is accessible to members depending on its availability.

REGART, CENTRE D'ARTISTES EN ART ACTUEL

Tania Girard-Savoie, *Qui présente des traces de jardinage*, 2009. Photo : Nathalie Albert

48, côte du Passage
Lévis (Québec) G6V 5S7
T 418 837-4099
regart@qc.aira.com
www.regart.levinux.org

Galerie
mardi au dimanche
12 h – 17 h

Bureau
mardi au vendredi
10 h – 17 h

Direction artistique
Anne-Lise Griffon

Direction administrative
Marie-Kim Lavigne
regart.admin@qc.aira.com

Appel de dossiers
1er février

Implanté à Lévis depuis 1986, le centre d'artistes Regart assure une présence dynamique des arts visuels actuels auprès des publics des territoires de Chaudière-Appalaches et de Québec. Par des interventions originales de promotion et de diffusion, Regart œuvre au développement et au rayonnement des pratiques d'artistes professionnels de la scène régionale et nationale, tout en maintenant des liens privilégiés avec la communauté.

Auparavant axé sur le lien entre arts visuels et écriture, Regart a élargi sa mission et s'intéresse dorénavant à l'hybridation des formes d'expression, à la rencontre et au mélange des genres. De ce fait, il favorise le croisement des arts visuels avec d'autres disciplines, voire d'autres modes d'appréhension de la culture contemporaine.

Mandat

Présentée en galerie, la programmation de Regart met en lumière des productions qui relèvent de l'hybridation, tant dans les processus de création que dans la présentation des expositions. En outre, le centre soutient l'expérimentation et la recherche par des projets spéciaux qui amènent les artistes à recontextualiser leur pratique. Par ses évènements hors murs, infiltrations dans l'espace public, collaborations singulières et publications, Regart ouvre des espaces de réflexion variés permettant aux artistes d'élargir leur champ d'intervention artistique.

En favorisant les projets novateurs, la recherche et les échanges, le centre se veut à la fois un lieu de diffusion et une zone d'expérimentation, repensée par les artistes et l'équipe de Regart, pour chaque évènement présenté.

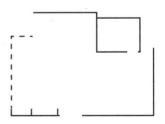

Grande salle
Superficie : 65 m²
Hauteur : 3 m

Petite salle
Superficie : 6 m²
Hauteur : 3 m

Lévis ▸ Québec

Cynthia Dinan-Mitchell, *Se Pavaner*, 2009. Photo : Regart

Established in Lévis in 1986, the Regart artist centre aims to ensure a dynamic presence of current visual art practices for the public in the areas of Chaudière-Appalaches and Quebec City. Through original dissemination and promotional activities, Regart works to develop and distribute professional artist activities in the regional and national scene while maintaining close ties with the community.

Previously centered on the connection between visual arts and writing, Regart has widened its mission and interests to include the hybridization of various forms of expression, through the meeting and the mixing of genres. In this way, it supports the intersection of visual arts with other disciplines or other modes of acquisition of contemporary culture.

Mandate

Presented in the gallery, Regart's programming showcases projects which highlight hybridization, both in terms of the creative processes as well as the presentation of the exhibitions. Moreover, the centre supports experimentation and research through special projects which push artists to rethink their practices. Through outdoor events, infiltrations of public space, unique collaborations, and publications, Regart creates space for reflection while making it possible for artists to widen the scope of their artistic interventions.

By supporting innovative projects, research, and exchange, the center aims to be simultaneously a place of exhibition and a place for experimentation, re-envisioned anew by artists and the Regart team for each featured event.

SAGAMIE, CENTRE D'ART CONTEMPORAIN

Matthieu Brouillard, *La Résurrection*, 2009.
Photo : Étienne Fortin

50, rue Saint-Joseph
C.P. 517
Alma (Québec) G8B 5W1
T / F 418 662-7280
sagamie@cgocable.ca
www.sagamie.com

lundi au vendredi
9 h – 17 h

Directeur
Nicholas Pitre

Assistants de création
Étienne Fortin, Émili Dufour, Mathilde Martel
Coutu, Magali Baribeau Marchand

Appel de dossiers
31 janvier

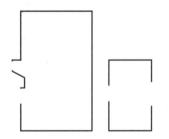

Salle d'exposition
Superficie : 135 m²
Surface d'accrochage linéaire : 46,3 m
Hauteur : 3,4 m
Salle projet
Superficie : 54 m²
Surface d'accrochage linéaire : 28,3 m
Hauteur : 2,8 m

Centre SAGAMIE

SAGAMIE est un centre de recherche en art contemporain qui place l'artiste et son œuvre au cœur de ses préoccupations. Le champ d'exploration privilégié de l'organisme est étroitement lié aux enjeux de l'image contemporaine. Le centre SAGAMIE soutient la production et la diffusion du travail des artistes avec ses programmes de résidence d'artiste, d'édition et d'exposition.

Résidence d'artiste

Le centre SAGAMIE reçoit annuellement 40 artistes en résidence domiciliés au Québec, au Canada et à l'étranger. Avec son vaste laboratoire informatique, comprenant quatre imprimantes numériques grand format et l'expérience technique de ses assistants de création, le centre soutient des projets qui proposent des points de vue novateurs sur la pratique et entraînent l'exploration d'avenues inédites. Ces résidences de production permettent aux artistes d'élaborer de nouvelles écritures artistiques, d'exploiter de façon inédite les technologies numériques et de participer ainsi à l'avancement de la discipline.

Édition

Les publications du centre SAGAMIE visent à documenter et à diffuser l'art actuel tout en soutenant la rédaction d'essais critiques s'inscrivant en dialogue avec le travail des artistes. Notre programme éditorial comprend des projets de création utilisant le livre comme véhicule et objet d'art, des monographies sur le travail d'artistes en arts visuels et des publications d'envergure qui font le point sur un sujet actuel en art contemporain. Nous considérons ainsi le livre comme un espace de création artistique et littéraire ouvert et autonome.

Exposition

Le centre SAGAMIE propose aux artistes et aux commissaires un vaste espace d'exposition situé au centre-ville d'Alma. Ce lieu est ouvert à l'ensemble des recherches en art actuel, tout en soutenant plus particulièrement les projets apportant une réflexion sur l'art contemporain utilisant les technologies numériques. Notre galerie est offerte aux artistes comme un espace d'essai favorisant l'émergence de pratiques transversales et novatrices.

Carl Bouchard, *par défaut*, 2009. Photo : Nicholas Pitre

Centre SAGAMIE

SAGAMIE is a contemporary art research centre that places artists and their work at the heart of its concerns. Explorations favoured at the centre are closely related to issues surrounding the contemporary image. The centre supports the production and dissemination of artists' work through a program of residencies, publications, and exhibitions.

Artist Residencies

Every year, Centre SAGAMIE welcomes close to 40 artists in residence from Quebec, Canada, and abroad. With its extensive computer lab, four wide-format digital printers, and the technical expertise of its creative assistants, the Centre focuses on projects that present innovative points of view on current practices and open fresh avenues of exploration. These production-oriented residencies enable artists to develop the language of their art, redefine digital creation, and thus participate in advancing the discipline.

Publishing

Centre SAGAMIE's publications aim to document and disseminate current Canadian art while sustaining the development of critical writing that dovetails with the artists' work. Our editorial program includes creative projects that use the book as a vehicle or art object, monographs on the work of visual artists, and major publications that cover current topics in contemporary art. We consider the book both an artistic and literary creative site, one that is open and autonomous.

Exhibitions

Centre SAGAMIE offers artists and curators a spacious exhibition venue located in downtown Alma. The space is open to the gamut of work being done in contemporary art, while giving special attention to projects that advance a critical perspective on contemporary digital art. Our gallery is provided to artists as an experimental space permitting the emergence of innovative interdisciplinary practices.

[SÉQUENCE] CENTRE D'ART CONTEMPORAIN

Julie André T. *L'invention d'un souvenir et/ou l'ironie d'une nature morte*, 2009. Photo : Séquence

132, rue Racine Est
C.P. 442
Chicoutimi/Saguenay
(Québec) G7H 1R1
T 418 543-2744
F 418 543-6730
art@sequence.qc.ca
www.sequence.qc.ca

Galerie
mardi au samedi
12 h – 16 h 30
dimanche
13 h 30 – 16 h 30
Bureau
mardi au vendredi
9 h – 17 h

Horaire d'été
Galerie
mardi au mercredi : 8 h – 17 h
jeudi au samedi : 8 h – 17 h et
18 h –20 h
dimanche : 13 h 30 – 16 h 30
Bureau
lundi au vendredi : 9 h – 17 h

Directeur artistique
Gilles Sénéchal

Directrice administrative
Kathy Boucher

Appel de dossiers
En tout temps

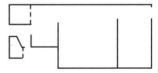

Galerie
Superficie : 169 m^2
Surface d'accrochage linéaire : 72 m
Hauteur : 4,27 m

Espace Michael Snow
Superficie : 109 m^2
Surface d'accrochage linéaire : 41 m
Hauteur : 2,80 m

Vitrine-écran, côté est pour diffusion de vidéos
et des trames sonores vers la rue : 2,44 x 3,05 m
Vitrine régulière, côté ouest sont les suivantes :
2,44 x 3,05 m

[Séquence], centre d'art contemporain est un organisme à but non lucratif fondé en 1983, établi au cœur du centre-ville de Chicoutimi depuis 1997. Centre de recherche dédié à la production, à la diffusion et au développement des arts actuels, il a pour mission d'assurer un cadre de réflexion et d'action aux artistes qui contribuent, par leur démarche, à l'avancement des arts visuels, médiatiques et des nouveaux médias. Accordant une attention particulière à l'accessibilité et à la démocratisation de l'art au sein de ses publics, [Séquence] initie ponctuellement des projets novateurs et dynamiques afin de diversifier l'offre culturelle sur le territoire du Saguenay-Lac-Saint-Jean.

Services

Propriétaire d'un bâtiment de quatre étages, [Séquence] dispose au rez-de-chaussée de quatre espaces d'exposition. Le centre propose aussi une vitrine-écran (trame

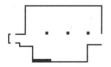

sonore au 88,9FM), où des vidéos sont projetés dès la tombée du jour. Au premier étage se trouvent les espaces administratifs, ainsi qu'un centre de documentation d'environ 3000 titres, accessible aux membres. L'étage supérieur permet d'accueillir des artistes en résidence, où le centre met à leur disposition un laboratoire média et une salle de montage. Depuis 2008, l'Espace Michael Snow a été aménagé au sous-sol, permettant d'élargir encore davantage notre programmation. Cet espace accueille de façon ponctuelle des événements de toutes sortes : expositions, performances, activités spéciales (Séquence en bouffe, etc.). Dans la mesure de ses ressources, [Séquence] fournit aux créateurs les moyens d'approfondir leur réflexion par des événements et des initiatives de promotion diversifiées : vernissages, visites guidées, publications, site Internet, etc.

Biennale d'art contemporain

Dans un souci de dynamiser le milieu de l'art régional, notamment sur la scène nationale et internationale, le centre organise, depuis 2001, la biennale d'art contemporain TraficART. Manifestation internationale de création et de diffusion des arts actuels, elle est encouragée par de nombreux partenaires gouvernementaux institutionnels, publics et privés.

Wyn Geleynse, *Interférence narrative*, 2009. Photo : Séquence

[Sequence] is a not-for-profit centre for contemporary art founded in 1983 and located in the centre of Chicoutimi since 1997. Its mission is to provide a structure for research and production for artists whose work contributes to the advancement of visual and new media art. The centre actively promotes accessibility and democratisation of art to its public and creates innovative projects that increase the cultural offerings in the Saguenay-Lac-Saint-Jean region.

Services

The activities of [Sequence] have been located in a four-story building owned by the organisation since 1997. Four gallery spaces are located on the main floor along with a storefront-window exhibition screen (broadcast on 88.9 FM) where videos are projected at dusk. The administrative offices and a documentation centre with more than 3,000 titles for consultation are located on the first floor. The upper floors are for artists-in-residence and house a media laboratory and editing room. In 2008, l'Espace Michael Snow (Michael Snow Space) was installed in the basement making it possible to broaden the programming. This area is dedicated to experimental and exploratory projects including exhibitions, performances, public talks and special events such as Séquence Bouffe *and* Chantiers ouverts. *When resources are available, [Séquence] provides artists with opportunities to develop their work through activities such as openings, guided tours, traveling exhibitions and promotional tools that include websites and publications.*

Contemporary Art Biennial

Since 2001, [Sequence] has energised and brought national and international attention to the regional art community through the organisation of the Contemporary Art Biennial TraficART. *This international event is devoted to the creation and exhibition of contemporary art with the support of numerous institutional, public and private partners.*

CENTRE DES ARTS ACTUELS SKOL

Vue extérieure de Skol, 2010. Photo : Benoit Pontbriand

Coordonnatrice artistique
Anne Bertrand

Webmestre / spécialiste des TIC
Benoit Pontbriand

Éducatrice en art
Adriana de Oliveira

Appel de dossiers
Consulter le site Internet

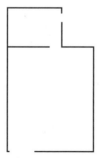

Dimensions :
consulter le site Internet

372, rue Sainte-Catherine O.
espace 314
Montréal (Québec) H3B 1A2
T 514 398-9322
F 514 398-0767
skol@skol.ca
www.skol.ca

mardi au samedi
12 h – 17 h

Fondé en 1986, le Centre des arts actuels Skol diffuse le travail exploratoire et novateur d'artistes de la relève, en favorisant ceux dont la recherche et l'expérimentation génèrent méthode et réflexion critique. À l'occasion, des artistes plus expérimentés sont invités à contribuer à la réflexion sur les nouvelles pratiques en art. Lieu de soutien, d'échange et d'apprentissage où on valorise la confiance, l'autonomie, l'expérimentation et la prise de risques, Skol offre un cadre souple, propice à l'émergence et au soutien de projets inédits.

Apprendre/Learn

Prenant appui sur notre programmation, les actions éducatives de Skol visent à créer une relation de proximité entre l'art actuel, les artistes et les visiteurs au moyen d'expériences d'apprentissage créatives, participatives et inclusives. Skol fait aussi un travail continu de sensibilisation à l'art actuel auprès des étudiants des cégeps et des universités ainsi que des groupes communautaires.

Skollège

Le « Skollège », assemblée des membres actifs, sert de groupe de référence tant pour les artistes de la relève en voie de professionalisation que pour les membres plus expérimentés à la recherche d'une appartenance au milieu spécialisé des nouvelles pratiques en arts visuels. Le Skollège contribue à la réflexion sur les orientations artistiques du Centre et ses modes de programmation. Les demandes qui parviennent à Skol par le biais d'appels ouverts ou thématiques sont toujours évaluées par un comité de pairs.

Sylvain Baumann, exposition [*Air Plain 2*], 2010. Photo : Guy L'Heureux

In operation since 1986, Centre des arts actuels Skol presents innovative work by emerging artists, focusing on those whose research and experimentation generate new methods and critical thought. Occasionally, the centre will invite more experienced artists whose exploratory or experimental approaches contribute to furthering theoretical discourse and artistic practice. Skol's flexible framework enables the emergence and support of new work. Skol is a place of possibility, exchange, and learning, valuing trust, autonomy, experimentation, and risk-taking.

Learning

An integral part of its programming, Skol's educational activities foster a closer relationship between artists and visitors by providing inclusive, creative, and participatory learning experiences. Skol works on a continuous basis with college and university students as well as community groups to develop a deeper understanding of contemporary art.

Skollege

An assembly made up of active members, "Skollege" serves as a reference group for the professionalization of emerging artists as well as for more established members seeking a connection to the specialized realm of new art practices. Through regular meetings, "Skollège" reflects on the artistic orientations of the centre and its modes of programming. All applications to Skol's open and thematic calls for proposals are reviewed through a peer jury process.

SPOROBOLE, CENTRE EN ART ACTUEL

© Milutin Gubash, *Born Rich Getting Poorer*, installation vidéo, 2009. Photo : Gilles Prince

74, rue Albert
Sherbrooke (Québec)
J1H 1M9
T / F 819 821-2326
info@sporobole.org
www.sporobole.org

mercredi au vendredi
12 h – 17 h
samedi et dimanche
13 h – 17 h

Directeur général
Gilles Prince

Directrice artistique
Myriam Yates

Chargé de projets
Éric Desmarais

Appel de dossiers
31 octobre

Superficie : 120 m²
Surface d'accrochage linéaire : 33,63 m
Hauteur : 4 m
Vitrines(2) : 2,10 x 2,70 m et 2,80 x 4,80 m

Lors de sa fondation en 1973, le Regroupement des artistes des Cantons-de-l'Est se donne pour mission de promouvoir la pratique de ses membres auprès de la communauté estrienne. Membre du RCAAQ à compter de 1988, il est reconnu sous le nom de Galerie Horace.

En 2009, suivant l'évolution du milieu de l'art actuel – un contexte de diffusion pluriel et mobile qui favorise la circulation des pratiques et où l'artiste travaille entre son atelier, les résidences qui l'accueillent et les lieux qui l'exposent –, le centre actualise son mandat, renouvelle son orientation et se dote d'un nouveau nom : Sporobole

Mandat

Sporobole se positionne en tant que pôle de diffusion et de production des arts visuels et médiatiques. Ainsi, le centre s'engage à diffuser des pratiques d'artistes de la relève ou à mi-carrière et s'affaire à fonder une résidence de calibre international. Il sollicite des propositions et réalise des expositions, événements ou discussions s'articulant autour des rapports entre les artistes et la société. Ce principe de base se décline selon différents axes qui sous-tendent une réflexion tant sur le rôle de l'artiste que sur son engagement envers sa pratique, qu'elle soit de nature plastique, théorique, politique, performative ou introspective.

Contexte

Situé au centre-ville de Sherbrooke, Sporobole est propriétaire d'un immeuble typique des bâtiments industriels du début du xxᵉ siècle ayant abrité Les laboratoires Mathieu pendant plusieurs décennies. L'espace d'exposition du centre est situé au rez-de-chaussée ; il se démarque par sa grande superficie (120 m²), ses hauts plafonds de bois et ses vitrines qui rappellent les origines du lieu.

Sporobole met à la disposition du public diverses publications et revues sur l'art actuel. Le centre tend à faire partie intégrante de la communauté sherbrookoise, dynamisée par la présence de quatre établissements d'enseignement collégial et universitaire, francophones et anglophones.

Atelier

Sporobole s'affaire à organiser un laboratoire d'art médiatique.

Résidence

Sporobole travaille à constituer une structure d'accueil de résidence.

© Marlène Ferrari, *JENESAISPAS*, peinture *in situ*, 2010 Photo : Marlène Ferrari

At time of its founding in 1973, the mission of the Regroupement des artistes des Cantons-de-l'Est was to promote members' work within the Eastern Townships region. It became a member of the RCAAQ in 1988 as the Galerie Horace.

In 2009, in keeping with the changes in the contemporary art milieu – a versatile context in which artists work between their studios, artist-residencies and the exhibition spaces where their work is shown – the centre renewed its mandate, changed course and adopted a new name: SPOROBOLE.

Mandate

SPOROBOLE is a centre for the production and exhibition of visual and media art. It promotes the work of young and mid-career artists and is developing an international-calibre residency program. It welcomes proposals and organises exhibitions, events and discussions related to the relationship between artists and society. This basic principle is applied in various ways as a reflection on the role of artists and their commitment to their work, whether its nature is artistic, theoretical, political, performative or introspective.

Setting

SPOROBOLE is located in downtown Sherbrooke in a centre-owned early twentieth-century industrial building. The centre's exhibition space, home for many years to Les Laboratoires Mathieu, is located on the ground floor and is distinguished by its size (120 square metres) and its original high wooden ceilings and large windows which recall the origins of the building.

SPOROBOLE offers the public a wide variety of publications and journals on contemporary art for consultation. The centre is part of the dynamic bilingual community in Sherbrooke enlivened by its four French and English colleges and universities.

Media Art Laboratory

SPOROBOLE is currently developing a media art laboratory.

Artist Residency

SPOROBOLE is currently putting a structure in place for an artist residency.

STUDIO XX

Audrey Samson, artiste en résidence au Studio XX.
Photo : Stéphanie Lagueux, 2010

4001, rue Berri, espace 201
Montréal (Québec) H2L 4H2
T 514 845-7934
T 514 845-0289 (Ateliers)
info@studioxx.org
www.studioxx.org

lundi au vendredi
10 h – 17 h

Directrice générale
Paulina Abarca-Cantin
directrice@studioxx.org

**Coordonnatrice de la programmation
et de la revue .dpi**
Dina Vescio
programmation@studioxx.org

Webmestre
Stéphanie Lagueux
webmestre@studioxx.org

Appel de dossiers pour les résidences
15 février

Montréal ▶ Québec

Le Studio XX est un centre d'artistes féministes bilingue engagé dans l'exploration, la création et la critique en arts technologiques. Fondé à Montréal en 1996, il vise à mettre en avant la multiplicité des territoires, voix et actions créatives des femmes dans le cyberespace. Explorer, démystifier, donner accès, outiller, mettre en question, créer, telles sont les visées du Studio XX.

Résidences et ateliers

Avec le mandat de favoriser la création et la diffusion d'œuvres d'arts technologiques, numériques et audionumériques créées par les femmes en particulier avec des outils libres, ou « Open Source », le Studio XX offre : un programme de résidence d'artistes et des ateliers; les Salons Femmes br@nchées, présentant des productions et performances; la revue électronique .dpi; l'émission de radio hebdomadaire The *XX Files*; le festival de cyberart HTMlles et les archives Matricules, un registre imagé et documentaire de l'histoire du Studio XX.

Founded in 1996 with the goal of ensuring a defining presence for women in cyberspace and the development of the digital arts, Studio XX is Canada's foremost bilingual, feminist, digital-based artist-run centre for technological exploration, creation, and critique.

Residencies and Workshops

Committed to establishing women's access to technology and with a strong focus on Open Source software, Studio XX offers artist residencies and workshops; the monthly performance-based Wired Women Salon; the electronic journal .dpi; the weekly radio show The XX Files; the international biennial cyberarts festival HTMlles; and Matricules, a visual documentary registry and online archive chronicling the history of Studio XX.

Atelier de développement Web avec Wordpress dans le laboratoire du Studio XX. Photo : Stéphanie Lagueux, 2010

| Centre de production et de distribution de vidéos et films indépendants réalisés par des femmes | 291, rue de Saint-Vallier Est
bureau 104
Québec (Québec) G1K 3P5
T 418 529-9188
F 418 529-4891
info@videofemmes.org
www.videofemmes.org |

Photo : Michaël Pineault, 2010

Vidéo Femmes, centre d'artistes en arts médiatiques, produit et diffuse, depuis 1973, des œuvres vidéographiques indépendantes et originales.

Que ce soit par le documentaire, la fiction, l'essai ou la vidéo d'art, les créatrices membres de Vidéo Femmes insufflent, par la diversité des thèmes abordés et les angles de traitement explorés, dynamisme et fraîcheur au genre cinématographique.

Production

Du désir à la réalisation
Vous avez une idée originale, un projet d'auteure, un scénario percutant? Vidéo Femmes accueille votre projet et explore avec vous les possibilités de le concrétiser. Budget, contrats, financement, droits, l'équipe de production de Vidéo Femmes vous accompagne à toutes les étapes de réalisation de votre œuvre.

Diffusion

Des œuvres qui voyagent
Vidéo Femmes est le seul distributeur indépendant de la région de Québec. Pour la télédiffusion, la percée sur les marchés institutionnels, les festivals ou la présence en salle de vos œuvres, profitez de l'expertise de notre équipe qui étudiera les possibilités de diffusion qui permettront à votre travail d'être vu, reconnu et même honoré.

Vidéo Femmes, an artist-run centre for media arts that has been producing and distributing original and independent video work since 1973.

Whether your project is fiction, documentary, a visual essay or video art, Vidéo Femmes breathes freshness and dynamism into the cinematographic genre through diverse themes and approaches.

Production

Idea to Finished Project
Do you have a unique idea? An auteur project? A powerful script? Vidéo Femmes welcomes your project, and explores the possibilities to realise it with you. The Vidéo Femmes production team will guide you through the important steps of producing your project. Guidance can be offered to assist in the creation of budgets, contracts, financing structures and royalty agreements.

Distribution

Projects Going Places
Vidéo Femmes is the only independent distributor in the Quebec City region. The experienced distribution team will study the possible distribution markets, broadcasters, festivals and screening possibilities that will allow your film to be seen and your achievement recognised by the public.

Direction
Martine Beaurivage
direction@videofemmes.org

Production
Pauline Voisard
production@videofemmes.org

Distribution et diffusion
Claudine Thériault
distribution@videofemmes.org

Appels de dossiers en production
10 août, 10 novembre, 10 janvier, 10 mars, 10 mai, 10 juin
Soumission d'œuvres pour acquisition
30 septembre, 30 janvier, 30 mai

Équipements
Caméras numériques haute définition, trépieds, équipements de son et d'éclairage de base, montage numérique Final Cut Pro, lecteurs-enregistreurs mini-DV/DVCAM et HDV, lecteurs DVD et betacam SP, projecteur vidéo
Equipment List
High-definition digital camera, tripods, basic sound and lighting equipment, Final Cut Pro for digital editing, mini-DV/DVCAM and HDV player-recorder, DVD and Betacam SP players, video projector

Québec ▲ Québec

GALERIE VERTICALE

Danielle Raymond, *Territoires de résonances*, 2009.
Photo: Martin Champagne

397, boulevard des Prairies
espace 412
Laval (Québec) H7N 2W6
T 450 975-1188
F 450 975-0770
info@galerieverticale.com
www.galerieverticale.com

mercredi au samedi
11 h – 17 h

Coordination administrative
Patrice Giroux

Coordination de la programmation
Nathalie Dussault

Appel de dossiers
15 novembre

La Galerie Verticale est un centre d'artistes autogéré reconnu et sans but lucratif, au service de la communauté et de son développement culturel. Ouverte au public depuis 1991, elle soutient la production, l'étude et la diffusion de l'art actuel à des fins d'innovation, d'expérimentation, d'éducation et d'échanges critiques.

Dans ses activités locales, nationales et internationales, la Galerie Verticale soutient toutes les phases des œuvres allant de la création à la diffusion. Elle encourage les propositions d'artistes professionnels et de commissaires indépendants, qu'ils soient de la relève ou établis en art actuel.

Inter-, multi- et transdisciplinarité

Favorisant l'inter-, la multi- et la transdisciplinarité, la Galerie Verticale appuie tous les modes de réalisation comme de diffusion susceptibles de produire des contenus, des formes et des discours artistiques signifiants et inédits.

Ressources

Située à Laval, la Galerie Verticale offre un lieu de rencontre et de ressources diversifiées, allant d'une programmation d'expositions en salle aux interventions événementielles hors-les-murs, en passant par la tenue de conférences, de résidences d'artistes, d'ateliers de création et la production de documentation et de publications.

Programmation

La programmation de la Galerie s'élabore au moyen des propositions de projets les plus prometteurs reçus lors des appels de dossiers.

Relocalisation
La Galerie Verticale entreprend de se relocaliser en 2010. Soyez à l'affût de cette transformation sur le site Internet.
Galerie Verticale is set o relocate in 2010. Please watch for updates regarding this transformation on our website.

Galerie Verticale is a recognized not-for-profit artist-run centre whose mandate is to serve the community and contribute to its cultural development. Open to the public since 1991, it supports the creation, development and dissemination of current art practices for innovation, experimentation, education and critical exchange purposes.

Acting locally, nationally and internationally, Galerie Verticale supports the artistic process from production to dissemination. It receives submissions from emerging or established professional artists and independent curators.

Inter, Multi & Trans

Promoting inter, multi and trans-disciplinarity, Galerie Verticale stands behind any production and exhibition approach that leads to artistically significant and creative contents and statements.

Danielle Raymond, *Territoires de résonances*, 2009. Photo: Martin Champagne

Resources

Located in Laval, Galerie Verticale is a meeting place offering multiple resources, from exhibition programming to external event interventions. It also hosts conferences, organises artist residencies, offers workshops and maintains reference art books and periodicals in its resource centre.

Programming

Programming for Galerie Verticale is determined by the selection of the most challenging projects received through our call for proposals.

VIDÉOGRAPHE

vidéographe

Soutien à la création
4550, rue Garnier
Montréal (Québec) H2J 3S7
T 514 521-2116
F 514 521-1676
production@videographe.qc.ca

Diffusion et distribution
6560, avenue de
l'Esplanade, local 305
Montréal (Québec) H2V 4L5
T 514 866-4720
F 514 866-4725
info@videographe.qc.ca
www.videographe.qc.ca

lundi au vendredi
9 h – 17 h

Montréal ▶ Québec

Direction
Bernard Claret
bclaret@videographe.qc.ca

Services Création
Lucie Marchand
lmarchand@videographe.qc.ca

Distribution et diffusion
Sylvie Roy
sroy@videographe.qc.ca

Vithèque
Annick Laporte
alaporte@videographe.qc.ca

Appel de dossiers
Consulter le site Internet

Fondé en 1971, Vidéographe est aujourd'hui un centre d'artistes voué à la création, à la diffusion et à la distribution d'œuvres d'arts médiatiques indépendantes. Sa mission s'articule autour d'un triple mandat : faciliter l'accès à la production, à la création et à la recherche en arts médiatiques; soutenir la pratique professionnelle, notamment en assurant la diffusion, la distribution et le rayonnement des œuvres tout en appliquant une politique de juste rétribution des droits aux artistes; favoriser le développement des publics par le biais d'activités de programmation et de présentation mettant en lumière la richesse et la diversité de la pratique artistique.

Diffusion et distribution

Vidéographe possède un catalogue de près de 1800 vidéos indépendantes, qui allie vidéo d'art, documentaire, fiction, animation, vidéo danse, essai, travail expérimental, etc. Les œuvres sont distribuées dans un grand nombre de festivals et d'événements internationaux, ainsi que dans les principaux marchés commerciaux et institutionnels. Vidéographe a décidé de s'ouvrir aux nouveaux modèles de distribution numérique avec Vithèque : une plateforme Internet de diffusion, de distribution, de promotion et de gestion des droits et des œuvres. En plus des services proposés aux professionnels, la plateforme est destinée à accueillir les activités de diffusion de l'organisme et, à moyen terme, des projets de création en ligne.

Soutien à la création

Vidéographe offre à ses membres plusieurs programmes de soutien à la recherche et à la création. Il permet des programmes de formation continue, des ateliers ponctuels d'initiation et de l'accompagnement professionnel et personnalisé sur demande.

Équipement

Vidéographe offre en location des équipements de tournage, de diffusion, des studios de montage, un laboratoire interactif, un espace multidisciplinaire (16 pieds x 26 pieds x 10 pieds de hauteur). Il permet la captation, le montage et la sortie jusqu'à la haute définition.

Partenariats

Vidéographe initie des projets de diffusion avec des organismes pairs. Il contribue à d'autres projets par des prêts avantageux d'équipements. Il reconnaît les membres d'autres centres d'artistes, de production et de formation.

Founded in 1971, Vidéographe is an artist-run centre dedicated to the creation, dissemination and distribution of independent media art works. Vidéographe's mission is to promote the development of video practice by supporting young artists in the making of their first works, as well as professional artists in the practice and recognition of their art.

This mission is structured around a triple mandate: facilitating access to production, creation and research in media arts; supporting professional practices through the dissemination and distribution of works and the application of a policy that guarantees fair royalty payments to the artists; and promoting audience development through programming and presentation activities that highlight the wealth and diversity of the artistic practice.

Dissemination and Distribution

The Vidéographe catalogue contains nearly 1,800 independent videos, including video art, documentary, fiction, animation, dance video, essays, experimental works and so on. These are shown in several international festivals and events and are distributed through major commercial and institutional markets. With Vithèque – an Internet platform for distributing, promoting and providing public access to these works and managing copyright and royalties – Vidéographe is opening up to renewed models of distribution. In addition to the services it provides to professionals in the field, this platform is the site of the organization's dissemination activities. It will also become host to online creative projects.

Supporting Artists

Vidéographe support its members with numerous programs for research and production and offers professional development, introductory workshops and personalized professional guidance upon request.

Equipment

Vidéographe rents production and presentation equipment, editing suites, an interactive laboratory and a multidisciplinary space (16 x 26 x 10 ft.). It is equipped for sound and image recording, editing and release, including in high-definition.

Partnerships

Vidéographe initiates dissemination projects with like-minded organizations and contributes to various projects by lending equipment. It acknowledges members from other artist-run centres and production and training centres.

Montréal ▶ Québec

VOX, CENTRE DE L'IMAGE CONTEMPORAINE

Exposition *Tractatus Logico-Catalogicus*, VOX, centre de l'image contemporaine, 1211 boul. Saint-Laurent, Montréal, novembre-décembre 2008. Photo : Michel Brunelle

Montréal (Québec)
T 514 390-0382
vox@voxphoto.com
www.voxphoto.com

En 2011, VOX déménagera dans l'édifice du
2-22, rue Sainte-Catherine Est.
In 2011, Vox will relocate at 2-22 Ste-Catherine Street East.

Direction
Marie-Josée Jean

Adjointe à la direction
Claudine Roger

Coordination
Simone Lefebvre

Appel de dossiers d'artistes et de commissaires
Consulter le site Internet

VOX soutient la diffusion, la recherche et l'expérimentation en permettant à des artistes, auteurs et commissaires, expérimentés ou de la relève, de prendre part à un forum continu de réflexion et de création sur les diverses pratiques de l'image contemporaine.

Orientation artistique

La programmation de VOX interroge notamment les paradigmes conceptuels à l'œuvre dans les pratiques de l'image des années 1960 à aujourd'hui.

Activités

VOX organise des expositions à la fois actuelles et historiques, parfois à caractère rétrospectif ou thématique, lesquelles sont déterminées par l'avancement de la recherche. Le centre propose une programmation internationale en plus de publier des documents d'interprétation et des publications monographiques. Il porte une attention particulière aux pratiques de la relève et poursuit un volet de formation permettant à des étudiants de concrétiser une première expérience dans un milieu professionnel.

Diffusion nationale et internationale

VOX a mis de nombreuses œuvres en circulation au Canada, en Europe tout comme en Amérique latine, contribuant ainsi au rayonnement des artistes d'ici.

Fonds documentaire

VOX diffuse également sur le Web un fonds documentaire exhaustif et novateur sur la photographie québécoise, qui rend accessibles les travaux d'artistes québécois, en plus de projets spéciaux.

Programme éducatif

VOX élabore aussi un programme éducatif s'adressant à ses différents publics. Il réalise régulièrement des projets d'expositions et de publications en collaboration avec des centres et des musées du Canada et de l'étranger.

IMAGO : un projet devenu réalité

En 2011, VOX déménagera avec ses partenaires Artexte et le RCAAQ dans l'édifice du 2-22, rue Sainte-Catherine à l'angle du boulevard Saint-Laurent, et augmentera de manière importante la superficie de ses salles de diffusion. Concomitamment à sa grande salle d'exposition et à sa nouvelle salle de projection, VOX disposera une salle d'essai – un espace de type « laboratoire » – vouée aux nouvelles pratiques, permettant notamment à des artistes et à des commissaires débutants d'y réaliser ou d'y diffuser leurs travaux, ou à des artistes et commissaires établis d'expérimenter de nouvelles avenues dans leur travail.

Montréal ▶ Québec

Exposition *Yael Bartana*, VOX, centre de l'image contemporaine, 1211 boul. Saint-Laurent, Montréal, septembre-octobre 2009. Photo : Michel Brunelle

VOX supports dissemination, research and experimentation by allowing experienced and emerging artists, authors and curators to engage in an ongoing forum for creation and reflection on diverse contemporary image practices.

Artistic Direction

VOX's programming investigates, among other things, the conceptual paradigms underpinning image practices from the 1960s to the present.

Activities

VOX organizes both contemporary and historical exhibitions, occasionally retrospective or thematic, determined by the progress of research. The centre offers international programming and also publishes interpretive documents and monographs. Particular attention is paid to emerging practices, and the centre offers an educational component allowing student artists a first experience in a professional setting.

National and International Dissemination

VOX has organized numerous touring projects in Canada, Europe and Latin America, thus contributing to the enhancement of local artists' reputations.

Fonds documentaire

VOX also runs a comprehensive and innovative web-based documentary collection of Quebec photography that provides access to individual works by Quebec artists as well as specific projects.

Educational Services

VOX operates an educational program aimed at its various audience groups. It regularly develops exhibition and publishing projects in co-production with centres and museums in Canada and abroad.

IMAGO: A project becomes a reality

In 2011, VOX will relocate, along with partners Artexte and the RCAAQ, to the 2-22 Building at the corner of Sainte-Catherine Street and Saint-Laurent Boulevard, significantly increasing the floor area of its exhibition spaces. In addition to a large main gallery space and a new screening room, VOX will outfit a salle d'essai—a "laboratory" space dedicated to new practices, which will enable emerging artists and curators to produce exhibitions and show works, and also allow established artists and curators to experiment with new avenues.

117

VU, CENTRE DE DIFFUSION ET DE PRODUCTION DE LA PHOTOGRAPHIE

Studio d'impression numérique, VU, 2010.
Photo : André Barrette

Bureau et espaces de production
523, rue de Saint-Vallier Est
Québec (Québec) G1K 3P9
T 418 640-2585
F 418 640-2586
info@vuphoto.org
www.vuphoto.org

Galeries
550, côte d'Abraham
Québec (Québec)
T 418 640-2558

Galeries
mercredi au dimanche
12 h – 17 h
Espaces de production
lundi au vendredi : 9 h – 17 h
mercredi : 9 h – 21 h
Bureau
lundi au vendredi : 9 h – 17 h

Direction
Ève Cadieux
direction@vuphoto.org

Espaces de production
André Barrette
production@vuphoto.org

Communications
Alexis Desgagnés
communications@vuphoto.org

Éditions
Florence Le Blanc
editions@vuphoto.org

Appel de dossiers
15 septembre et 15 janvier

Espace américain
Superficie : 78,11 m²
Surface d'accrochage linéaire : 33,1 m
Hauteur : 4 m (un mur à 3,45 m)

Espace européen
Superficie : 50,25 m²
Surface d'accrochage linéaire : 22,8 m
Hauteur : 2,7 m

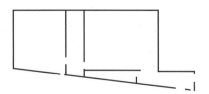

VU est un centre d'artistes qui se consacre depuis 1981 au développement de l'art photographique actuel en proposant un programme varié d'activités de diffusion et en offrant un accès privilégié à des espaces de production en photographie numérique et argentique. VU reçoit régulièrement des artistes en résidence, œuvre dans le champ de l'édition et dispose d'un centre de documentation sur la photographie contemporaine. Organisme à but non lucratif formé et dirigé par un collectif d'artistes, VU est membre de la coopérative Méduse à Québec.

Expositions et résidences d'artistes

VU présente chaque année des expositions individuelles et collectives d'artistes du Québec, du Canada et de l'étranger. Deux salles d'exposition permettent de présenter une programmation qui fait une place importante à la relève, qui interroge les nouvelles technologies de l'image et qui se veut représentative des tendances les plus novatrices de la photographie actuelle. Le centre accueille également des artistes en résidence afin d'encourager la réalisation de travaux inédits dans un contexte propice à l'expérimentation.

Services de production en photographie numérique et argentique

VU offre aux artistes de toutes les disciplines et sans soumission de dossier un service professionnel d'impression numérique à jet d'encre, ainsi qu'un service de numérisation de diapositives et de négatifs en haute définition. Des équipements numériques à la fine pointe de la technologie ainsi que des chambres noires individuelles sont en location à VU. Un technicien d'expérience conseille et accompagne l'artiste tout au long de son processus de création.

Éditions

VU et les Éditions J'ai VU ont publié une cinquantaine de livres sur l'art photographique ainsi que plus de 200 feuillets d'artistes accompagnant les expositions inscrites à la programmation du centre. Fondées en 1999, les Éditions J'ai VU ont créé trois collections – *Livres d'artistes*, *L'image amie* et *L'opposite* – qui font dialoguer photographie, création littéraire et perspectives pluridisciplinaires.

Québec ▸ Québec

Façade VU, 2010. Photo : André Barrette

VU is an artist-run centre dedicated to the development of contemporary photographic art since 1981. The centre offers a varied program of activities, and provides artists and its members with access to its production equipment for digital and analogue photography. The centre regularly hosts artists in creative residencies, is active in the publishing field, and also has a documentation centre on contemporary photography. A non-profit organisation, VU is a member of the Méduse cooperative in Quebec City.

Exhibitions and Artist Residencies

Each year, VU presents solo and group exhibitions of works by artists from Quebec, Canada, and abroad. Its two exhibition galleries enable it to include in its programming a considerable number of young artists. This programming enquires into new image technologies and is representative of the most innovative trends in contemporary photography. The centre also welcomes artists-in-residence in order to encourage the creation of original work in a setting conducive to experimentation.

Production Services in Digital and Analogue Photography

VU provides artists working in all disciplines with professional archival-quality digital ink-jet printing services and high-definition digitising of negatives and slides (no submission proposal necessary).

Cutting-edge digital equipment and secure individual darkrooms with proper ventilation are available for rent. An experienced technician provides the artist with technical advice throughout the process.

Publishing

VU and Les Éditions J'ai VU have published some fifty books on photographic art as well as more than 200 brochures accompanying artists' exhibitions at the centre. Founded in 1999, Les Éditions J'ai VU has developed three series of publications—Livres d'artistes, L'image amie and L'opposite—which bring photography, literary creation, and multidisciplinary perspectives into dialogue with one another.

ZOCALO

Atelier numérique, 2010. Photo : Isabelle Menier

80, rue Saint-Jean
Longueuil (Québec) J4H 2W9
T 450 679-5341
info@zocaloweb.org
www.zocaloweb.org

Atelier
Ouvert tous les jours
pour les artistes membres

Bureau
lundi au mercredi
9 h – 17 h

Longueuil ▶ Québec

Coordonnatrice
Isabelle Menier

**Responsable des équipements
et impressions numériques**
Bernard Coallier

Appel de dossiers
1er mai

Fondé en 1992 par Claire Lemay et Johanne Proulx, Zocalo est un centre d'artistes spécialisé en recherche et production de l'art imprimé. Il favorise tant les techniques traditionnelles que les procédés numériques tout en préservant l'éthique de la pratique de l'estampe.

Un espace de production et divers équipements traditionnels et informatiques sont mis à la disposition des membres. Zocalo offre également aux artistes professionnels et à ceux de la relève des résidences et des ateliers de perfectionnement. Le centre diffuse de plus les œuvres de ses artistes par le biais de ses expositions et particulièrement de sa galerie virtuelle.

Résidences

Zocalo offre six résidences par année. Leur durée varie en général de deux à quatre semaines, suivant l'importance et la complexité des projets. Un cachet, des matériaux d'impression et un soutien technique sont offerts aux artistes qui effectuent une résidence.

Atelier traditionnel

L'atelier de production en techniques traditionnelles permet l'impression selon différents procédés dont la gravure en relief (bois gravé, linogravure) et en creux (collagraphie, eau-forte au perchlorure de fer, carborundum). Sept presses de différentes tailles sont mises à la disposition des membres. L'atelier de production traditionnel est aussi doté d'une chambre noire pour la photogravure.

Atelier numérique

L'atelier de production numérique met à la disposition des artistes un environnement Apple comprenant huit postes de travail. L'atelier dispose aussi d'une imprimante Epson d'une largeur de 44 pouces.

Galerie virtuelle

La galerie virtuelle de Zocalo diffuse depuis 2008 des expositions collectives mises sur pied par le centre. Des expositions d'artistes membres ayant une pratique actuelle en art imprimé et qui sont impliqués dans un processus de recherche-création y sont également diffusées depuis 2010.

Atelier traditionnel : 92,15 m²
Atelier numérique : 28,08 m²

Atelier traditionnel, 2009. Photo : Isabelle Menier

Zocalo is an artist-run centre founded by Claire Lemay and Johanne Proulx in 1992 and devoted to artistic enquiry and production in the field of printmaking. The centre promotes the integration of traditional and digital printmaking techniques while at the same time preserving the ethics of print practice

A production space with traditional and digital equipment is available for members' use. Zocalo also offers residencies for professional and up-and-coming artists as well as professional development workshops. In addition, the centre presents its artists' work through exhibitions and in the virtual gallery

Residencies

Zocalo offers six residencies per year varying in length from two to four weeks depending on the scale and complexity of the project. A stipend, printing materials and technical assistance are offered to artists-in-residence.

Traditional Printmaking Studio

The traditional studio is equipped with facilities for production using techniques such as relief engraving (woodcut, linocut) and depth engraving (collagraphy, ferric chloride etching, carborundum). Seven presses of various sizes are at the members' disposal. The traditional printmaking studio is also equipped with a darkroom for photo-engraving.

Digital Printmaking Studio

The digital studio provides artists with an Apple environment equipped with eight workstations and an Epson printer (44-inch wide).

Virtual Gallery

Since 2008, Zocalo's virtual gallery has presented collective exhibitions organized by the centre. The work of members with a contemporary practice in printmaking and involved in a research/creation process has been presented since 2010.

ASSOCIATIONS

Regroupement des centres d'artistes autogérés du Québec (RCAAQ)
3995, rue Berri
Montréal (Québec) H2L 4H2
T 514 842-3984
info@rcaaq.org
www.rcaaq.org

Association des galeries d'art contemporain (AGAC)
372, rue Sainte-Catherine Ouest, bureau 318
Montréal (Québec) H3B 1A2
T 514 798-5010
info@agac.qc.ca
www.agac.qc.ca

Association des illustrateurs et des illustratrices du Québec
372, rue Sainte-Catherine Ouest, espace 123
Montréal (Québec) H3B 1A2
T 514 522-2040
info@illustrationquebec.com
www.illustrationquebec.com

Association lavalloise pour les arts plastiques
5475, boul. Saint-Martin Ouest
Laval (Québec) H7T 2X7
T 450 688-6558
info@alpap.org
www.alpap.org

Association québécoise des éducatrices et éducateurs spécialisés en arts plastiques
2761, route 125 Nord
St-Donat de Montcalm (Québec) J0T 2C0
T 819 424-7701
www.aqesap.org

Conseil québécois des arts médiatiques
3680, rue Jeanne-Mance, bureau 430
Montréal (Québec) H2X 2K5
T 514 527-5116
www.cqam.org

Copibec – Société québécoise de gestion collective des droits de reproduction
606, rue Cathcart, bureau 810
Montréal (Québec) H3B 1K9
T 514 288-1664 ou 1 800 717-2022
info@copibec.qc.ca
www.copibec.qc.ca

Culture Montréal
3680, rue Jeanne-Mance, bureau 317
Montréal (Québec) H2X 2K5
T 514 845-0303
info@culturemontreal.ca
www.culturemontreal.ca

English-Language Arts Networks (ELAN)
460, rue Sainte-Catherine Ouest, Suite 610
Montréal (Québec) H3B 1A7
T 514 935-3312
admin@quebec-elan.org
www.quebec-elan.org

Les Arts et la Ville
870, avenue de Salaberry, bureau 104
Québec (Québec) G1R 2T9
T 418 691-7480
info@arts-ville.org
www.arts-ville.org

Regroupement des artistes en arts visuels du Québec (RAAV)
460, rue Sainte-Catherine Ouest, bureau 913
Montréal (Québec) H3B 1A7
T 514 866-7101
reception@raav.org
www.raav.org

Regroupement des arts interdisciplinaires du Québec (RAIQ)
www.raiq.ca

Société de développement des périodiques culturels québécois (SODEP)
460, rue Sainte-Catherine Ouest, bureau 716
Montréal (Québec) H3B 1A7
T 514 397-8669
info@sodep.qc.ca
www.sodep.qc.ca

Société des arts indisciplinés (SAI)
sai@sai.qc.ca
www.sai.qc.ca

Société des musées québécois (SMQ)
C.P. 8888, succursale centre-ville UQAM
Montréal (Québec) H3C 3P8
T 514 987-3264
info@smq.qc.ca
www.smq.qc.ca

Société du droit de reproduction des auteurs, compositeurs et éditeurs au Canada (Sodrac) inc.
www.sodrac.com

CONSEILS DES ARTS ET MINISTÈRES / ART COUNCILS AND CULTURE DEPARTMENTS

Conseil des arts de Montréal (CAM)
Édifice Gaston-Miron
1210, rue Sherbrooke Est
Montréal (Québec) H2L 1L9
T 514 280-3580
www.artsmontreal.com

Conseil des arts et des lettres du Québec
Bureau de Montréal
500, Place d'Armes, 15e étage
Montréal (Québec) H2Y 2W2
T 514 864-3350
www.calq.gouv.qc.ca
Bureau de Québec
79, boul. René-Lévesque Est, 3e étage
Québec (Québec) G1R 5N5
T 418 643-1707
www.calq.gouv.qc.ca

Ministère de la Culture, des Communications et de la Condition féminine
www.mcccf.gouv.qc.ca

Direction générale :
225, Grande Allée Est
Québec (Québec) G1R 5G5
1 888 380-8882

Directions régionales :

Direction du Bas-Saint-Laurent
337, rue Moreault
Rimouski (Québec) G5L 1P4
T 418 727-3650
drbsl@mcccf.gouv.qc.ca

Direction du Saguenay-Lac-Saint-Jean
202, rue Jacques-Cartier Est
Chicoutimi (Québec) G7H 6R8
T 418 698-3500
drslstj@mcccf.gouv.qc.ca

Direction de la Capitale-Nationale
225, Grande Allée Est
Rez-de-chaussée, bloc C
Québec (Québec) G1R 5G5
T 418 380-2346
dcn@mcccf.gouv.qc.ca

Direction de la Chaudière-Appalaches
51, rue du Mont-Marie
Lévis (Québec) G6V 0C3
T 418 838-9886
drca@mcccf.gouv.qc.ca

Direction de la Mauricie et du Centre-du-Québec
100, rue Laviolette, bureau 315
Trois-Rivières (Québec) G9A 5S9
T 819 371-6001
drmcq@mcccf.gouv.qc.ca

Direction de la Côte-Nord
625, boul. Laflèche, bureau 1.806
Baie-Comeau (Québec) G5C 1C5
T 418 295-4979
drcn@mcccf.gouv.qc.ca

Direction de la Gaspésie–Îles-de-la-Madeleine
146, avenue de Grand-Pré
Bonaventure (Québec) G0C 1E0
T 418 534-4431
drgim@mcccf.gouv.qc.ca

Direction de l'Estrie
225, rue Frontenac, bureau 410
Sherbrooke (Québec) J1H 1K1
T 819 820-3007
dre@mcccf.gouv.qc.ca

Direction de Montréal
480, boul. Saint-Laurent, bureau 600
Montréal (Québec) H2Y 3Y7
T 514 873-2255
dm@mcccf.gouv.qc.ca

Direction de l'Outaouais
170, rue de l'Hôtel-de-Ville, 4e étage, bureau 4.140
Gatineau (Québec) J8X 4C2
T 819 772-3002
dro@mcccf.gouv.qc.ca

Direction de l'Abitibi-Témiscamingue et du Nord-du-Québec
19, rue Perreault Ouest, bureau 450
Rouyn-Noranda (Québec) J9X 6N5
T 819 763-3517
dratnq@mcccf.gouv.qc.ca

Direction de Laval, de Lanaudière et des Laurentides
300, rue Sicard, bureau 200
Sainte-Thérèse (Québec) J7E 3X5
T 450 430-3737
drlll@mcccf.gouv.qc.ca

Direction de la Montérégie
2, boulevard Desaulniers, bureau 500
Saint-Lambert (Québec) J4P 1L2
T 450 671-1231
drmonter@mcccf.gouv.qc.ca

Ministère des Relations internationales du Québec
525, boul. René-Lévesque Est, 2e étage
Québec (Québec) G1R 5R9
T 418 649-2300
www.mri.gouv.qc.ca

Office franco-québécois pour la jeunesse (OFQJ)
934, rue Sainte-Catherine Est
Montréal (Québec) H2L 2E9
T 514 873-4255
www.ofqj.org

Office Québec-Amériques pour la jeunesse (OQAJ)
265, rue de la Couronne, bureau 200
Québec (Québec) G1K 6E1
T 1 800 465-4255
info@oqaj.gouv.qc.ca
www.oqaj.gouv.qc.ca

Office Québec Wallonie Bruxelles pour la jeunesse (OQWBJ)
934, rue Sainte-Catherine Est
Montréal (Québec) H2L 2E9
T 1 800 465-4255
www.oqwbj.org

Observatoire de la culture et des communications
Institut de la statistique du Québec
200, chemin Sainte-Foy, 3e étage
Québec (Québec) G1R 5T4
T 1 800 463-4090
www.stat.gouv.qc.ca/observatoire

Patrimoine canadien / Canadian Heritage
Complexe Guy-Favreau, Tour Ouest, 6e étage
200, boul. René-Lévesque Ouest
Montréal (Québec) H2Z 1X4
T 514 283-5191
pch-qc@pch.gc.ca
www.pch.gc.ca
Bureau du Québec
3, Passage du chien d'Or, C.P. 6060, Haute-Ville
Québec (Québec) G1R 4V7
T 418 648-5054
www.pch.gc.ca

Service de la culture de la Ville de Québec
43, rue De Buade
Québec (Québec) G1R 4A2
T 418 641-6181
culture@ville.quebec.qc.ca
www.ville.quebec.qc.ca

Société de développement des arts
et de la culture de Longueuil (SODAC)
340, rue Saint-Charles Ouest
Longueuil (Québec) J4H 1E8
T 450 463-0004
sodac@qc.aira.com

Société de développement des
entreprises culturelles (SODEC)
215, rue Saint-Jacques, bureau 800
Montréal (Québec) H2Y 1M6
T 514 841-2200
info@sodec.gouv.qc.ca
www.sodec.gouv.qc.ca

CONSEILS RÉGIONAUX DE LA CULTURE /
REGIONAL CULTURE COUNCILS

Conseil de la culture de l'Abitibi-Témiscamingue
150, avenue du Lac
Rouyn-Noranda (Québec) J9X 4N5
T 819 764-9511
info@crcat.qc.ca
www.crcat.qc.ca

Conseil de la culture de l'Estrie
17, rue Belvédère Nord
Sherbrooke (Québec) J1H 4A7
T 819 563-2744
info@cultureestrie.org
www.cultureestrie.org

Conseil de la culture de la Gaspésie
169, avenue de Grand-Pré
Bonaventure (Québec) G0C 1E0
T 418 534-4139
info@culturegaspesie.org
www.culturegaspesie.org

Conseil de la culture de Lanaudière
165, rue Lajoie Sud
Joliette (Québec) J6E 5K9
T 450 753-7444
info@culturelanaudiere.qc.ca
www.culturelanaudiere.qc.ca

Conseil de la culture des Laurentides
233, rue Saint-Georges, bureau 400
Saint-Jérôme (Québec) J7Z 5A1
T 450 432-2425
ccl@culturelaurentides.com
www.culturelaurentides.com

Conseil de la culture des régions de Québec
et de Chaudière-Appalache
310, boul. Langelier, bureau 120
Québec (Québec) G1K 5N3
T 418 523-1333
ccr@culture-quebec.qc.ca
www.culture-quebec.qc.ca

Conseil de la culture du Bas Saint-Laurent
88, rue Saint-Germain Ouest, C.P. 873
Rimouski (Québec) G5L 7C9
T 418 722-6246
www.crcbsl.org

Conseil de la Culture et des Communications
de la Mauricie
www.culturemauricie.ca

Conseil montérégien de la culture
et des communications
80, rue Saint-Laurent Ouest, bureau 130
Longueuil (Québec) J4H 1L8
T 450 651-0694
info@culturemonteregie.qc.ca
www.culturemonteregie.qc.ca

Conseil régional de la culture de l'Outaouais
432, boul. Alexandre-Taché
Gatineau (Québec) J9A 1M7
T 819 595-2601
www.crco.org

Conseil régional de la culture du
Saguenay-Lac-Saint-Jean
201, rue St-Louis Est
Alma (Québec) G8B 3S9
T 418 662-6623
www.ccr-sl.qc.ca

Conseil régional de la culture et
des communications de la Côte-Nord
22, Place La Salle, 1er étage
Baie-Comeau (Québec) G4Z 1K3
T 1 866 295-6744
crcccn@cgocable.ca
www.crcc-cote-nord.org

FONDATIONS / FOUNDATIONS

DHC/ART
451, rue St-Jean
Montréal (Québec) H2Y 2R5
T 1 514 849 3742
info@dhc-art.org
www.dhc-art.org

Fondation Daniel Langlois pour l'art,
la science et la technologie
3530, boul. Saint-Laurent, bureau 500
Montréal (Québec) H2X 2V1
T 514 987-7177
info@fondation-langlois.org
www.fondation-langlois.org

INTERNATIONAL / INTERNATIONAL

Antenne de Vancouver
789, rue Pender Ouest, bureau 780
Vancouver (Colombie-Britannique) V6C 1H2
T 604 682-3500
vancouver@mce.gouv.qc.ca
www.saic.gouv.qc.ca

Antenne du Québec à Santiago
Édifice du Commerce international
Nueva Tajamar 481
Torre Norte, Oficina 904
Santiago (Las Condes) Chili
T +56 2 350 4255
qc.santiago@mri.gouv.qc.ca
www.gouv.qc.ca

Antenne du Québec à Séoul
5F, Leema building
146-1 Soosong-dong
Jongno-gu, Séoul
110-755 Korea
T +82 2 3703 7700
qc.seoul@mri.gouv.qc.ca
www.mri.gouv.qc.ca

Antenne du Québec à Taipei
13F, 365 Fu-Hsing North Road
Taipei 105, Taïwan
T 886 2-2547-3000 Poste 3375
qc.taipei@mri.gouv.qc.ca
www.gouv.qc.ca

Bureau du Québec à Barcelone
Avinguda Diagonal, 420, 3er 1e
Barcelone 08037, Espagne
T +34 93 476 42 58
qc.barcelone@mri.gouv.qc.ca
www.gouv.qc.ca

Bureau du Québec à Beijing
19 Dongzhimenuai Dajie, District de Chaosyang
Beijing 100600, Chine
T +86 10 5139 4000
qc.beijing@mri.gouv.qc.ca
www.gouv.qc.ca

Bureau du Québec à Berlin
Pariser Platz 6A
10117 Berlin Allemagne
T +49 30 5900646-0
qc.berlin@mri.gouv.qc.ca
www.gouv.qc.ca

Bureau du Québec dans les provinces atlantiques
777, rue Main, 5e étage, bureau 510
Moncton (Nouveau-Brunswick) E1C 1E9
T 506 857-9851
bqmoncto@mce.gouv.qc.ca
www.saic.gouv.qc.ca

Bureau du Québec à Mumbai
Consulat général du Canada
6e étage Fort House
221, Dr. D.N. Road
Mumbai – 400 001
Maharashtra, Inde
T +91 22 6749 4444
qc.mumbai@mri.gouv.qc.ca
www.gouv.qc.ca

Bureau du Québec à Ottawa
81, rue Metcalfe, 3e étage, bureau 300
Ottawa (Ontario) K1P 6K7
T 613 238-5322
bqottawa@mce.gouv.qc.ca
www.saic.gouv.qc.ca

Bureau du Québec à São Paulo
Avenida Engenheiro Luis Carlos Berrini, 1511
CJ 151 e 152, 15e Andar
04571-011 São Paulo (SP) Brésil
T + 55 11 5505 0444
qc.saupaulo@mri.gouv.qc.ca
www.gouv.qc.ca

Bureau du Québec à Shanghai
Consulat général du Canada
Suite 604, West Tower, Shanghai Centre
1376 Nanjing Xi Road
Shanghai 200040 Chine
T +86 21 3279 2800, poste 3600
qc.shanghai@mri.gouv.qc.ca
www.gouv.qc.ca

Bureau du Québec à Toronto
20, rue Queen Ouest, bureau 1504, C.P. 13
Toronto (Ontario) M5H 3S3
T 416 977-6060
bqtoronto@mce.gouv.qc.ca
www.saic.gouv.qc.ca

Bureau du Québec à Washington
805 15th Street, N.W. Suite 450
Washington DC 20005 USA
T 202 659-8990
qc.washington@mri.gouv.qc.ca
www.gouv.qc.ca

Délégation du Québec à Atlanta
191, Peachtree Street N.E., Suite 3240
Atlanta, GA 30303 USA
T 404 584-2995
qc.atlanta@mri.gouv.qc.ca
www.gouv.qc.ca

Délégation du Québec à Boston
One Boston Place, 201, Washington Street
bureau 1920
Boston, MA 02108 USA
T 617 482-1193
qc.boston@mri.gouv.qc.ca
www.gouv.qc.ca

Délégation du Québec à Chicago
444 North Michigan Avenue
Chicago, IL 60611 USA
T 312 645-0392
qc.chicago@mri.gouv.qc.ca
www.gouv.qc.ca

Délégation du Québec à Los Angeles
10940 Wilshire Avenue, Bureau 720
Los Angeles, CA 90024 USA
T 310 824-4173
qc.losangeles@mri.gouv.qc.ca
www.gouv.qc.ca

Délégation du Québec à Rome
Via Delle Quattro Fontane, No 16
2e étage, appartement 5
00184 Rome Italie
T +39 06 4203 4501 poste 54301
qc.rome@mri.gouv.qc.ca
www.gouv.qc.ca

Délégation générale du Québec à Bruxelles
Avenue des Arts 46, 7e étage
Bruxelles 1000, Belgique
T +32 2 512 00 36
qc.bruxelles@mri.gouv.qc.ca
www.gouv.qc.ca

Délégation générale du Québec à Londres
59 Pall Mall
Londres SWIY 5JH, Royaume-Uni
T +44 207 766 5900
qc.londres@mri.gouv.qc.ca
www.gouv.qc.ca

Délégation générale du Québec à Mexico
Avenida Taine 411, Colonia Bosques de Chapultepec
Mexico 11580 D.F. Mexique
T +52 55 1100-4330
qc.mexico@mri.gouv.qc.ca
www.gouv.qc.ca

Délégation générale du Québec à New York
One Rockefeller Plaza, 26th Floor
New York NY 10020-2102 USA
T 212 843 0950
qc.newyork@mri.gouv.qc.ca
www.gouv.qc.ca

Délégation générale du Québec à Paris
66, rue Pergolèse
75116 Paris, France
T 33 (0) 1 40 67 85 00
qc.paris@mri.gouv.qc.ca
www.gouv.qc.ca

Délégation générale du Québec à Tokyo
Shiroyama JT Trust Tower 32e étage
4-3-1 Toranomon Minato-ku
Tokyo 105-6032, Japon
T +81 3 5733 4001
qc.tokyo@mri.gouv.qc.ca
www.gouv.qc.ca

Délégation générale du Québec en Allemagne
Karl-Scharnagl-Ring 6
80539 Munich Allemagne
T +49 89 2554931-0
qc.munich@mri.gouv.qc.ca
www.gouv.qc.ca

LIEUX DE DIFFUSION / EXHIBITION SPACES

Arts Sutton
7, rue Académie
Sutton (Québec) J0E 2K0
T 450 538-2563
info@artssutton.com
www.artssutton.com

Bibliothèque Eleanor London
5851, boul. Cavendish
Côte-Saint-Luc (Québec) H4W 2X8
T 514 485-6900
www.elcslpl.org

CEDAS – Galerie d'art de l'UQTR
3351, boul. des Forges
Trois-Rivières (Québec) G9A 5H7
T 819 376-5011, ext. 3223
cedas@uqtr.ca
www.uqtr.ca/arts

Centre canadien d'architecture (CCA)
1920, rue Baile
Montréal (Québec) H3H 2S6
T 514 939-7026
info@cca.qc.ca
www.cca.qc.ca

Centre culturel Yvonne L. Bombardier
1002, avenue J.-A. Bombardier
Valcourt (Québec) J0E 2L0
T 450 532-3033
ccylb@fjab.qc.ca
www.centreculturelbombardier.com

Centre d'art Rotary
195, rue Principale
La Sarre (Québec) J9Z 1Y3
T 819 333-2294 poste 236
stousignant@ville.lasarre.qc.ca
www.ville.lasarre.qc.ca/Loisir/Centre_art.htm

Centre d'exposition d'Amos
222, 1re avenue Est
Amos (Québec) J9T 1H3
T 819 732-6070
exposition@ville.amos.qc.ca
www.ville.amos.qc.ca/culture_loisirs/
centre_exposition.htm

Centre d'exposition de l'Université de Montréal
2940, chemin de la Côte-Sainte-Catherine
local 0056
Montréal (Québec) H3C 3J7
T 514 343-6111 poste 4800
l.grenier@umontreal.ca
www.expo.umontreal.ca

Centre d'exposition de la Bibliothèque Gabrielle-Roy
350, rue Saint-Joseph Est
Québec (Québec) G1K 3B2
T 418 641-6789
courrier@icqbdq.qc.ca
www.bibliothequedequebec.qc.ca

Centre d'exposition de Mont-Laurier
385, rue du Pont, C.P. 334
Mont-Laurier (Québec) J9L 3N7
T 819 623-2441
ceml@lino.sympatico.ca

Centre d'exposition de Rouyn-Noranda
425, boul. du Collège, C.P. 415
Rouyn-Noranda (Québec) J9X 5C4
T 819 762-6600
cern@cegepat.qc.ca
www.cern.ca

Centre d'exposition de Val-d'Or
600, 7e Rue
Val-d'Or (Québec) J9P 3P3
T 819 825-0942
expovd@ville.valdor.qc.ca
www.expovd.ca

Centre d'exposition de Val-David
2495, rue de l'Église
Val-David (Québec) J0T 2N0
T 819 322-7474
centre@culture.val-david.qc.ca
www.culture.val-david.qc.ca

Centre d'exposition du Centre des arts de Shawinigan
2100, boul. des Hêtres
Shawinigan (Québec) G9N 8R8
T 819 539-1888
corporationculturelle@shawinigan.ca
www.cultureshawinigan.ca

Centre d'exposition L'Imagier
9, rue Front
Gatineau (Québec) J9H 4W8
T 819 684-1445
info@limagier.qc.ca
www.limagier.qc.ca

Centre d'histoire de Montréal
355, place d'Youville
Montréal (Québec) H2Y 3T1
T 514 872-3207
chm@ville.montreal.qc.ca
www.ville.montreal.qc.ca/chm

**Centre de design - Université du Québec
à Montréal**
Case postale 8888, succursale Centre-ville
Montréal (Québec) H3C 3P8
T 514 987-3395
centre.design@uqam.ca
www.centrededesign.com

**Centre de diffusion de la maîtrise en arts visuels
et médiatiques de l'UQÀM (CDEx)**
Case postale 8888, succursale Centre-ville
Montréal (Québec) H3C 3P8
T 514 598-9429
cdex.mtl@gmail.com
www.er.uqam.ca/nobel/cendif/

Centre d'exposition de Baie-Saint-Paul
23, rue Ambroise-Fafard
Baie-Saint-Paul (Québec) G3Z 2J2
T 418 435-3681
info@macbsp.com
www.macbsp.com

**Centre international d'art contemporain
de Montréal (CIAC)**
Place du Parc, C.P. 760
Montréal (Québec) H2X 4A6
T 514 288-0811
ciac@ciac.ca
www.ciac.ca

Centre international d'exposition de Larouche (CIEL)
660, rue Gauthier
Larouche (Québec) G0W 1Z0
T 418 547-8240
mguerin@villedelarouche.qc.ca
www.centre-ciel.com

Centre national d'exposition
4160, rue du Vieux Pont, C.P. 605
Ville Saguenay (Québec) G7X 7W4
T 418 546-2177
info@centrenationalexposition.com
www.centrenationalexposition.com

Centre d'art contemporain de l'Outaouais (CACO)
19, rue Principale
Montpellier (Québec) J0V 1M0
T 819 423-6257
ch2o@sympatico.ca
www.cac-outaouais.com

Cinémathèque québécoise – Musée du cinéma
335, boul. de Maisonneuve Est
Montréal (Québec) H2X 1K1
T 514 842-9768
info@cinematheque.qc.ca
www.cinematheque.qc.ca

Creatio
81, rue Desjardins, bureau 101
Magog (Québec) J1X 5X8
T 819 843-8200
info@creatio.net
www.creatio.net

Espacémi
Pavillon Lucien-Brault, local A-0112,
101 rue Saint-Jean-Bosco
Gatineau (Québec) J8X 3X7
w3.uqo.ca/emi

Espace Projet
353, rue Villeray
Montréal (Québec) H2R 1H1
T 514 388-3512
info.espaceprojet@gmail.com
www.espace-projet.blogspot.com

**Espace Shawinigan
La Cité de l'énergie**
1882, rue Cascade
Shawinigan (Québec) G9N 8S1
T 819 537-5300
infocite@citedelenergie.com
www.citedelenergie.com

Expression, centre d'exposition de Saint-Hyacinthe
495, rue Saint-Simon
Saint-Hyacinthe (Québec) J2S 5C3
T 450 773-4209
expression@expression.qc.ca
www.expression.qc.ca

FOFA Gallery
Université Concordia
1455 Boul. De Maisonneuve Ouest, EV 1-715
Montréal (Québec) H3G 1M8
à pied: 1515, Ste-Catherine Ouest
www.fofagallery.concordia.ca

Fonderie Darling
745 rue Ottawa
Montréal (Québec) H3C 1R8
T 514 392.1554
www.fonderiedarling.org

Fondation Derouin
1301, Montée Gagnon
Val-David (Québec) J0T 2N0
T 819 322-7167
info@jardinsduprecambrien.com
www.fondationderouin.com

Foreman Art Gallery of Bishop's University
2600, rue College / Lennoxville
Sherbrooke (Québec) J1M 1Z7
T 819 822-9600 ext. 2260
gallery@ubishops.ca
www.ubishops.ca/foreman

Galerie d'art d'Outremont
41, avenue Saint-Just
Outremont (Québec) H2V 4T7
T 514 495-7419
laurentbouchard@ville.montreal.qc.ca
www.galeriedartdoutremont.ca

**Galerie d'art du Centre culturel de
l'Université de Sherbrooke**
2500, boul. de l'Université
Sherbrooke (Québec) J1K 2R1
T 819 821-7742
galerie@usherbrooke.ca
www.centrecultureludes.ca

Galerie d'art du Parc - Manoir de Tonnancour
864, rue des Ursulines, C.P. 871
Trois-Rivières (Québec) G9A 5J9
T 819 374-2355
galerie@galeriedartduparc.qc.ca
www.galeriedartduparc.qc.ca

Galerie d'art Desjardins
219, rue Heriot
Drummondville (Québec) J2C 1K1
T 819 477-5518
nblanchette@centre-culturel.qc.ca
www.centre-culturel.qc.ca/fr/galerie

**Galerie d'art Léonard et Bina Ellen
- Université Concordia**
1400, boul. de Maisonneuve Ouest, LB-165
Montréal (Québec) H3G 1M8
T 514 848-2424, ext. 4750
ellengal@alcor.concordia.ca
www.ellengallery.concordia.ca

Galerie d'art Stewart Hall
176, chemin du Bord-du-Lac / Pointe-Claire
Montréal (Québec) H9S 4J7
T 514 630-1254
millarj@ville.pointe-claire.qc.ca
www.ville.pointe-claire.qc.ca/fr_1049_index.php

Galerie de l'UQAM
1400, rue Berri, salle J-R120
Montréal (Québec) H3C 3P8
T 514 987-6150
galerie@uqam.ca
www.galerie.uqam.ca

Galerie des arts visuels - Université Laval
295, boul. Charest Est, bureau 090
Québec (Québec) G1K 7P4
T 418 656-7631
accueil@arv.ulaval.ca
www.arv.ulaval.ca

Galerie L'œuvre de l'Autre
555, boul. de l'Université, Pavillon des Arts /
Chicoutimi
Saguenay (Québec) G7H 2B1
T 418 545-5011 poste 4718
Oeuvre_de-lAutre@uqac.ca
www.uqac.ca/departements/dal/galerie

Galerie McClure
350, avenue Victoria / Westmount
Montréal (Québec) H3Z 2N4
T 514 488-9558
galeriemcclure@centredesartsvisuels.ca
www.visualartscentre.ca

Galerie Montcalm
C.P. 1970, succursale Hull
Gatineau (Québec) J8X 3Y9
T 819 595-7488
galeriemontcalm1@gatineau.ca
www.gatineau.ca/galeriemontcalm

Galerie Port-Maurice
8420, boul. Lacordaire / Saint-Léonard
Montréal (Québec) H1R 3G5
T 514 328-8514
www.ville.montreal.qc.ca/st-leonard

Galerie Rye
1331A, rue Sainte-Catherine Est
Montréal (Québec) H2L 2H4
T 514 439-6685
www.galerierye.com

Gesù – Centre de créativité
1200, rue de Bleury
Montréal (Québec) H3B 3J3
T 514 861-4378
info@gesu.net
www.legesu.com

Goethe-Institut Montréal
418, rue Sherbrooke Est
Montréal (Québec) H2L 1J6
T 514 499-0159
info@montreal.goethe.org
www.goethe.de/montreal

La Pulperie de Chicoutimi
300, rue Dubuc
Saguenay (Québec) G7J 4M1
T 418 698-3100
info@pulperie.com
www.pulperie.com

**Maison culturelle et communautaire
de Montréal-Nord**
12004, boul. Roland
Montréal-Nord (Québec) H1G 3W1
T 514 328-4000 ext. 5630
www.ville.montreal.qc.ca

Maison de la culture Ahuntsic-Cartierville
10300, rue Lajeunesse, 1er étage
Montréal (Québec) H3L 2E5
www.ville.montreal.qc.ca

Maison de la culture Côte-des-Neiges
5290, chemin de la Côte-des-Neiges
Montréal (Québec) H3T 1T2
T 514 872-6889
www.ville.montreal.qc.ca

Maison de la culture de La Sarre
195, rue Principale
La Sarre (Québec) J9Z 1Y3
T 819 333-2294

Maison de la culture de Trois-Rivières
1425, place de l'Hôtel-de-ville
Trois-Rivières (Québec) G9A 5H3
T 819 372-4614
www.maisondelaculture3r.ca

Maison de la culture Frontenac
2550, rue Ontario Est
Montréal (Québec) H2K 1W7
T 514 872-7882
maison_fr@ville.montreal.qc.ca
www.ville.montreal.qc.ca

Maison de la culture de Gatineau
855, boul. de la Gappe
Gatineau (Québec) J8T 8H9
www.maisondelaculture.ca

Maison de la culture Maisonneuve
4200, rue Ontario Est
Montréal (Québec) H1V 1K1
T 514 872-2200
www.ville.montreal.qc.ca

Maison de la culture Marie-Uguay
6052, boul. Monk
Montréal (Québec) H4E 3H6
T 514 872-2044
Maison_mu@ville.montreal.qc.ca
www.ville.montreal.qc.ca

Maison de la culture Mercier
8105, rue Hochelaga
Montréal (Québec) H1L 2K9
T 514 872-8755
www.ville.montreal.qc.ca

Maison de la culture Notre-Dame-de-Grâce
3755, rue Botrel
Montréal (Québec) H4A 3G8
T 514 872-2157
www.ville.montreal.qc.ca

Maison de la culture Plateau-Mont-Royal
465, avenue du Mont-Royal Est
Montréal (Québec) H2J 1W3
T 514 872-2266
www.ville.montreal.qc.ca

Maison de la culture Pointe-aux-Trembles
14001, rue Notre-Dame Est
Montréal (Québec) H1A 1T9
T 514 872-2240
maison_pt@ville.montreal.qc.ca
www.ville.montreal.qc.ca

Maison de la culture Rivière-des-Prairies
8000, boul. Gouin Est
Montréal (Québec) H1E 1B5
T 514 872-9814
maison_rp@ville.montreal.qc.ca
www.ville.montreal.qc.ca

Maison de la culture Rosemont-La Petite-Patrie
6707, avenue De Lorimier
Montréal (Québec) H2G 2P8
T 514 872-1730
www.ville.montreal.qc.ca

Maison de la culture Villeray - Saint-Michel - Parc Extension
911, rue Jean-Talon Est, bureau 229
Montréal (Québec) H2R 1V5
T 514 872-6131
www.ville.montreal.qc.ca

Maison des arts de Laval
1395, boul. de la Concorde Ouest
Laval (Québec) H7N 5W1
T 450 978-6888
poste 7254
www.ville.laval.qc.ca

Maison Hamel-Bruneau
2608, chemin Saint-Louis
Québec (Québec) G1V 4E1
T 418 641-6280

Montréal Arts Interculturels (MAI)
3680, rue Jeanne-Mance, bureau 103
Montréal (Québec) H2X 2K5
T 514 982-1812
www.m-a-i.qc.ca

Musée d'art contemporain de Montréal
185, rue Sainte-Catherine Ouest
Montréal (Québec) H2X 3X5
T 514 847-6226
www.macm.org

Musée d'art contemporain des Laurentides
101, place du Curé-Labelle
Saint-Jérôme (Québec) J7Z 1X6
T 450 432-7171
musee@museelaurentide.ca
www.museelaurentides.ca

Musée d'art de Joliette
145, rue Wilfrid-Corbeil
Joliette (Québec) J6E 4T4
T 450 756-0311
info@museejoliette.org
www.museejoliette.org

Musée canadien des civilisations / Canadian Museum of Civilization
100, rue Laurier, C.P. 3100, succursale B
Gatineau (Québec) J8X 4H2
T 819 776-7000
web@civilisations.ca
www.civilisations.ca

Musée des beaux-arts de Montréal
1379, rue Sherbrooke Ouest
Montréal (Québec) H3G 1J5
C.P. 3000, Succursale H
Montréal (Québec) H3G 2T9
T 514 285-2000
www.mbam.qc.ca

Musée des beaux-arts de Sherbrooke
241, rue Dufferin
Sherbrooke (Québec) J1H 4M3
T 819 821-2115
www.mbas.qc.ca

Musée de la civilisation du Québec
85, rue Dalhousie, C.P. 155, succursale B
Québec (Québec) G1K 7A6
T 418 643-2158
www.mcq.org

Musée de la Ville de Lachine
1, chemin du Musée
Lachine (Québec) H8S 4L9
T 514 634-3478
museedelachine@lachine.ca

Le musée des maîtres et artisans du Québec
615, avenue Sainte-Croix / Saint-Laurent
Montréal (Québec) H4L 3X6
T 514 747-7367
www.mmaq.qc.ca

Musée du Bas-Saint-Laurent
300, rue Saint-Pierre
Rivière-du-Loup (Québec) G5R 3V3
T 418 862-7547
musee@mbsl.qc.ca
www.mbsl.qc.ca

Musée du costume et du textile du Québec
349, rue Riverside
Saint-Lambert (Québec) J4P 1A8
T 450 923-6601
info@mctq.org
www.mctq.org

Musée national des beaux-arts du Québec
Parc des Champs de bataille
Québec (Québec) G1R 5H3
T 418 643-2150
www.mnba.qc.ca

Musée Pointe-à-Callière
350, place Royale
Montréal (Québec) H2Y 3Y5
T 514 872-9150
info@pacmusee.qc.ca
www.pacmusee.qc.ca

Musée régional de la Côte-Nord
500, boul. Laure
Sept-Îles (Québec) G4R 1X7
T 418 968-2070
mrcn@mrcn.qc.ca
www.mrcn.qc.ca

Musée régional de Rimouski
35, rue Saint-Germain Ouest
Rimouski (Québec) G5L 4B4
T 418 724-2272
mrdr@globetrotter.net
www.museerimouski.qc.ca

**Plein sud, centre d'exposition en art actuel
à Longueuil**
150, rue de Gentilly Est, Local D-0626
Longueuil (Québec) J4H 4A9
T 450 679-2966
www.plein-sud.org

Salle Augustin-Chénier
42, rue Sainte-Anne
Ville-Marie (Québec) J9V 2B7
T 819 622-1362
www.salle.augustinchenier.net

SBC Gallery – Galerie d'art contemporain
372, Sainte-Catherine Ouest, espace 507
Montréal (Québec) H3B 1A2
T 514 861-9992
www.sbcgallery.ca

Société des arts technologiques (SAT)
1195, boul. Saint-Laurent
Montréal (Québec) H2X 2S6
T 514 844-2033
info@sat.qc.ca
www.sat.qc.ca

Studio 303 Danse et arts connexes
372, rue Sainte-Catherine Ouest, bureau 303
Montréal (Québec) H3B 1A2
T 514 393-3771
www.studio303.ca

Les Territoires
372, rue Sainte-Catherine Ouest, espace 527
Montréal (Québec) H3B 1A2
T 514 789-0545
www.lesterritoires.org

Usine C
1345, rue Lalonde
Montréal (Québec) H2L 5A9
T 514 521-4198
www.usine-c.com

GALERIES PRIVÉES / COMMERCIAL GALLERIES

Art45
372, rue Sainte-Catherine Ouest, espace 220
Montréal (Québec) H3B 1A2
T 514 817-0436
www.art45.ca

Art Mûr
5826, rue Saint-Hubert
Montréal (Québec) H2S 2L7
T 514 933-0711
www.artmur.com

Atelier Punkt
5333, av. Casgrain, local 205 A
Montréal (Québec) H2T 1X3
T 514 458-7960
atelierpunkt.com

Galerie de Bellefeuille
1367, avenue Greene
Westmount (Québec) H3Z 2A8
T 514 933-4406
www.debellefeuille.com

Galerie Division
1368, avenue Greene
Westmount (Québec) H3Z 2B1
T 514 938-3863
www.galeriedivision.com

Galerie Donald Browne
372, rue Sainte-Catherine Ouest, ch. 528
Montréal (Québec) H3B 1A2
T 514 380-3221
www.galeriedonaldbrowne.com

Galerie Elena Lee
1460-A, rue Sherbrooke Ouest
Montréal (Québec) H3G 1K4
T 514 844-6009
www.galerieelenalee.com

Galerie Eric Devlin
3550, rue Saint-Jacques
Montréal (Québec)
T 514 278-2928
www.galerieericdevlin.com

Galerie Graff
963, rue Rachel Est
Montréal (Québec) H2J 2J4
T 514 526-2616
graff@videotron.ca
www.graff.ca

Galerie Joyce Yahouda
372, rue Sainte-Catherine Ouest, espace 516
Montréal (Québec) H3B 1A2
T 514 875-2323
www.joyceyahoudagallery.com

Galerie Lacerte art contemporain
1, côte Dinan
Québec (Québec) G1K 3V5
T 418 692-1566
www.galerielacerte.com

Galerie Lilian Rodriguez
372, rue Sainte-Catherine Ouest, bureau 405
Montréal (Québec) H3B 1A2
T 514 395-2245
www.galerielilianrodriguez.com

Galerie Orange
81, rue Saint-Paul Est
Montréal (Québec) H2Y 3R1
T 514 396-6670
info@galerieorange.com
www.galerieorange.com

Galerie Push
372, rue Sainte-Catherine Ouest, espace 425
Montréal (Québec) H3B 1A2
T 514 544-9079
www.galeriepush.com

Galerie René Blouin
372, rue Sainte-Catherine Ouest, espace 501
Montréal (Québec) H3B 1A2
T 514 393-9969
www.galeriereneblouin.com

Galerie Roger Bellemare
372, rue Sainte-Catherine Ouest, espace 502
Montréal (Québec) H3B 1A2
T 514 871-0319
www.rogerbellemare.com

Galerie SAS
372, rue Sainte-Catherine Ouest, espace 416
Montréal (Québec) H3B 1A2
T 514 878-3409
www.galeriesas.com

Galerie Simon Blais
5420, boul. Saint-Laurent, espace 100
Montréal (Québec) H2T 1S1
T 514 849-1165
www.galeriesimonblais.com

Galerie Trois Points
372, rue Sainte-Catherine Ouest, espace 520
Montréal (Québec) H3B 1A2
T 514 866-8008
www.galerietroispoints.qc.ca

Parisian Laundry
3550, rue Saint-Antoine Ouest
Montréal (Québec) H4C 1A9
T 514 989-1056
www.parisianlaundry.com

Pierre-François Ouellette Art Contemporain
372, rue Sainte-Catherine Ouest, espace 216
Montréal (Québec) H3B 1A2
T 514 395-6032
info@pfoac.com
www.pfoac.com

Projex-Mtl Galerie
372, rue Sainte-Catherine Ouest, espace 212
Montréal (Québec) H3B 1A2
T 514 570-9130
www.projex-mtl.com

FESTIVALS ET ÉVÉNEMENTS /
FESTIVALS AND EVENTS

Art Souterrain
372, rue Sainte-Catherine Ouest, espace 416
Montréal (Québec) H3B 1A2
T 514 878-3409
info@artsouterrain.com
www.artsouterrain.com

Ateliers Portes Ouvertes
www.clarkplaza.org

Biennale de Montréal (CIAC)
3565, rue Berri, bureau 230
Montréal (Québec) H2L 4G3
T 514 288-0811
ciac@ciac.ca
www.ciac.ca

Biennale internationale d'art miniature
42, rue Sainte-Anne
Ville-Marie (Québec) J9V 2B7
T 819 622-1362
salleag@tlb.sympatico.ca
www.biam.augustinchenier.net

**Biennale internationale d'estampe
contemporaine de Trois-Rivières**
58, rue Raymond-Lasnier
Trois-Rivières (Québec) G9A 2J6
T 819 370-1117
info@biectr.ca
www.biectr.ca

Biennale nationale de sculpture contemporaine
C.P. 1596
Trois-Rivières (Québec) G9A 5L9
T 819 691-0829
sculpture@galeriedartduparc.qc.ca
www.galeriedartduparc.qc.ca

Champ Libre
C.P. St-André C.P. 32130
Montréal (Québec) H2L 4Y5
T 514 393-3937
champ@champlibre.com
www.champlibre.com

Edgy Women / Femmes au-delà
T 514 393-3771
info@studio303.ca
www.edgywomen.ca

Elektra - Acreq
1908, rue Panet, bureau 304
Montréal (Québec) H2L 3A2
T 514 524-0208
info@elektramontreal.ca
www.elektramontreal.ca

Femmes br@nchées
4001, rue Berri, bureau 201
Montréal (Québec) H2L 4H2
T 514 845-7934
www.studioxx.org

**Festival international des jardins -
Jardins de Métis**
200, route 132
Grand-Métis (Québec) G0J 1Z0
T 418 775-2222
www.jardinsmetis.com

Festival international du film sur l'art (FIFA)
4428, boul. Saint-Laurent, bureau 500
Montréal (Québec) H2W 1Z5
T 514 874-1637
info@artfifa.com
www.artfifa.com

**Festival Voix d'Amériques
Les Filles Électriques**
5143, boul. Saint-Laurent, 3e étage
Montréal (Québec) H2T 1R9
T 514 495-1515
www.fva.ca

Journées de la culture
4750, rue Henri-Julien
Montréal (Québec) H2T 2C8
T 514 873-2641
info@culturepourtous.ca
www.journeesdelaculture.qc.ca

La Biennale d'art performatif de Rouyn-Noranda
167, rue Murdoch, C.P. 2273
Rouyn-Noranda (Québec) J9X 5A9
T 819 797-8738
ecart@cablevision.qc.ca
www.lecart.org

Le Mois de la Photo à Montréal
661, rue Rose-de-Lima, local 203
Montréal (Québec) H4C 2L7
514-390-0383
info@moisdelaphoto.com
www.moisdelaphoto.com

Le Mois Multi
Québec (Québec)
T 418 524-7553 poste 3
moismulti@meduse.org
www.moismulti.org

HTMlles
4001, rue Berri, bureau 201
Montréal (Québec) H2L 4H2
T 514 845-7934
www.studioxx.org

Manifestation internationale d'art de Québec
160, rue Saint-Joseph Est
Québec (Québec) G1K 3A7
T 418 524-1917
info@manifdart.org
www.manifdart.org

MASSIV Art
2100, rue St-Denis, bureau 24
Montréal (Québec) H2X 3K7
T 514 288-1817
info@massivart.ca
www.massivart.ca

Mutek
473, boul. Saint-Joseph Est
Montréal (Québec) H2J 1J8
T 514 871-8646
info@mutek.org
www.mutek.org

**Orange - L'événement d'art actuel
de Saint-Hyacinthe**
T 450 773-4209
orange@expression.qc.ca
www.expression.qc.ca

**PAPIER, Foire d'art contemporain
d'œuvres sur papier**
www.agac.qc.ca

Pavilion Projects
67, 2ᵉ avenue
Verdun (Québec) H4G 2W2
www.pavilionprojects.com

Paysages Éphémères
Odace Événements
1012, avenue du Mont-Royal Est, bureau 101
Montréal (Québec) H2J 1X6
T 514 522-3797
www.paysagesephemeres.com

POP Montréal
5445, de Gaspé, bureau 710
Montréal (Québec) H2T 2A4
T 514 842-1919
popmontreal.com

**Rencontre internationale d'art performance
de Québec**
www.inter-lelieu.org

**Symposium d'art multidisciplinaire La relève
sympose au CNE**
Centre national d'exposition
4160, rue du Vieux-Pont, C.P. 605
Ville Saguenay (Québec) G7X 7W4
T 418 520-2177
info@centrenationalexposition.com
www.centrenationalexposition.com

**Symposium international d'art contemporain
de Baie-Saint-Paul**
23, rue Ambroise-Fafard
Baie-Saint-Paul (Québec) G3Z 2J2
T 418 435-3681
info@macbsp.com
www.symposium-baiesaintpaul.com

Trafic'art
Saguenay (Québec)
T 418 543-2744
art@sequence.qc.ca
www.sequence.qc.ca

VIVA! Art Action
Montréal (Québec)
info@vivamontreal.org
www.vivamontreal.org

**Bibliothèque des Arts de l'UQAM -
Université du Québec à Montréal**
Pavillon Hubert-Aquin, local A-1200
400, rue Sainte-Catherine Est, C.P. 8888
succ. Centre-ville
Montréal (Québec) H3C 3P3
T 514 987-6134
www.bibliotheques.uqam.ca

**Bibliothèque et Archives nationales du Québec
(BAnQ)**
475, boul. de Maisonneuve Est
Montréal (Québec) H2L 5C4
T 514 873-1101
exposition@bnquebec,ca
www.banq.qc.ca

**Le centre de recherche et de documentation
(CR+D) de la Fondation Daniel Langlois**
3530, boul. Saint-Laurent, bureau 402
Montréal (Québec) H2X 2V1
T 514 987-7177
info@fondation-langlois.org
www.fondation-langlois.org

Centre de recherche urbaine de Montréal – CRUM
www.crum.ca

Le Fonds documentaire
www.voxphoto.com

**Librairie du Centre canadien d'architecture
(CCA)**
1920, rue Baile
Montréal (Québec) H3H 2S6
T 514 939-7028
livres@cca.qc.ca
www.cca.qc.ca

**Médiathèque /
Musée d'art contemporain de Montréal**
185, rue Sainte-Catherine Ouest
Montréal (Québec) H2X 3X5
T 514 847-6906
infomedia@macm.org
media.macm.org

Espacepointca
Collège d'Alma
675, boul. Auger Ouest
Alma (Québec) G8B 2B7
T 418 668-2387 poste 385
www.sagamie.org/espacepointca/espacepointca.html

Galerie Gaétan-Blanchet
Cégep Rivière-du-Loup
80, rue Frontenac
Rivière-du-Loup (Québec) G5R 1R1
T 418-842-6903
www.cegep-rdl.qc.ca

Ressources ▲ Québec

Eastern Edge
St. Michael's Printshop

Newfounland and Labrador

Terre-Neuve-et-Labrador

EASTERN EDGE

Julie Lequin Top 30 and Janice Yan Yan Wu, *Knitting Machine exhibition*, 2010, Photo: Eastern Edge

72 Harbour Drive
PO Box 2641, Station C
St John's (Newfoundland
and Labrador) A1C 6K1
T 709 739-1882
F 709 739-1866
easternedgegallery@gmail.com
www.easternedge.ca

Tuesday to Saturday
12 h – 17 h

Director
Michelle Bush

Assistant to Director
Mary MacDonald

Submission deadlines
Main Gallery: March 31
Rogue Gallery: ongoing
Pin-In Gallery: ongoing

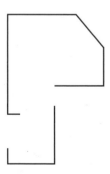

Floor area: 64 m²
Linear hanging surface: 20 m
Height: 4.27 m

Eastern Edge is committed to exhibiting contemporary Canadian and international art in all media through its varied, diverse, inclusive program featuring the whole gamut of contemporary forms and issues, including exhibitions, artist talks, discussions, workshops, performances, screenings, celebrations and fun community events.

Destination LIBRARY

- resource and research centre
- professional development materials
- grant and exhibition application support
- a comfortable space to peruse periodicals, art magazines and other publications
- a collaborative effort to develop arts literacy

The Rogue Gallery

A local space for non-juried 3 week long exhibitions.

The Pin-In Gallery

A button gallery in a glass case affixed to the entrance wall.

The 24 Hour Art Marathon Festival
A week-long contemporary visual arts festival in August featuring artist talks, workshops, video screenings, performance, as well as a 24-hour marathon of live art making with live music, a soap-box stage and tremendous community participation.

Eastern Edge diffuse les œuvres d'artistes contemporains canadiens et internationaux grâce à des programmes variés et accessibles en art contemporain. Le centre organise des expositions, des rencontres avec des artistes, des ateliers, des performances, des projections ainsi que des manifestations spéciales et des événements communautaires.

Centre de ressources Destination

- *centre de documentation et de recherche*
- *outils de perfectionnement*
- *soutien aux demandes de bourse et d'exposition*
- *espace agréable pour consulter des périodiques, magazines sur l'art et autres publications*
- *initiative collaborative pour promouvoir la connaissance des arts*

Galerie Rogue

Espace accueillant des expositions de trois semaines.

Galerie Pin-In

La galerie Pin-In est une vitrine située sur le mur d'entrée dans laquelle sont exposées des épinglettes.

Marathon de 24 h d'art

Festival des arts contemporains, en août, où se déroulent des rencontres avec des artistes, des ateliers, des projections et des performances, sans oublier le marathon de 24 heures d'art en direct présenté sur une caisse de bois qui tient lieu de scène, accompagné de musiciens.

St. Michael's Printshop, director Michael Connolly and artist Gerald Squires at work. Photo: Jon Green

72 Harbour Drive
PO Box 193, Station. C
St. John's (Newfoundland
and Labrador) A1C 5J2
T 709 754-2931
stmichaelsprintshop@nfld.net
www.stmichaelsprintshop.com

Monday to Saturday
10 h – 17 h

St. Michael's Printshop is part of a Canadian network of artist-run lithography, intaglio, and relief-print studios, providing professional printmaking facilities for professional and emerging visual artists.

The Printshop was established in 1972. It occupies 2000 square feet of open studio space and a small gallery in a historic building overlooking St. John's Harbour.

Residency

We offer 6 artist residencies annually that are open to local, national, and international printmakers. Our Don Wright Scholarship offers a one-year residency to a recent graduate of a recognized visual arts program, helping bridge the transition from student to practicing professional.

In addition to these core programs, we also offer internships, apprentice opportunities, workshops, and exhibition opportunities for members. The shop can be rented by artists at any time for a nominal fee.

Le St. Michael's Printshop fait partie d'un réseau canadien d'ateliers d'artistes autogérés offrant des installations professionnelles de lithographie, de gravure en creux et d'impression en relief aux artistes visuels établis et émergents.

Fondé en 1972, l'atelier occupe une superficie de 185 mètres carrés ainsi qu'une petite galerie dans un édifice historique surplombant le port de St. John's.

Résidence

Six résidences sont offertes chaque année à des artistes graveurs locaux, canadiens et internationaux. La bourse Don Wright décernée à un nouveau diplômé d'un programme reconnu d'arts visuels consiste en une résidence d'un an visant à faciliter la transition entre la formation et la pratique professionnelle.

Outre ces programmes phares, nous offrons aux membres des stages, du mentorat, des ateliers et la possibilité d'exposer. L'atelier peut en tout temps être loué à un coût minime par des artistes.

Director
Mike Connolly

Shop Assistant
John McDonald

Submission deadlines
Visiting Artist Program
October 1
Don Wright Scholarship
March 1

St. John's ▲ Terre-Neuve-et-Labrador

ASSOCIATIONS

The Association of Artist-Run Centres from the Atlantic (AARCA)
c/o Eyelevel Gallery
2063 Gottingen Street
Halifax (Nova Scotia) B3K 3B2
T 902 425-6412
F 902 425-0019
director@eyelevelgallery.ca
www.eyelevelgallery.ca

Visual Arts Newfoundland and Labrador
Devon House, 3rd Floor
59 Duckworth Street
St. John's (Newfoundland and Labrador)
A1C 1E6
T 709 738-7303
vanl-carfac@nf.aibn.com
www.carfac.ca

Craft Council of Newfoundland and Labrador
59 Duckworth Street
St. John's (Newfoundland and Labrador)
A1C 1E6
T 709 753-2749
info@craftcouncil.nf.ca
www.craftcouncil.nf.ca

League of Western Newfoundland Artists (LAWN)
63 Atlantic Avenue
Corner Brook (Newfoundland and Labrador)
A2H 6N7
www.leagueofartists.squarespace.com

Association of Cultural Industries (ACI)
www.acinl.ca

ART COUNCILS AND CULTURE DEPARTMENTS / CONSEILS DES ARTS ET MINISTÈRES

Canadian Heritage / Patrimoine canadien
10 Barters Hill, 5th Floor
St. John's (Newfoundland and Labrador)
A1C 5X4
T 709 772-5364
www.pch.gc.ca

Department of Tourism and Culture - Cultural Affairs Division
P.O. Box 8700
St. John's (Newfoundland and Labrador)
A1B 4J6
T 709 729-3609
ebatstone@tourism.gov.nf.ca
www.gov.nf.ca/tourism/

Newfoundland and Labrador Arts Council
1 Springdale
P.O. Box 98
St. John's (Newfoundland and Labrador)
A1C 5H5
T 709 726-2212
nlacmail@nfld.net
www.nlac.nf.ca

FOUNDATIONS / FONDATIONS

The Pouch Cove Foundation
P.O. Box 693
Pouch Cove (Newfoundland and Labrador)
A0A 3L0
T 709 335-7272
www.pouchcove.org

EXHIBITION SPACES / LIEUX DE DIFFUSION

Corner Brook Arts and Culture Centre
P.O. Box 100, University Drive
Corner Brook (Newfoundland and Labrador)
A2H 6C3
T 709 637-2581
www.cornerbrook.artsandculturecentre.ca

Gander Arts and Culture Centre
P.O. Box 2222, 155 Airport Boulevard
Gander (Newfoundland and Labrador)
A1V 2N9
T 709 256-1082
www.gander.artsandculturecentre.ca

Gordon Pinsent Centre for the Arts
Cromer Avenue
Grand Falls (Newfoundland and Labrador)
A2A 1W9
T 709 292-4520
www.grandfalls.artsandculturecentre.ca

Labrador Virtual Museum Project
Main Street
Forteau (Newfoundland and Labrador)
A0K 2P0
T 709 931-2072
webmaster@labradorvirtualmuseum.ca
www.labradorvirtualmuseum.ca

Labrador West Arts and Culture Centre
P.O. Box 69, Hudson Drive
Labrador City (Newfoundland and Labrador)
A2V 2K3
T 709 944-5412
www.labradorwest.artsandculturecentre.ca

Sir Wilfred Grenfell College Art Gallery
Fine Arts Building, University Drive
Corner Brook (Newfoundland and Labrador)
A2H 6P9
T 709 637-6209
www.swgc.ca/artgallery/

St. John's Arts and Culture Centre
P.O. Box 1854, Prince Philip Drive
St. John's (Newfoundland and Labrador)
A1C 5P9
T 709 729-3650
www.stjohns.artsandculturecentre.ca

Stephenville Arts and Culture Centre
380 Massachusetts Drive
Stephenville (Newfoundland and Labrador)
A2N 3A5
T 709 643-4571
www.stephenville.artsandculturecentre.ca

The Rooms – Provincial Art Gallery Division
9 Bonaventure Avenue, P.O. Box 1800
Station C
St. John's (Newfoundland and Labrador)
A1C 5P9
T 709 757-8020
www.therooms.ca/artgallery

Association of Cultural Industries (ACI)
www.acinl.ca

Canadian Conference for the Arts (CCA)
www.ccarts.ca

Cultural Human Resources Council (CHRC)
www.culturalhrc.ca

Canadian Artists and Producers Professional
Relations Tribunal (CAPPRT)
www.capprt-tcrpap.gc.ca

Atlantic Canada Oppurtunities Agency (ACOA)
www.acoa.ca

Cultural Economic Development Program (CEDP)
www.tcr.gov.nl.ca/tcr/services_programs/CEDP

Department of Tourism, Culture and Recreation
www.tcr.gov.nl.ca/tcr

City of Saint John's Arts Jury
www.stjohns.ca/cityservices/arts/jury.jsp

Arts and Letters Award
www.tcr.gov.nl.ca/artsandletters

St. Michael's Printshop
www.stmichaelsprintshop.com/scholarships/

ARTsPLACE
Atlantic Filmmakers Cooperative (AFCOOP)
Centre for Art Tapes
Eyelevel Gallery
The Khyber
La Manivelle, atelier d'estampe
Le Trécarré, galerie d'art contemporain

Nova Scotia

Nouvelle-Écosse

ARTSPLACE

Stéphanie Chabot, *Ghosts and Their Children*, multi-media installation, 2007. Photo: Ray Mackie

396 St. George Street,
PO Box 534
Annapolis Royal (Nova Scotia)
B0S 1A0
arcac@ns.aliantzinc.ca
www.arcac.ca

T 902 532-7069
F 902 532-7357

Tuesday to Friday
10 h – 16 h 30
Saturday & Sunday
13 h – 16 h

Office & Gallery Contact
Sophie Heath

Submission deadlines
Ongoing

Formed in 1996, ARTsPLACE gallery maintains an exhibition program that seeks to include, educate, and challenge its audience in contemporary art expression. ARTsPLACE is the only non-urban artist-run centre in Nova Scotia, and meets a significant need in the province by bringing varied programming to a community eager to be exposed to new forms of art.

Exhibitions

ARTsPLACE programs are run by an exhibition committee comprised entirely of artists. Although submissions may be sent anytime, programming for the gallery is set bi-annually after the submission deadlines of April 15th and October 15th.

Facilities

Helping to fulfill ARCAC's mandate of fostering an appreciation of the arts within the wider community, ARTsPLACE houses an art library, workshop facility, and two other exhibition spaces dedicated to showcasing contemporary art.

Publications

In addition to paying exhibition fees set by CARFAC, we also provide an additional contribution towards the production of a professional exhibition catalogue.

Fondée en 1996, la galerie ARTsPLACE a un programme d'exposition voulant promouvoir l'éducation et stimuler ses visiteurs dans l'expression de l'art contemporain. ARTsPLACE est le seul centre géré par des artistes en milieu non urbain en Nouvelle-Écosse et il répond à des besoins importants en province en offrant une programmation variée à une communauté désireuse de prendre connaissance de nouvelles formes d'art.
ARTsPLACE a une bibliothèque, un atelier et deux espaces d'exposition dédiés à l'art contemporain.

Les expositions

Les expositions d'ARTsPLACE sont planifiées par un comité composé exclusivement d'artistes qui en présente deux par année selon les échéances du 15 avril et du 15 octobre bien que les soumissions puissent être acheminées en tout temps.

Les publications

En plus de payer aux artistes les tarifs établis par CARFAC, nous leur concédons un avantage additionnel en produisant un catalogue d'exposition de leurs œuvres.

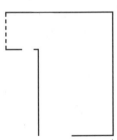

Floor area: 60 m²
Linear hanging surface: 25 m
Height: 3.04 m

ATLANTIC FILMMAKERS COOPERATIVE (AFCOOP)

PO Box 2043 Station M
Halifax (Nova Scotia)
B3J 2Z1
admin@afcoop.ca
T 902-420-4572
F 902-420-4573

Monday, Tuesday,
Wednesday & Friday
9 h – 17 h
Thursday
9 h – 20 h

Audience members at the 2010 Halifax Independent Filmmakers Festival 2010. Photo: Ashley MacKenzie

Located in Halifax, the Atlantic Filmmakers Cooperative is a non-profit charitable organization dedicated to providing new and experienced filmmakers with equipment, facilities, training, and funding.

Established in 1974, AFCOOP is an accessible member-run centre for the production and presentation of creative independent films in a collaborative and learning environment.

AFCOOP provides a community where local filmmakers can meet, network and find support from fellow filmmakers.

Situé à Halifax, Atlantic Filmmakers Cooperative est un organisme de charité à but non lucratif qui soutient les cinéastes émergents et établis en leur donnant accès à des équipements, des installations, de la formation et du financement.

Fondé en 1974, AFCOOP accueille des membres pour la production et la présentation de films indépendants novateurs dans un contexte de collaboration et d'apprentissage.

Formant une communauté de cinéastes locaux, AFCOOP est un terreau propice aux échanges et au soutien mutuel entre cinéastes.

Executive Director
Greg Morris-Poultney
admin@afcoop.ca

Production Coordinator
Chris Spencer-Lowe
production@afcoop.ca

Programs & Membership Coordinator
Martha Cooley
membership@afcoop.ca

Halifax ▶ Nouvelle-Écosse

CENTRE FOR ART TAPES

Centre for Art Tapes: Electronics Lab. Photo: Brendan Dunlop

5600 Sackville Street
Suite 207
Halifax (Nova Scotia) B3J 1S9
T 902-420-4002
F 902-420-4581
cfat.communication@ns.
sympatico.ca
www.centreforarttapes.ca

Tuesday/Wednesday/Friday
9 h 30 – 17 h

Thursday
9 h 30 – 20 h

General Manager
Siobhan Wiggans
cfat.operations@ns.sympatico.ca

Programming Coordinator
Brendan Dunlop
cfat.communication@ns.sympatico.ca

Technical Coordinator
Thomas Elliott
cfat.production@ns.sympatico.ca

Submission deadlines
Annual Media Arts Scholarships
April 30
Annual Local Artist-In-Residence and
Local Electronic Artists Residency
November
Visiting Artist-In-Residence and
Programming and exhibitions
Ongoing

The Centre for Art Tapes (CFAT) is a non-profit artist-run organization that ensures media art has a vital and unique presence, both on a provincial and national level, through programs and exhibition initiatives available to the general public. CFAT facilitates and supports emerging, intermediate, and established artists working with electronic media such as video, audio, and digital media through ongoing programming, training, and access to media arts equipment and facilities.

Production

CFAT provides access to production facilities for video, audio, electronic, and multi-media projects including cameras, recording equipment, editing suites, an electronics lab, and an assortment of electronics components. We provide training and support for artists through media arts and electronics workshops as well as an annual Media Arts Mentorship Program, Electronics Residency Program, and Local Artist-in-Residence Program.

Programming

CFAT curates Media Art exhibitions, screenings and events. This includes the production of catalogues and retrospective DVDs for senior artists.

Le Centre for Art Tapes (CFAT) est un centre d'artistes autogéré visant à assurer une présence unique et essentielle des arts médiatiques sur la scène provinciale et nationale grâce à des programmes et à des expositions accessibles au public. Le CFAT soutient les artistes émergents, à mi-carrière et professionnels qui explorent les médias électroniques comme la vidéo, l'audio et les médias numériques, en offrant un programme complet d'activités et de formations, et l'accès à de l'équipement et à des ateliers.

Création

Le CFAT dispose de l'équipement nécessaire à la réalisation de projets vidéo, audio, électroniques et multimédias, notamment des caméras, du matériel d'enregistrement, des tables de montage, un laboratoire électronique et différents appareils électroniques. Le centre offre formation et soutien aux artistes sous la forme d'ateliers en arts médiatiques et en électronique, et dans le cadre de programmes annuels de mentorat en arts médiatiques, de résidence en électronique et de résidence à l'intention des artistes locaux.

Programmation

Le CFAT organise des expositions en arts médiatiques, des séances de projection et d'autres activités, comme la production de DVD rétrospectifs et de catalogues d'artistes établis.

2063 Gottingen Street
Halifax (Nova Scotia)
B3K 3B2
T 902 425-6412
F 902 425-0019
director@eyelevelgallery.ca
www.eyelevelgallery.ca

Tuesday to Saturday
12 h – 17 h

Eyelevel Reshelving Initiative 3 exhibition, 2008.
Photo: Eryn Foster

As one of Canada's first artist-run centres, Eyelevel Gallery is dedicated to the presentation, development and promotion of contemporary art. Eyelevel Gallery encourages a diverse spectrum of programming, including established and emerging contemporary artists from within Halifax, Canada and the international community.

Programming and Initiatives

Eyelevel Gallery initiates a wide range of professional exhibitions, performances, special projects, internships, workshops and off-site projects in public and private spaces. Eyelevel Gallery coordinates the annual Go North! Studio and Gallery Tour, a celebration of art and artists in Halifax's North End.

Eyelevel Gallery Bookstore

Eyelevel Gallery runs a small, non-profit bookstore specialising in contemporary artist books, zines, stationery, audio art, exhibition catalogues and multiples. It is the only bookstore of its kind in Atlantic Canada, and is re-stocked during the biennial *Eyelevel Re-shelving Initiative*. This program includes an annual *Printed Matter Residency* in collaboration with various local printed matter facilities and resources.

Figurant parmi les premiers centres d'artistes autogérés du Canada, l'Eyelevel Gallery se consacre à la présentation, au développement et à la promotion de l'art contemporain. Eyelevel encourage une programmation des plus variées, en présentant notamment des artistes contemporains établis et émergents de Halifax, du Canada et de l'extérieur.

Programmation et activités

Eyelevel organise tout un éventail d'expositions professionnelles, de performances, d'événements spéciaux, de résidences, d'ateliers et de projets hors site dans des espaces publics et privés. La galerie organise chaque année Go North!, journée portes ouvertes des ateliers et galeries du North End de Halifax, qui met en valeur la vitalité du milieu artistique dans le quartier.

Librairie

L'Eyelevel Gallery tient une petite librairie sans but lucratif spécialisée dans les ouvrages sur les artistes contemporains, les fanzines, les documents imprimés, l'art audio et les catalogues d'exposition. Il s'agit d'une librairie unique en son genre au Canada atlantique, qui renouvelle son inventaire tous les deux ans à l'occasion de l'Eyelevel Re-shelving Initiative, programme dans lequel s'inscrit également une résidence annuelle, la Printed Matter Residency, organisée en collaboration avec diverses ressources locales du domaine de l'impression.

Director
Michael McCormack

Submission deadline
October 31

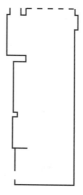

Floor area: 66.2 m²
Linear hanging surface: 23 m
Height: 2.9 m

Halifax ▲ Nouvelle-Écosse

THE KHYBER

Garry Neill Kennedy, *And Still Counting*, Window installation, 2009. Photo: Chris Reardon.

Director
Daniel Joyce
khyberica@gmail.com

Submission deadline
March 31

Floor area: 144 m²
Linear hanging surface: 24 m
Height: 4.9 m (2.75 m for hanging)

1588 Barrington Street
Halifax (Nova Scotia)
B3K 1Z6
T 902 422-9668
F 902 404-3661
Khyberica@gmail.com
www.Khyber.ca

Tuesday to Saturday
12 h – 17 h

The Khyber is a not-for-profit artist-run centre located in a three-storey historic property in downtown Halifax.

Contemporary art exhibitions

We are dedicated to presenting challenging work and paying standard CARFAC fees exhibiting up to 8 exhibitions each year that are broken into seasonal programs.

Equipment

We have a television monitor, two DVD players, a projector, a P.A. system, basic tools for installation, a variety of plinths, and a mini-fridge.

Sunday Brunch

Our quarterly "Brunch" lecture series invites an artist to discuss a topic of their choice with an audience over bagels, fruit and coffee.

Concerts/Fundraisers

The Khyber is dedicated to fostering the independent music scene in Halifax. We host many concerts and fundraisers through the year.

Khyber Kids

Every summer we invite Halifax's youth (6–13) to participate in the Khyber Kids educational program. Offering classes with experienced instructors

Le Khyber est un centre d'artistes autogéré localisé dans un immeuble historique, en plein coeur de Halifax.

Expositions d'art comtemporain

Le Khyber présente des travaux artistiques d'avant-garde. Nous présentons jusqu'à huit expositions par année, qui se subdivisent en trois programmes saisonniers.

Équipement

Le Khyber possède une télévision, deux lecteurs DVD, un projecteur, un système P.A, les outils de base pour faire des installations et une variété de cimaise.

Sunday brunch

Le Khyber organise une série de conférences trimestrielles, Sunday Brunch, où les artistes peuvent discuter de sujets de leur choix en dégustant bagels, fruits et beaucoup de café.

Collectes de fonds et concerts

Le Khyber souhaite stimuler la scène musicale indépendante à Halifax. Nous organisons plusieurs concerts et campagnes de financement tout au long de l'année.

Enfants Khyber

Chaque été, nous invitons des jeunes de Halifax, de 6 à 11 ans, à participer au programme annuel d'éducation du Khyber dont sont responsables des instructeurs expérimentés. Nous offrons des cours dans plusieurs domaines allant de la peinture au multimédia.

C.P. 232
Université Sainte-Anne
Pointe-de-l'Église
(Nouvelle-Écosse) B0W 1M0
T 902 769-2114, poste 262
F 902 769-3016
cab@usainteanne.ca
www.lamanivelle-cab.
blogspot.com

Tous les jours
7 h - 21 h

Hélène Lefebvre à l'atelier de sérigraphie La Manivelle.
Photo : Diane Besner

La Manivelle est un atelier d'estampe géré par des artistes et attaché à l'éducation, à la collaboration et à l'innovation. Il offre des installations de gravure en creux et en relief et se concentre sur l'élaboration et l'échange de nouvelles techniques et approches de la gravure.

Résidence

La Manivelle a un programme dans le cadre duquel elle accueille chaque année un artiste en résidence ou dans le cadre d'un échange.

Équipement

· encres non toxiques et fournitures pour la gravure
· presse de 81 x 137 cm
· équipement de sérigraphie
· grande table lumineuse
· ordinateur de bureau Mac et diverses imprimantes

La galerie Détraqué

La galerie Détraqué est un espace d'exposition situé dans l'entrée de l'atelier d'estampe La Manivelle. Elle comprend trois cabinets de 90 x 180 cm pour l'organisation de six expositions-concours de gravure contemporaine chaque année.

La Manivelle is an artist-run printmaking studio committed to education, collaboration, and innovation. It provides facilities for intaglio and relief printmaking, while focusing on the development and exchange of new printmaking techniques and approaches.

Residency

La Manivelle hosts a yearly artist-in-residence /exchange program

Equipment

- Non-toxic printmaking inks and supplies
- 81 cm x 137 cm printing press
- screen-printing equipment
- large light /exposure table
- desktop Mac with various printers

La galerie Détraqué

La galerie Détraqué is a showcase gallery located in the entryway of La Manivelle's printshop. It consists of three 90 cm x 180 cm viewing windows for exhibiting six juried contemporary printmaking exhibitions per year.

Directrice générale
Diane Besner

Appel de dossiers
Sur demande

Pointe-de-l'Église ▶ Nouvelle-Écosse

LE TRÉCARRÉ, GALERIE D'ART CONTEMPORAIN

Wayne Boucher, Vernissage de l'exposition *La géométrie du désir*. Photo : Diane Besner

C.P. 232
Université Sainte-Anne
Pointe-de-l'Église
(Nouvelle-Écosse) B0W 1M0
T 902 769-2114, poste 262
F 902 769-3016
cab@usainteanne.ca
www.letrecarre.blogspot.com

Tous les jours
7 h - 21 h

Directrice générale
Diane Besner

Appel de dossiers
15 mars

Le mandat de la galerie Le Trécarré est
de présenter aux artistes et aux habitants
de la région des œuvres d'art créées par
des artistes canadiens et internationaux,
d'offrir l'infrastructure et les programmes
nécessaires pour encourager les artistes
à innover et à se livrer à un travail
d'exploration, de même que le contexte
culturel nécessaire pour que la communauté acadienne puisse s'exprimer de
façon pertinente, informée et énergique.

Équipement

Projecteur haute définition accroché au
plafond, avec son *surround*
Écran motorisé de 9 pieds
Moniteur haute définition de 53 pouces
Lecteur DVD avec cinq casques
Ordinateur MacBook Pro
Projecteur portatif
Découpeuse de vinyle

Le Trécarré's mandate is to expose local
artists and residents to Canadian and
international contemporary art; to provide
the infrastructure and programming
needed to encourage artistic exploration
and innovation; to generate a cultural
context conducive to developing a relevant,
informed, and active Acadian voice,
and its appreciation.

Equipment

*Ceiling-mounted high-definition projector
with surround sound
Motorized 9-foot screen
53-inch high definition TV monitor
DVD with 5 headphones
MacBook Pro computer
Portable projector
Vinyl cutter*

Superficie : 202,5 m²
Surface d'accrochage linéaire : 30 m
Hauteur : 2,75 mètres

ASSOCIATIONS

The Association of Artist-Run Centres from the Atlantic (AARCA)
c/o Eyelevel Gallery
2063 Gottingen Street
Halifax (Nova Scotia) B3K 3B2
T 902 425-6412
F 902 425-0019
director@eyelevelgallery.ca
www.eyelevelgallery.ca

ArtsSmarts Nova Scotia
Art Gallery of Nova Scotia
1723 Hollis Street, P.O. Box 2262
Halifax (Nova Scotia) B3J 3C8
T 902 424-6651
artssmarts@gov.ns.ca
www.artssmartsnovascotia.ca

CARFAC Maritimes (Nova Scotia, New Brunswick, Prince Edward Island)
732 Charlotte Street, Room 213
Fredericton (Nouveau-Brunswick) E3B 1M5
T 506 454-9655
c_maritimes@ciut.fm

Conseil culturel acadien de la Nouvelle-Écosse (CCANÉ)
54, rue Queen
Dartmouth (Nouvelle-Écosse) B2Y 1G3
T 902 433-2086
ccane@ccane.ns.ca
www.conseilculturel.ca

Nova Scotia Centre for Craft and Design
1683 Barrington Street
Halifax (Nova Scotia) B3J 1Z9
T 902 492-2522
info@craft-design.ns.ca
www.craft-design.ns.ca

Nova Scotia Cultural Network
P.O. Box 459, Halifax CRO
Halifax (Nova Scotia) B3J 2P8
T 902 423-4456
network@culture.ns.ca
www.culture.ns.ca

Visual Arts Nova Scotia
1113 Marginal Road
Halifax (Nova Scotia) B3H 4P7
T 902 423-4694
vans@visualarts.ns.ca
www.vans.ednet.ns.ca

ART COUNCILS AND CULTURE DEPARTMENTS / CONSEILS DES ARTS ET MINISTÈRES

Canadian Heritage / Patrimoine canadien
5161 George Street, 6th Floor, Suite 602
Halifax (Nova Scotia) B3J 1M7
T 902 426-2244
www.pch.gc.ca

Nova Scotia Department of Tourism and Culture
1800 Argyle Street, suite 402
Halifax (Nova Scotia) B3J 2R5
T 902 424-4442
cultaffs@gov.ns.ca
www.gov.ns.ca/dtc/culture

EXHIBITION SPACES / LIEUX DE DIFFUSION

Acadia University Art Gallery
Beveridge Art Centre
Wolfville (Nova Scotia) B0P 1X0
T 902 585-1373
fran.kruschen@acadiau.ca
www.ace.acadiau.ca/arts/artgal

Anna Leonowens Gallery
Nova Scotia College of Art & design
1891 Granville Street
Halifax (Nova Scotia) B3J 3J6
T 902 494-8223
www.nscad.ns.ca/students/gallery

Art Gallery of Nova Scotia
1723 Hollis Street, P.O. Box 2262
Halifax (Nova Scotia) B3J 3C8
T 902 424-7542
dawec@gov.ns.ca
www.agns.gov.ns.ca

Art Gallery — Saint Mary's University
Loyola Building
5865 Gorsebrook Avenue
Halifax (Nova Scotia) B3H 1G3
T 902 420-5445
gallery@smu.ca
www.smuartgallery.ca/

Cape Breton University Art Gallery
P.O. Box 5300
Sydney (Nova Scotia) B1P 6L2
T 902 563-1342
beryl_davis@uccb.ns.ca
www.uccb.ns.ca/artgallery/

Le Conseil des Arts de la Baie (Le CAB)
C.P. 232
Université Sainte-Anne
Pointe-de-l'Église (Nouvelle-Écosse) B0W 1M0
T 902 769-2114 ext. 262
F 902 769 3016
cab@usainteanne.ca
www.artdelabaie.blogspot.com/

Dalhousie Art Gallery
Dalhousie University
6101 University Avenue
Halifax (Nova Scotia) B3H 3J5
T 902 494-2403
artgallery@dal.ca
www.artgallery.dal.ca

Mount Saint Vincent University Art Gallery
Seton Academic Centre
166 Bedford Highway
Halifax (Nova Scotia) B3M 2J6
T 902 457-6160
gallery@msvu.ca
www.msvart.ca

St. Francis Xavier University Art Gallery
P.O. Box 5000
Antigonish (Nova Scotia) B2G 2W5
T 902 867-2303
gallery@stfx.ca
www.clients.norex.ca/art_gallery/

Prince Edward Island

Île-du-Prince-Édouard

ASSOCIATIONS

The Association of Artist-Run Centres from the Atlantic (AARCA)
c/o Eyelevel Gallery
2063 Gottingen Street
Halifax (Nova Scotia) B3K 3B2
T 902 425-6412
F 902 425-0019
director@eyelevelgallery.ca
www.eyelevelgallery.ca

ArtsSmarts Prince Edward Island
P.O. Box 58
Wellington (Prince Edward Island) C0B 2E0
T 902 854-7250
F 902 854-7255
ccarsenault@gov.pe.ca
www.artssmartspei.ca

CARFAC Maritimes (Nova Scotia, New Brunswick, Prince Edward Island)
732 Charlotte Street, Room 213
Fredericton (New Brunswick) E3B 1M5
T 506 454-9655
c_maritimes@ciut.fm

Fédération culturelle de l'Île-du-Prince-Édouard
5, Promenade acadienne
Charlottetown (Île-du-Prince-Édouard) C1C 1M2
T 902 368-1895 poste 244
fcipe@carrefour.piecaps.org
www.fcipe.ca

ART COUNCILS AND CULTURE DEPARTMENTS / CONSEILS DES ARTS ET MINISTÈRES

Canadian Heritage / Patrimoine canadien
119 Kent Street, 4th Floor, Suite 420
Charlottetown (Prince Edward Island) C1A 1N3
T 902 566-7188
www.pch.gc.ca

PEI Council for the Arts
115 Richmond Street
Charlottetown (Prince Edward Island) C1A 1H7
T 902 368-4410
www.gov.pe.ca

PEI Government - Community and Cultural Affairs
16 Fitzroy Street, P.O. Box 2000
Charlottetown (Prince Edward Island) C1A 7N8
T 902 368-4787
htholman@gov.pe.ca
www.gov.pe.ca

Island Information Service
P.O. Box 2000
Charlottetown (Prince Edward Island) C1A 7N8
T 902 368-4000
island@gov.pe.ca

EXHIBITION SPACES / LIEUX DE DIFFUSION

Confederation Centre of the Arts / Centre des arts de la Confédération
145 Richmond Street
Charlottetown (Prince Edward Island) C1A 1J1
T 902 628-1864
F 902 566-4648
boxoffice@confederationcentre.com
info@confederationcentre.com
www.confederationcentre.com

Galerie Sans Nom
Gallery Connexion
Atelier d'estampe Imago Inc.
Struts Gallery & Faucet Media Arts Centre
third space gallery

Nouveau-
Brunswick

New
Brunswick

GALERIE SANS NOM

Francis Montillaud, *Faux Fini*, 2009, Festival international du cinéma francophone en Acadie. Photo : Mathieu Léger

140, rue Botsford, local 16
Moncton
(Nouveau-Brunswick)
E1C 4X5
T 506 854-5381
F 506 857-2064
info@galeriesansnom.org
www.galeriesansnom.org

mardi au vendredi
11 h – 17 h

samedi
Sur rendez-vous

La Galerie Sans Nom (GSN) est une des rares infrastructures acadiennes vouées à la présentation de l'art actuel canadien. La GSN appuie les initiatives d'artistes et les nouvelles pratiques en arts visuels et médiatiques et étend ses activités à une variété de disciplines.

Espaces d'exposition

En marge de la programmation présentée dans l'espace principal d'exposition, l'espace audio-vidéo propose un aperçu de l'art audio et vidéo canadien. Un troisième espace, la Salle Sans Sous, promeut le travail d'artistes émergents.
*La GSN respecte les tarifs CARFAC.

Événements spéciaux

Acadie Underground (film super 8)
RE:FLUX, festival de musique et d'art sonore
À l'occasion, le centre propose aussi des événements de performances et d'interventions publiques.

Équipements

Projecteur Sharp Notevision XR-20X
2 lecteurs DVD
2 enceintes acoustiques Yorkville 15 pouces avec console
Éclairage sur rail
Espace audio-vidéo :
Télévision HDMI écran plat 27 pouces avec écouteurs
Lecteur DVD HDMI muni d'un contrôleur à options

Galerie Sans Nom (GSN) is one of the rare Acadian infrastructures dedicated to Canadian contemporary art. GSN supports artistic initiatives and new practices in visual and media arts, extending its activities across a variety of disciplines.

Exhibition Spaces

GSN manages three exhibition spaces. Parallel with programming in the main gallery, an audio-video space presents Canadian audio and video art. A third space, Salle Sans Sous, features works by emerging artists.
**GSN offers exhibition fees that meet CARFAC standards.*

Special Events

*Acadie Underground (super 8 film)
RE:FLUX, Festival of Music and Sound Art
The centre also occasionally presents events focused on performance and intervention art.*

Equipment

*Sharp Notevision XR-20X projector
2 DVD players
2 15" Yorkville speakers (white) with mixer
Track lighting
Audio-Video Space:
27" HDMI television with headphones
HDMI DVD player with option controller (wall-hung)*

Directrice
Nisk Imbeault
nisk@galeriesansnom.org

Coordonnatrice de la programmation
Angèle Cormier
angele@galeriesansnom.org

Appel de dossiers
15 avril

Moncton ▶ New Brunswick

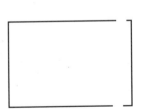

Superficie au sol : 51,94 m²
Surface d'accrochage linéaire : 26,61 m
Hauteur : 3,95 m

Chestnut Complex
440 York Street, PO Box 696
Fredericton (New Brunswick)
E3B 5B4
T 506 454-1433
F 506 454-8681
connex@nbnet.nb.ca
www.galleryconnexion.ca

Tuesday to Friday
10 h – 16 h
or by appointment

Summer Hours
Tuesday to Saturday
10 h – 16 h
or by appointment

José Luis Torres, Installation view of *Nomadic Landscape*, 2010. Photo: John MacDermid

Fredericton's Artist-Run Centre is committed to programming contemporary art in all mediums including visual arts, media arts, performance art, literary art, and musical arts. Founded in 1984, Gallery Connexion provides an alternative perspective to the general public where artists engaged in experimental work can present their ideas in an environment conducive to generating and supporting discussion.

Residencies

Each year an artist is hosted for one month at the gallery with a subsequent exhibition. Artists are selected from yearly proposals.

Six Studios for Rent

An exciting mix of professional artist studios, small artist collectives, and/or arts related businesses.

Performance Area, Bar & Café

With a standing room capacity of 110, Gallery Connexion programs experimental and unique musical, literary, and performance-based events.

Workshops and artist talks by visiting and local artists

Le centre d'artistes autogéré de Fredericton a pour but de promouvoir l'art contemporain dans toutes les disciplines, dont les arts visuels, les arts médiatiques, les arts de la scène, les arts littéraires et les arts sonores et musicaux. Fondée en 1984, la Gallery Connexion offre au public une perspective non-traditionnelle, en présentant des artistes engagés dans les pratiques actuelles et expérimentales dans un milieu qui favorise les échanges.

La salle principale propose jusqu'à cinq expositions par année.

Résidences

Un artiste est accueilli pour un mois dans la galerie. Cette résidence est suivie d'une exposition.

Six ateliers sont offerts en location à des artistes professionnels, à des petits collectifs d'artistes et/ou à des entreprises reliées aux arts.

Salle de spectacle avec bar et café

L'espace peut accueillir jusqu'à 110 personnes et déploie une programmation intéressante d'activités expérimentales en musique, littérature et arts de la scène.

Executive Director
Meredith Snider
connex@nbnet.nb.ca

President
John MacDermid
johnmacdermid@gmail.com

Vice-President and Chair of Programming Committee
Paul McAllister
wizulwuzil@hotmail.com

Submission deadline
March 31

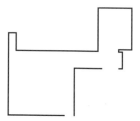

Floor area: 95 m²
Linear hanging surface: 28 m
plus option of moveable walls
Height: 2.90 m

Fredericton ▶ Nouveau-Brunswick

ATELIER D'ESTAMPE IMAGO INC.

Artiste au travail. Photo : Mathieu Léger

Centre culturel Aberdeen
140, rue Botsford, local 17
Moncton
(Nouveau-Brunswick)
E1C 4X5
T 506 388-1431
F 506 857-2064

imago@nb.aibn.com
www.imagoartistruncentre.
blogspot.com
www.atelierimago.com

Directrice
Jennifer Bélanger
imago@nb.aibn.com

Appel de dossiers
1er septembre

Imago est un centre de production voué au développement et à la diffusion de l'estampe contemporaine. Le centre offre un laboratoire de recherche et de création et une programmation qui reflète les tendances actuelles en estampe.

Programmation

Imago sort de ses murs et promeut l'estampe avec ses projets présentés dans des lieux traditionnels et non-traditionnels. Parmi ses dernières réalisations Imago a collaboré avec Galerie Sans Nom à trois reprises à un festival d'art performatif et d'intervention et a mis sur pied deux expositions itinérantes d'œuvres miniatures voyageant dans une valise.

Résidences

L'atelier reçoit environ quatre artistes en résidence par année. L'atelier est équipé pour l'intaglio (eau-forte au perchlorure de fer), la sérigraphie à base d'eau, le relief et la lithographie sans eau. La date d'inscription pour le programme d'artistes en résidence est le 1er septembre.

Imago artist-run print studio provides research facilities and a full-fledged workshop for contemporary print artists. A laboratory space for creation and experimentation, it hosts artists-in-residence, lectures, workshops, and interdisciplinary projects, while attracting artists from all fields to work in contemporary print. Reflecting current preoccupations in contemporary art practices, Imago dislodges print from traditional approaches.

Programming

By exhibiting in conventional and non-conventional venues, Imago helps to promote printmaking as well as regional artists. Among its recent projects, Imago has collaborated with Galerie Sans Nom for 3 editions of a performance art and public intervention festival, and organized two traveling group shows of miniature works on paper.

Residencies

The studio hosts approximately 4 artists-in-residence a year. The studio provides facilities for intaglio (ferric chloride etching), water-based silkscreen, relief, and waterless lithography. The annual deadline for our artist-in-residence program is September 1.

Équipement /Equipment
Griffin 000 16-1/2" x 34"
Westman and Baker 28" x 46"
Charles Brand 40" x 70"
Epson Stylus Pro 7600, 24"
Apple Power PC G5 dual 1.8 GHZ

7 Lorne Street
Sackville (New Brunswick)
E4L 3Z6
T 506 536 1211
info@strutsgallery.ca
www.strutsgallery.ca

Gallery
Monday to Sunday
12 h – 17 h

Office
Monday to Friday
9 h – 17 h

Struts Gallery & Faucet Media Arts Centre, Photo: Amanda Dawn Christie

The centre is mandated to support the aesthetic goals of our members and visiting artists through residencies, commissions, exhibitions, and other programs. As a specific community of artists, our members seek to participate in and contribute to national discourses on contemporary culture.

The Open Studio artist-in-residence

Program offers five-week residencies with public studio space and equipment access. Accommodation, travel, per diem, and artist fees are provided.

Co-hosted with the Owens Art Gallery, the Symposium of Art is a week-long event committed to performance and related practices with an emphasis on opportunities to experiment.

Faucet Media Arts Centre houses professional film, video, audio and new media equipment, and production facilities for use by its members and visiting artists. Faucet offers a selection of workshops, production programs, and residencies.

The Ok.Quoi?! Arts Festival showcases interdisciplinary media art activity with a program of screenings, performance, and installation both outdoors and in alternative venues throughout Sackville.

Nous aidons nos membres et nos artistes en résidence à atteindre leurs objectifs esthétiques, au moyen de résidences, de projets de commissariat, d'expositions et autres programmes. En tant que communauté artistique locale et singulière, nos membres contribuent au discours sur la culture actuelle.

Le programme de résidence, Open Studio, offre aux artistes un atelier public et l'accès aux équipements pendant cinq semaines. Ils sont hébergés et reçoivent une allocation journalière, un cachet d'artiste et le remboursement de leurs frais de déplacement.

Présenté conjointement avec la Owens Art Gallery, le Symposium of Art est un événement annuel d'une durée d'une semaine qui met en vedette la performance et plusieurs autres pratiques, et encourage notamment l'expérimentation.

Faucet Media Arts Centre est une ressource en équipement et en services de production pour les productions vidéo, audio et nouveau média. Faucet a une programmation d'éducation, de production et de résidence.

Ok.Quoi?! Arts Festival met en vedette les arts médiatiques interdisciplinaires par des projections, des performances, des installations dans des lieux publics ainsi que des événements alternatifs dans la ville.

Coordinator
Struts Gallery & Faucet Media Arts Centre
John Murchie
faucet@strutsgallery.ca

Manager, Faucet Media Arts Centre
Ok.Quoi?!
Festival Coordinator
Paul Henderson

Production Manager, Faucet Media Arts Centre
Amanda Dawn Christie

Submission deadlines
Exhibitions and Performances
March 1
Exhibitions and Residencies
October 1

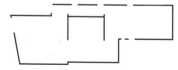

Floor area: 93 m²
Linear hanging surface: 12 m
Height: 2.6 m

Sackville ▲ Nouveau-Brunswick

THIRD SPACE GALLERY

Donna Akrey, *Loonieland*, 2009. Photo: Chris Lloyd

Artistic Director
Chris Lloyd
dearpm@gmail.com

Coordinator
Judith Mackin
judithm@nbnet.nb.ca

Submission deadline
March 15

Office (by appoinement)
42 Princess Street
Saint John (New Brunswick)
E2L 1K2

Gallery
40 Charlotte Street
Saint John (New Brunswick)
E2L 2H6
T 506 696-0862
tiersespace@gmail.com
www.thirdspacegallery.ca

third space gallery is committed to presenting contemporary art to a broad public in the strangest of places in the industrial city of Saint John. Established in 2005, it is one of the smallest and most itinerant artist-run centres in Canada. It receives submissions by all artists.

Gallery space

third space gallery is located in a former ATM space measuring 3,05 m X 1,98 m with no public access but with full length windows looking to the sidewalk, allowing exhibits to be on view 24/7. It also presents exhibitions, installations or performances in vacant lots or abandoned offices, and often partners with the New Brunswick Museum, the local arts centre, the Bargain Shop and more.

Workshops and Artist Talks

Exhibiting artists have the opportunity to present their work in the context of an artist talk, performance or workshops.

Dès sa fondation en 2005, la galerie third space s'est donné le mandat d'établir un contact entre le grand public et l'art contemporain. À cette fin, elle présente des projets dans divers lieux des plus inusités de la ville industrielle de Saint-Jean, au Nouveau-Brunswick. Bien qu'il soit petit et itinérant, le centre d'artistes third space accepte les soumissions de toutes provenances.

Espace d'exposition

La galerie est située dans un ancien guichet automatique de 3,05 x 1,98 m sans accès public, mais dont les vitrines, visibles jour et nuit, donnent sur une rue achalandée du centre-ville. third space n'hésite pas à présenter performances, installations et expos dans des terrains vagues et des édifices abandonnés, ou encore au Musée du Nouveau-Brunswick, au centre d'art communautaire, au magasin d'escomptes Bargain Shop – et bien plus encore !

Ateliers et causeries

third space offre aux artistes l'occasion de discuter de leur travail lors de causeries ou d'ateliers.

Window gallery: 3.05 m x 1.98 m

ASSOCIATIONS

**The Association of Artist-Run Centres
from the Atlantic (AARCA)**
c/o Eyelevel Gallery
2063 Gottingen Street
Halifax (Nova Scotia) B3K 3B2
T 902 425-6412
F 902 425-0019
director@eyelevelgallery.ca
www.eyelevelgallery.ca

**Association acadienne des artistes
professionnel.le.s du Nouveau-Brunswick**
140, rue Botsford, bureau 17
Moncton (Nouveau-Brunswick) E1C 4X5
T 506 852-3313
info@aaapnb.ca
www.aaapnb.ca

**CARFAC Maritimes (Nova Scotia,
New Brunswick, Prince Edward Island)**
732 Charlotte Street, Room 213
Fredericton (New Brunswick) E3B 1M5
T 506 454-9655
c_maritimes@ciut.fm

CONSEILS DES ARTS ET MINISTÈRES / ART COUNCILS AND CULTURE DEPARTMENTS

Canadian Heritage / Patrimoine canadien
1045 Main Street
Moncton (New Brunswick) E1C 1H1
T 506 851-7066
pch-atlan@pch.gc.ca
www.pch.gc.ca

**Wellness, Culture and Sport Department /
Ministère du Mieux-être, de la Culture et du Sport**
Place 2000, 250 King Street
Fredericton (New Brunswick) E3B 9M9
T 506 453-2909
www.gov.nb.ca

**New Brunswick Arts Board /
Conseil des arts du Nouveau-Brunswick**
634 Queen Street, Suite 300
Fredericton (New Brunswick) E3B 1C2
T 506 460-5883
mdkris@nbab-canb.nb.ca
www.artsnb.ca

LIEUX DE DIFFUSION / EXHIBITION SPACES

Beaverbrook Art Gallery
703 Queen Street, P.O. Box 605
Fredericton (New Brunswick) E3B 5A6
T 506 458-2028
emailbag@beaverbrookartgallery.org
www.beaverbrookartgallery.org

Centre culturel Aberdeen
140, rue Botsford, bureau 21
Moncton (Nouveau- Brunswick) E1C 4X4
T 506 857-9597
ccaberdb@nbnet.nb.ca
www.centreculturelaberdeen.ca

Galerie d'art de l'Université de Moncton
Pavillon Clément-Cormier
Centre universitaire de Moncton
Moncton (Nouveau- Brunswick) E1A 3E9
T 506 858-4088
charetl@umoncton.ca
www.umoncton.ca

**Musée du Nouveau-Brunswick /
New Brunswick Museum**
277, avenue Douglas
Saint John (Nouveau- Brunswick) E2K 1E5
T 506 643-2300
nbmuseum@nbm-mnb.ca
www.gnb.ca

Owens Art Gallery
61 York Street
Sackville (New Brunswick) E4L 1E1
T 506 346-2574
owens@mta.ca
www.mta.ca/owens

A Space Gallery
Art Metropole
Artcite Inc.
Artengine
ARTSPACE (Peterborough Artists Inc.)
The Available Light Screening Collective
Contemporary Art Forum Kitchener & Area (CAFKA)
Charles Street Video
Definitely Superior Artist-Run-Centre+Gallery
Ed Video Media Arts Centre
The Factory: Hamilton Media Arts Centre
FADO Performance Art Centre (FADO Performance Inc.)
The Forest City Gallery
Galerie du Nouvel-Ontario, centre d'artistes
Gallery 101. Galerie 101 – Artists' Centre d'artistes Inc.
Gallery 1313
Gallery 44, Centre for Contemporary Photography
Hamilton Artists Inc.
Independent Filmmakers Co-operative of Ottawa inc. (IFCO)
Le Laboratoire d'Art (Le Labo)
Liaison of Independent Filmmakers of Toronto (LIFT)
Mercer Union, A Centre for Contemporary Art
Modern Fuel Artist-Run Centre
Niagara Artists Centre
Open Studio
Propeller center for the Visual Arts
South Asian Visual Arts Centre (SAVAC)
Galerie SAW Gallery
SAW Video: Centre for the Media Arts
Toronto Reel Asian International Film Festival
Gallery TPW
Centre d'artistes Voix Visuelle
VTAPE
Women's Art Resource Centre (WARC Gallery)
XPACE Cultural Centre
YYZ Artists' Outlet

Ontario

A SPACE GALLERY

Photo: Selina Whittaker, 2008

Administrative/Planning Coordinator
Rebecca McGowan
rebecca@aspacegallery.org

Programming/Exhibition Coordinator
Victoria Moufawad-Paul
victoria@aspacegallery.org

Submission deadlines
November 1 and May 1

401 Richmond Street West
Suite 110
Toronto (Ontario) M5V 3A8
T 416 979-9633
F 416 979-9683
info@aspacegallery.org
www.aspacegallery.org

Tuesday to Friday
11 h – 18 h

Saturday
12 h – 17 h

Founded in 1971, **A Space Gallery** is one of the oldest artist-run centres in Canada, and has played a significant role in the evolution of contemporary art. A Space is known as an innovative space dedicated to exploring current ideas in art and has been a leader in the development of policies such as the payment of standard artist fees (1982), anti-censorship (1984), anti-racism (1985) and access (1993).

Applicants should consider that our programming mandate focuses on work that is politically engaged, oriented around non-dominant communities, and supportive of innovative curatorial and technical practices. We are interested in how artists and curators can create a space for different readings or experiences of culture and identity, and in multidisciplinary projects that create a forum for dialogue and collaboration between diverse communities, including youth cultures and communities in transition.

Fondée en 1971, la galerie A Space est l'un des premiers centres d'artistes autogérés du Canada et a joué un rôle de premier plan dans l'avancement de l'art contemporain. A Space est reconnu comme un espace de création voué à l'exploration des courants artistiques actuels et pour son rôle dans l'élaboration de politiques touchant notamment le paiement de cachets minimums aux artistes (1982), la lutte contre la censure (1984) et le racisme (1985) ainsi que la promotion de l'accès aux arts (1993).

Les candidats doivent tenir compte du fait que notre programmation et notre mission sont axées sur l'art engagé et les communautés minoritaires, et qu'elles soutiennent une pratique de commissariat et des techniques novatrices. A Space s'intéresse à la façon dont les artistes et les commissaires peuvent créer un espace laissant place à différentes interprétations ou expériences de la culture et de l'identité ainsi qu'aux projets multidisciplinaires susceptibles de jeter les bases d'un dialogue et d'une collaboration entre diverses communautés, y compris les jeunes et les communautés en transition.

Floor area: 365.76 m²
Linear hanging surface: 36.58 m
Height: 3.96 m

Toronto ▶ Ontario

Shopping at Art Metropole

788 King Street West
Toronto (Ontario) M5V 1N6
T 613 238-7648
F 613 238-4617
info@artmetropole.com
www.artmetropole.com

Wednesday to Saturday
11 h – 18 h

Art Metropole specializes in contemporary art in multiple format, including artist's books, multiples, posters, video, audio, and electronic media. Established in 1974 as an artist-run centre, the not-for-profit corporation Art Metropole recently acquired charitable status.

Retail Sales and Distribution

Artists' products are available for sale in the physical space and through www.artmetropole.com. For submissions, contact our shop manager at shop@artmetropole.com after reading the FAQ pages on the website.

Publishing

Art Metropole publishes artist's products in various formats including videos, audio, books, and editions by Canadian and international artists.

Exhibitions

We are not primarily an exhibition venue. Exhibitions relate to and support the material offered in our shop while referencing our history.

Submissions and Proposals

Unsolicited proposals for publications and exhibitions are not encouraged. However, if you would still like to make a proposal or suggestion, you may mail it with a self-addressed, stamped envelope.

Art Metropole se spécialise dans l'art contemporain sous diverses formes, notamment les livres d'artistes, les reproductions, les affiches, ainsi que les médias vidéo, audio et électroniques. Centre d'artistes autogéré et organisme sans but lucratif fondé en 1974, Art Metropole a récemment obtenu le statut d'organisme de bienfaisance.

Vente au détail et distribution

Des produits d'art sont en vente à nos bureaux et au www.artmetropole.com. Pour toute proposition, communiquer avec le responsable de la boutique à l'adresse shop@artmetropole.com après avoir consulté la section FAQ du site Web.

Edition

Art Metropole publie des produits d'art dans divers formats, notamment audio et vidéo, ainsi que des livres et des tirages d'artistes canadiens et internationaux.

Expositions

Les expositions présentées par Art Metropole visent essentiellement à promouvoir les produits en vente à la boutique et à faire connaître l'histoire du centre.

Soumissions

Les soumissions spontanées de publication ou d'exposition ne sont pas encouragées. Si vous souhaitez malgré tout proposer un projet, veuillez le faire par la poste en incluant une enveloppe-réponse adressée et affranchie.

Director
Ann Dean

Production/Marketing
Jordan Sonenberg

Shop Manager
Miles Colyer

Toronto ▶ Ontario

ARTCITE INC.

Scott Hocking and Clinton Snider, *RELICS & Other Works*, 2005. Photo: Christine Burchnall. Courtesy Artcite Inc.

109 University Avenue West
Windsor (Ontario) N9A 5P4
T 519 977-6564
F 519 977-6564
info@artcite.ca
www.artcite.ca

Wednesday to Saturday
12 h – 17 h

Administrative Coordinator
Christine Burchnall
xtine@artcite.ca

Artistic Coordinator
Bernard Helling
info@artcite.ca

Submission deadlines
March 10 and October 10

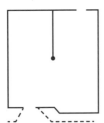

Floor area: 95.13 m²
Linear hanging surface: 37.73 m
Height: 4.572 m

Dedicated exclusively to the presentation and promotion of contemporary art forms, Artcite maintains a balanced and diverse program, including: more than ten gallery and off-site visual art exhibitions and site installations by Canadian and international artists; guest artist lectures, workshops and residencies; screenings of experimental film and video art; experimental music and audio; multi-disciplinary performances and special projects, including our annual, off-site "Fahrenheit Festival" of fire sculpture and performance; and public readings by Canadian and international authors and poets.

Gallery Space

Located in the heart of Windsor, Artcite's highly visible storefront gallery area is particularly well-suited to exhibitions that are politically and socially engaged. We feature new and experimental art production in all media and encourage submissions from individual artists and curatorial proposals by individuals and collectives.

Fondé en 1982, Artcite inc. est un centre d'artistes autogéré mis sur pied et dirigé par des artistes professionnels de disciplines variées.

Programmes et activités

Dédié exclusivement à la diffusion et à la promotion des diverses formes d'art contemporain, Artcite présente un programme équilibré et varié, dont plus d'une dizaine d'expositions en galerie et hors site d'artistes canadiens et internationaux en arts visuels, des conférences d'artistes invités, des ateliers et résidences, des films expérimentaux et artistiques, de la musique et des œuvres audio expérimentales, ainsi que des performances multidisciplinaires. Le centre organise en outre des projets spéciaux, comme le festival Fahrenheit, un évènement annuel hors site axé sur la pyrogravure et la performance, ainsi que des lectures publiques de textes d'auteurs et de poètes canadiens et étrangers.

Galerie

Située en plein cœur de Windsor, la galerie Artcite jouit d'une visibilité exceptionnelle et est particulièrement ouverte aux formes d'art socialement et politiquement engagées. La galerie présente des artistes émergents et des oeuvres expérimentales de tous horizons, et considère les dossiers d'artistes aussi bien que les propositions de commissaires d'exposition individuelles et collectives.

Windsor ▸ Ontario

2 Daly Avenue
Ottawa (Ontario) K1N 6E2
T 613 686 1941
F 613 564 4428
everybody@artengine.ca
www.artengine.ca

Tuesday to Friday
9 h – 17 h

Sophie Bélair Clément, *3 minutes 20 devant « The nominal three (to William of Ockham) » de Dan Flavin*, 2008.
Photo: Rémi Theriault

Artengine is a laboratory space and an artist-run server. While the server provides essential tools to artists for online production, presentation and promotion, the M70 Lab is a modular production, prototype and presentation space with support for a variety of multi-channel audio and video configurations as well as collaborative work on custom electronics.

Established in 1996 with the aim of fostering democratic and innovative approaches to electronic art, Artengine is committed to the creation, presentation, dissemination, and promotion of art concerned with technological experimentation, both on-line and in physical space.

Electric Fields

is an electronic media arts festival produced by Artengine on a biennial basis.

Workshops

Artengine offers workshops to develop skills for a variety of electronic art production tools.

Commissioning projects

Artengine commissions and presents unique electronic art works.

Community involvement

Artengine plays a leading role in community development both in non-professional and professional areas.

Artengine est un laboratoire et un centre serveur géré par des artistes. Alors que le serveur offre des ressources essentielles aux artistes pour la production, la présentation et la promotion en ligne, le M70 Lab sert à la production modulaire, au travail sur prototypes et aussi comme espace de présentation d'installations audio et vidéo multipiste en plus d'encourager les collaborations dans le domaine de l'électronique.

Fondé en 1996, le centre encourage les approches démocratiques et novatrices à l'art électronique et soutient la création, la diffusion et la promotion de l'art qui découle d'expérimentations technologiques tant en ligne que dans des lieux physiques.

Champs électriques

est un festival biennal de musique électronique et d'art médiatique organisé par Artengine.

Ateliers

Artengine offre des ateliers équipés d'une variété d'outils de production d'art électronique.

Commandes d'œuvres d'art

Artengine commande des œuvres d'art médiatiques pour les exposer.

Engagement communautaire

Artengine joue un rôle de premier plan en développement communautaire tant au niveau amateur que professionnel.

Artistic Director
Ryan Stec
artistic@artengine.ca

Operations Coordinator
Moonsun Choi
operations@artengine.ca

Submission deadline
Ongoing

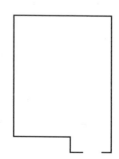

Ottawa ▶ Ontario

ARTSPACE (PETERBOROUGH ARTISTS INC.)

Stéphanie Chabot, *Ghosts and Their Children*, multi-media installation, 2007. Photo: Ray Mackie.

378 Aylmer Street
PO BOX 1748
Peterborough (Ontario)
K9J 7X6
T 705 748-3883
F 705 748-3224
info@artspace-arc.org
www.artspace-arc.org

Tuesday to Friday
12 h – 18 h

Saturday
12 h – 16 h

Artistic Director
Iga Janik
iga@artspace-arc.org

Administrator
Liz Fennell
liz@artspace-arc.org

Chair of the Board
Wendy Trusler
beanpot@sympatico.ca

Submission deadlines
Main Gallery: April 30
Mudroom: Ongoing

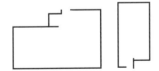

Main Gallery
Floor Area: 232.25 m²
Linear hanging surface: 23.37 m
Height: 3.6 m
Mudroom
Floor Area: 85 m²
Linear hanging surface: 16.5 m
Height: 2.6 m

Since 1974, ARTSPACE has been committed to the support and development of contemporary art and artists. We offer interdisciplinary presentation spaces to accommodate the broad scope of disciplines comprising Canada's vibrant contemporary arts community.

Gallery Spaces

ARTSPACE has three spaces for exhibition and performance. Our Main Gallery is an expansive room with one full wall of windows, and two smaller spaces are well suited to video projection. Main Gallery programming is set annually.

Residencies

Visiting artists can be accommodated in our resource centre/bedroom.

Library & Information Resources

Our library consists of books and magazines with an emphasis on Canadian contemporary art and artist-run centres.

Equipment & Space Rental

Our spaces and video equipment are available for rent when not in use for regular programming.

Archives

Our archives document 35 years of ARTSPACE's programming and administration.

ARTSPACE a ouvert ses portes il y a 36 ans. Ce centre est géré par des artistes qui s'engagent dans le soutien et le développement de l'art contemporain. Nous offrons des espaces de présentation interdisciplinaire pour accueillir un grand éventail de disciplines en art contemporain.

Galeries

ARTSPACE dispose de trois espaces d'exposition et de performance. Notre galerie principale est une salle imposante avec un mur bien fenêtré et deux espaces plus petits très bien adaptés à la projection vidéo. La programmation de notre galerie principale est fixée chaque année.

Résidences

Les artistes invités peuvent séjourner dans notre centre de ressources.

Bibliothèque et centre de ressources

Notre bibliothèque contient des publications sur l'art contemporain canadien.

Équipement et location d'espaces

Nos locaux et équipements vidéo sont disponibles en location.

Archives

Nos archives portent sur 35 ans de programmation d'ARTSPACE et sur l'administration du centre.

Peterborough ▶ Ontario

2 Daly Avenue
Suite 121
Ottawa (Ontario)
K1N 6E2
availablelightcollective@gmail.com

The Available Light Screening Collective (AL) is an Ottawa-based collective committed to the curated presentation of experimental film and video.

Since 1995, AL has functioned as a volunteer-run, non-incorporated artists' collective. AL is a democratic and flexible structure reflecting the dynamic character of the work that it is dedicated to presenting.

AL's goals are: to establish and sustain the regular exhibition of experimental media art not otherwise accessible to audiences in the Ottawa region; to provide a discursive context and forum for discussions around experimental time-based media; to cultivate and support established and emerging Canadian curators; to serve current audiences and build new audiences for time-based media art; to screen the works of local artists alongside national and international artists; to develop collaborative relationships and projects with arts organizations in other parts of the province and country, with an emphasis on artist-run dissemination organizations; and, to pay artists and curators appropriately for their professional work.

The Available Light Screening Collective (AL) est un collectif d'Ottawa qui se voue à la présentation de vidéos et de films expérimentaux.

Depuis 1995, AL fonctionne comme un collectif d'artistes bénévoles non constitué, selon une structure démocratique et souple reflétant le caractère dynamique des œuvres qu'il présente.

AL s'est donné pour mission d'assurer la présentation régulière d'œuvres d'art médiatique expérimentales qui, autrement, ne pourraient être vues dans la région d'Ottawa. Il se donne comme mandat d'offrir un forum de réflexion et de discussion sur les arts médiatiques, de soutenir des commissaires canadiens établis et émergents, de répondre aux besoins du public des arts médiatiques et d'élargir celui-ci et de présenter le travail d'artistes locaux, nationaux et internationaux. Il établit des relations et met en place des projets collaboratifs avec d'autres organismes artistiques de l'Ontario et du reste du Canada, plus particulièrement des lieux de diffusion autogérés.

Co-coordinators
Phil Rose
James Missen

Submission deadline
Ongoing

Ottawa ▶ Ontario

CONTEMPORARY ART FORUM KITCHENER & AREA (CAFKA)

Pipilotti Rist, *Open My Glade (Flatten)*, projected on the Kitchener City Hall, 2009. Photo: Isaac Applebaum.

141 Whitney Place
Studio #7
Kitchener (Ontario)
N2G 2X8
T 519 744-5123
cafka@cafka.org
www.cafka.org

Kitchener ▶ Ontario

Executive Director
Gordon Hatt
gwhatt@cafka.org

Artistic Director
Rob Ring
rob@cafka.org

Board Chair
Gareth Lichty
gareth@garethlichty.com

Submission deadlines
Video submissions
Ongoing
Biennial
May 2012, May 2014.

The Contemporary Art Forum Kitchener & Area (CAFKA) encourages innovative artistic projects and interactive programming, bringing contemporary art out of galleries, studios and artist-run centres and injecting it into the public space.

Biennial

CAFKA presents a biennial programme of art within the civic space of Kitchener and its surrounding communities.

Video

CAFKA specializes in the presentation of video art through I Heart Video Art, its series of video cabarets, and through the commissioning and programming of video projections atop the Kitchener City Hall.

Contemporary art education

CAFKA promotes contemporary art education through a guest speaker series.

The Contemporary Art Forum Kitchener & Area (CAFKA) encourage les projets artistiques novateurs et la programmation interactive, qui portent l'art contemporain hors des galeries, des studios et des centres d'artistes autogérés pour l'insérer dans l'espace public.

Biennale

CAFKA présente une biennale d'art dans l'espace public de Kitchener et des environs.

Vidéo

CAFKA se spécialise dans la présentation de l'art vidéo à « I Heart Video Art », sa série de cabarets vidéo, et grâce à la mise en œuvre et à la programmation de projections vidéo au sommet de l'hôtel de ville de Kitchener.

Enseignement sur l'art contemporain

CAFKA favorise l'enseignement de l'art contemporain au moyen d'une série de conférences d'artistes invités.

65 Bellwoods Avenue
Toronto (Ontario) M6J 3N4
T 416 603-6564
F 416 603-6567
csv@charlesstreetvideo.com
www.charlesstreetvideo.com

*Office, production gear
sign-out & return
Monday to Friday
10 h – 17 h*

*CSV member access
to editing rooms
24/ 7*

On-line video editing room at Charles Street Video.
Photo: Greg Woodbury

An artist-run centre located in downtown Toronto, Charles Street Video's (CSV) mandate is to foster an environment for the advancement of media arts practice, and to provide video, film and audio artists access to gear, production opportunities, training and technical support. The facility offers workshops, including numerous youth programs, commissions video works by artists and sponsors media art exhibitions in collaboration with grassroots film and video festivals, art galleries and community organizations.

Equipment

DV workstations, an on-line, FCP-based, HD editing room and a recently retro-fitted voiceover booth.

Production

We rent the RED One digital cinema camera, Panasonic "P2" HD cameras and standard-def, mini-DV camcorders. Together with a small inventory of Kino-Flo and Arri lights, grip gear and location audio equipment, CSV can support virtually any sort of artist-generated production, from museum-destined loops and experimental works to documentaries and low-budget feature films.

Centre d'artistes autogéré situé au centre-ville de Toronto, le Charles Street Video (CSV) s'est donné pour mandat de créer un environnement favorable à l'avancement de la pratique en arts médiatiques et de favoriser l'accès des artistes de la vidéo, du film et de l'audio à de l'équipement, des occasions de création, de la formation et du soutien. Le centre organise des ateliers, y compris de nombreux programmes pour les jeunes, en plus de soutenir la réalisation d'œuvres vidéographiques et de financer la diffusion des arts médiatiques en collaboration avec des festivals de films locaux, des galeries d'art et des organismes communautaires.

Équipement

Des postes de travail DV, une salle de montage en ligne FCP HD et un studio de surimpression des voix récemment rénové.

Production

Nous offrons en location la caméra numérique RED One [MC], des caméras Panasonic P2 HD et définition standard et des caméscopes mini DV. Grâce à un petit inventaire de matériel d'éclairage Kino-Flo et Arri, de dispositifs d'attache et d'équipement audio à louer, CSV est en mesure de soutenir des productions artistiques des plus variées, qu'il s'agisse de films en boucle ou d'œuvres expérimentales destinées à des musées, de documentaires ou de films à petit budget.

General Manager
Ross Turnbull
rosst@charlesstreetvideo.com

Operations Manager
Greg Woodbury
greg@charlesstreetvideo.co

Submission deadlines
Consult website under "Opportunities"

Toronto ▸ Ontario

DEFINITELY SUPERIOR ARTIST-RUN-CENTRE+GALLERY

Wearable Art - Window Performance during Urban Infill-Art In The Core Projects, 2009. Photo: David Karasiewicz.

250 Park Ave, Suite 101
P.O.Box 21015
Thunder Bay (Ontario)
P7A 8A9
T 807-344-3814
F 807-344-3814
defsup@tbaytel.net
www.definitelysuperior.com

Tuesday to Saturday
12 h – 18 h

Gallery Director
David Karasiewicz

Development Administrator
Renee Terpstra

Community/Youth Outreach Administrator
Lora Northway

Submission deadline
Ongoing

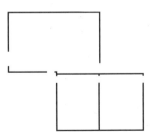

Floor area: 960 m²
Linear hanging surface: 80 m
Height: 4 m

Definitely Superior Art Gallery is Northwestern Ontario's leading edge and nationally recognized, non-profit, multidisciplinary artist-run centre for the contemporary arts. Our curatorial-centered exhibitions and activities exist to identify and encourage regional, national and international artists working in all media in order to inform and feed the regional and national arts expression.

Programming/Production

Our mandate extends into multidisciplinary activities such as artist workshops and lectures, artists' film and video screenings, media arts installations, off-site public artworks and interventions, performance art, interdisciplinary art, contemporary dance, experimental sound/audio, music, youth art mentorship and education, Die Active Youth Art Collective, literary events and book publishing (burning.books.press).

We work to provide and increase opportunities for research, production, presentation, promotion and dissemination of work by regional, national and international artists, and the payment of professional artist fees. Annually, the gallery presents up to 50 exhibitions, events and activities, both on- and off-site, supporting over 750 multi-disciplinary artists with an audience of 20,000. N-Gage Art!

Centre d'artistes autogéré multidisciplinaire sans but lucratif du Nord Ouest de l'Ontario, Definitely Superior est reconnu à l'échelle pancanadienne dans le milieu des arts contemporains. Les expositions et activités organisées visent à faire connaître et à appuyer les artistes locaux, nationaux et internationaux de toutes pratiques afin de stimuler l'expression artistique.

Programmation

Le centre présente ateliers et conférences, projections de films et vidéos d'artistes, installations d'art médiatique, œuvres publiques et interventions hors site, performances artistiques, arts interdisciplinaires, danse contemporaine, œuvres sonores expérimentales et musique. Il offre aux jeunes des activités de formation et du mentorat, organise des évènements littéraires et édite des publications (burning.books.press), en plus d'appuyer le collectif de jeunes artistes Die Active.

Nous avons pour objectif de stimuler la recherche, la production et le rayonnement des artistes locaux, nationaux et internationaux et d'offrir une rémunération juste aux artistes professionnels. La galerie présente chaque année une cinquantaine d'expositions, d'évènements et d'activités sur place et hors site, appuyant près de 750 artistes multidisciplinaires et touchant un public de près de 20 000 personnes. L'art engagé avant tout!

ED VIDEO MEDIA ARTS CENTRE

40 Baker Street
PO Box 1629
Guelph (Ontario) N1H 6R7
T 519 836-9811
scott@edvideo.org
www.edvideo.org

Monday to Friday
10 h – 17 h

John Kilduff, *Let's Paint TV!*, 2009.
Photo: Julie René de Cotret

Ed Video exists to instigate and enable the creation and exhibition of independent media arts. We are open to the public and anyone can become a member, take workshops, rent equipment, or take part in our engaging screenings, exhibitions, and events.

Ed Video existe pour encourager et faciliter la création et l'exposition de l'art médiatique indépendant. Nous sommes ouverts au public, qui est invité à devenir membre et à utiliser nos ateliers, à louer notre équipement ou à participer à nos présentations, expositions et événements.

Services

Ed Video is part of the 'first wave' of artist-run centres (established 1976) and has been a key player in Guelph's cultural scene since then. Although video technology has radically changed, 'EDucation' has remained the focus of the centre. We offer a full range of services to our members and community. Since relocating in 2008, we have an updated space that includes an 1150 square feet gallery that hosts about 50 screenings, exhibitions, and events per year.
Activities in the gallery are a combination of Ed Video-initiated exhibits and events planned by our members.

Services

Ed Video fait partie de la première vague de centres d'artistes autogérés et joue un rôle essentiel sur la scène culturelle de Guelph depuis 1976. Malgré l'évolution technologique de la vidéo, le mandat « d'EDucation » du centre ne change pas. Depuis notre re-localisation en 2008, nos nouveaux locaux comprennent la magnifique galerie ED, de 1150 pi², où nous tenons environ 50 projections, expositions et événements par année. La programmation de la galerie Ed est composée d'expositions initiées par Ed Video et d'événements planifiés par nos membres.

Executive Director
Elizabeth Dent
liz@edvideo.org

Program Director
Scott McGovern
scott@edvideo.org

Technical Director
Angus McLellan
angus@edvideo.org

Submission deadline
Ongoing

Guelph ▸ Ontario

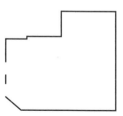

Floor area: 110 m²
Linear hanging surface: 36 m
Height: 3 m

173

THE FACTORY: HAMILTON MEDIA ARTS CENTRE

Vessna Perunovich, Innovative Media Masters: Group of
Nine, *E X I L E*, 2009. Photo: Michel Proulx

126 James Street North
Hamilton (Ontario) L8R 2K7
T 905 577-9191
F 905 525-6087
info@hamiltonmediaarts.org
www.hamiltonmediaarts.org

Monday to Friday
12 h – 16 h

Workshops
Saturday
13 h – 18 h 30

Public screening
2nd Friday of the month
19 h – 22 h

Administrative Assistant
Fiona O'Reilly
info@hamiltonmediaarts.org

Past Chair Ex-Officio
Josefa Radman
josie_radman@yahoo.ca

Board Trustee
Tony Vieira
tony@mavimusic.com

Chair
Jacqueline Norton
jnorton@hamilton.ca

Submission deadline
Ongoing

Floor area: 123 m²
Linear hanging surface: 20 m
Height: 4.4 m

The Factory is an artist-driven resource centre dedicated to the production and promotion of creatively diverse forms of independent film, video, and media art. We provide access to facilities, equipment, peer resources, and educational initiatives, as well as encourage the development and appreciation of all related art forms through ongoing programs of screenings and events.

Equipment

We rent (at reasonable rates) state-of-the-art equipment and facilities from pre- to post-production, ensuring your audio, video, or multi-media project will be of excellent quality.

Our JVC-HM100 camera, lighting kits, audio production equipment, and edit suite with Apple G5 Final Cut Pro are all available for rental. Our multi-functional space can be used as a production or projection studio, for casting, rehearsals, and workshops, or as a meeting or conference facility.

Workshops

We schedule weekly media workshops and monthly media events, including year-round screenings and media installations.

Exhibitions

The exhibition room is mostly used for projections and sculptural installations.

The Factory est un centre d'artistes autogéré dédié à la production et à la promotion de diverses œuvres indépendantes multimédia à l'aide d'un ensemble de ressources techniques et matérielles. Favorisant le mentorat, nous facilitons le développement de formes artistiques connexes par un programme de formation, de projections et de rencontres artistiques.

Équipement

Nous offrons en location (et à prix raisonnable) des équipements de pointe et des locaux de pré- et post-production, vous permettant de maintenir un haut niveau de qualité dans vos productions multimédias. Notre caméra JVC-HM100, des blocs d'éclairage, de l'équipement audio et notre salle de montage équipée d'un Apple G5 Final Cut Pro peuvent être réservés. La pièce principale de The Factory peut servir de studio de production ou de projection, de salle d'audition, de répétition ou d'atelier, ou encore comme salle de conférences et de rencontres.

Notre programmation comprend aussi des ateliers d'art médiatique hebdomadaires, ainsi que des rencontres et visionnements publics.

Expositions

La salle d'exposition est utilisée plus particulièrement pour les projections et les installations.

FADO PERFORMANCE ART CENTRE (FADO PERFORMANCE INC.)

448-401 Richmond Street West
Toronto (Ontario) M5V 3A8
T 416 822-3219
info@performanceart.ca
www.performanceart.ca

Hugh O'Donnell, *Invert Two*, 2010. Photo: Henry Chan

FADO is an artist-run centre established to provide a stable forum for creating and presenting performance art. FADO defines performance in relation to the root elements of the medium: time, space, the performer's body and the performer/audience relationship in the communication of provocative new images and new perspectives.

FADO presents 10-12 events annually showcasing Canadian and international artists, both emerging and established, within carefully considered curatorial contexts and critical perspectives, offering audiences new approaches to observing and participating in performance art events. FADO also offers workshops, artist talks, symposia and other projects that enhance understanding, encourage dialogue, and expand opportunities for performance artists. We animate and contextualize events through the commissioning of online articles and publishing books and other print projects on performance art and artists. FADO also disseminates a widely respected and informative monthly e-bulletin that contains information from the global performance art community.

FADO est un centre d'artistes autogéré fondé dans le but d'offrir une plateforme durable de création et de présentation des arts performatifs. FADO définit la performance en rapport avec les éléments fondamentaux du médium : le temps, l'espace, le corps et la relation entre l'artiste et le public dans le cadre d'un dialogue fondé sur de nouvelles images et perspectives provocatrices.

Le centre présente chaque année de 10 à 12 expositions d'artistes canadiens et internationaux, émergents et établis, à l'issue d'un examen rigoureux des propositions de commissariat et des approches critiques, proposant ainsi au public de nouvelles façons d'observer et de participer lors d'évènements artistiques performatifs.

FADO organise également des ateliers, des rencontres avec les artistes, des symposiums et d'autres activités visant à mieux comprendre les arts performatifs, ainsi qu'à favoriser le dialogue et à multiplier les occasions pour les artistes. Les activités sont organisées et contextualisées grâce à la commande d'articles en ligne et à la publication d'ouvrages et d'autres types de documents imprimés sur les arts performatifs et les artistes. FADO diffuse en outre un bulletin mensuel informatif largement reconnu portant sur la communauté internationale des arts performatifs.

Artistic and Administrative Director
Shannon Cochrane

President, Board of Directors
Berenicci Hershorn

Vice President, Board of Directors
Laura Nanni

Submission deadline
Ongoing

Toronto ▶ Ontario

THE FOREST CITY GALLERY

Dagmara Genda, *Birds*; Kristen Ivey, *Sanguinary Highway*, 2009. Photo: Conan Masterson

258 Richmond Street
London (Ontatio) N6B 2H7
T 519 434-5875
forestcitygallery@gmail.com
www.forestcitygallery.ca

Tuesday to Saturday
12 h – 17 h

Submission deadline
Ongoing

Floor area: 96.31 m²
Linear hanging surface: 42.15 m
Height: 8 m

Established in 1973, the Forest City Gallery is one of Canada's first artist-run centres. As the only such centre in the London region, we host a variety of exhibitions, talks and events. While artists working in all media are encouraged to apply, FCG primarily presents the work of emerging artists.

Special Events

FCG is home to the Nihilist Spasm Band, Canada's oldest noise band, which jams every Monday evening in the gallery space. FCG hosts a variety of independent music events annually and accepts submissions from organizations and collectives wishing to use the space for special events.

General Store

The store at the entrance of the Gallery sells contemporary art magazines, artist-made t-shirts, zines, and the work of multiples artists.

Gallery Space

The Gallery space is wheelchair accessible, contains a moveable wall, two data/video projectors, 18 electrical outlets and a speaker system.

Créée en 1973, la Forest City Gallery (FCG) est l'un des premiers centres d'artistes autogérés du Canada. Seul centre du genre dans la région de London, la galerie organise des expositions, des discussions et des activités variées et invite les artistes de toutes disciplines, plus particulièrement les artistes de la relève, à soumettre leur candidature.

Activités spéciales

La FCG est l'hôte du Nihilist Spasm Band, le plus vieux groupe de noise canadien, qui se produit tous les lundis soir à la galerie. Le centre organise chaque année une foule d'événements musicaux indépendants et accepte les propositions d'organismes et de collectifs qui souhaitent utiliser son espace pour des activités ponctuelles.

Magasin général

Des revues d'art contemporain, des t-shirts réalisés par des artistes, des fanzines et les œuvres de nombreux artistes sont en vente à la boutique de la galerie.

Galerie

La galerie est accessible aux fauteuils roulants. Elle est dotée d'un mur amovible, de deux projecteurs de données et vidéo, de 18 prises de courant et de haut-parleurs.

C.P. 242 succursale B
Sudbury (Ontario) P3E 4N1
T 705 673-4927 ou
1 877 358-6615
F 705 673-4927
info@gn-o.org
www.gn-o.org

mardi au samedi
12 h – 17 h

Galerie du Nouvel-Ontario. Photo : Nicole Poulin

La Galerie du Nouvel-Ontario (GNO) réunit les artistes visuels francophones œuvrant en art actuel en Ontario. Elle se veut à l'écoute de ses membres dans le but de favoriser les échanges, d'appuyer le développement du milieu des arts visuels et de stimuler les différentes formes d'expression en art actuel. Son mandat artistique s'inscrit dans la promotion et la diffusion de l'art contemporain à caractère expérimental.

Les principales activités de la GNO consistent en la présentation d'expositions d'art actuel dans ses locaux à Sudbury et dans la mise en œuvre de projets hors murs qui encouragent les échanges, la recherche et la création de nouvelles œuvres.

Foire d'art alternatif de Sudbury (FAAS)

Biennale d'art interdisciplinaire ayant lieu dans des espaces publics, elle comprend la participation d'artistes, de centres d'artistes et de galeries du Canada et du Québec.

La GNO propose aussi annuellement trois activités artistiques d'animation à portée grand public qui encouragent, encore une fois, les échanges ainsi que la participation d'un plus grand nombre d'artistes.

Autres services

Centre de documentation
Location d'équipement

La Galerie du Nouvel-Ontario (GNO) is an organization that assembles French-speaking visual artists involved in contemporary art in Ontario. It strives to be responsive to its members in order to promote exchanges, to support the development of the visual arts environment and to stimulate different forms of expression in contemporary arts. Its artistic mandate is centred on promoting and presenting contemporary art of an experimental nature.

The GNO's principal activities are the presentation of contemporary art exhibitions in its premises in Sudbury and the implementation of off-site projects that foster exchanges, research and the creation of new works.

Fair of Alternative Art in Sudbury (FAAS)

A biennial of interdisciplinary art taking place in public spaces. It includes the participation of artists, artist-run centres and galleries from Canada and Québec.

The GNO also presents three annual awareness activities aimed at a broader public, once again to encourage exchanges as well as the participation of a greater number of artists.

Other services

*Documentation centre
Equipment rental*

Directrice
Danielle Tremblay

Adjointe à la direction
Nicole Poulin

Appel de dossiers
30 juin

Sudbury ▲ Ontario

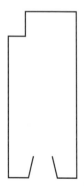

Superficie : 46,07 m²
Hauteur : 3,05 m

GALLERY 101. GALERIE 101 – ARTISTS' CENTRE D'ARTISTES INC.

Fred Laforge, *Exhibition " ( )7 "*, 2008.
Photo: David Barbour.

301 ½ Bank Street – Unit 1
Ottawa (Ontario) K2P 1X7
T 613 230-2799
info@gallery101.org
www.gallery101.org

Tuesday to Saturday
10 h - 17 h

Director/Curator
Leanne L'Hirondelle

Administrative Assistant
Maxime Huneault

Submission deadline
April 15

As a multidisciplinary artist-run centre, Gallery 101 is committed to the professional presentation, dissemination and promotion of contemporary visual art from a diverse range of backgrounds and aesthetics.

Exhibitions

We offer exhibition opportunities to artists in solo or group shows. There are volunteer opportunities available to gain knowledge of the gallery's activities and to have a role in the local and broader community, as well as various office and organization areas such as archiving, installation and clerical duties. Local artists can be involved in the decision-making process of the gallery as board members and voting members at the annual general meeting. Other educational and dissemination components of our activities include artist talks, lectures, publications, critical texts and presentations. Gallery rental is offered to artists, members, and various non-profit groups.

Centre d'artistes multidisciplinaires autogéré, la Galerie 101 se voue à la présentation, au rayonnement et à la promotion des arts visuels contemporains de diverses pratiques et esthétiques.

Expositions

La galerie organise des expositions individuelles et collectives. Elle offre également des possibilités de bénévolat aux personnes qui souhaitent se familiariser avec les activités du centre, s'impliquer dans la communauté locale, participer aux tâches administratives ou d'organisation de la galerie, notamment à l'archivage, au montage des expositions et au travail de bureau.

Les artistes locaux sont invités à participer au processus décisionnel à titre de membres du conseil d'administration et de membres votants à l'assemblée générale annuelle.

Parmi les autres activités éducatives et de diffusion de la galerie, citons des rencontres avec des artistes, des conférences, diverses publications, par exemple de textes critiques, et des présentations. La galerie est offerte en location aux artistes, aux membres et à différentes organisations sans but lucratif.

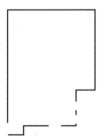

Floor area: 72 m²
Linear hanging surface: 27 m
Height: 3.6 m

1313 Queen St. West
Toronto (Ontario) M6K 1L8
T 416 536-6778
F 416 536-6778
director@g1313.org
www.g1313.org

Wednesday to Sunday
13 h – 18 h

Pat Rice paintings, *Above series*; Paul Brandejs, *TORONTO sculptural painting*; Nicole Stoffman , - *Torontopia - Postcard series installation*; *The Toronto/ Toronto Show*, 2008

Gallery 1313 is an artist-run centre exhibiting local, national and international contemporary art. Gallery 1313 engages the public with contemporary art exhibitions and cultural events through community outreach. It supports emerging artists' professional development and career-building opportunities, offers members a welcoming space to connect with colleagues, develop their practice, and contribute to the operations of the gallery.

Mission

To promote creativity, learning and growth in the careers of artists, and to inspire passion and appreciation of arts and culture in the public.

Exhibition Space

The gallery's four unique exhibition spaces house over 70 exhibitions and many cultural events each year.

La Galerie 1313 est un centre géré par des artistes, qui présente des expositions d'art contemporain local, national et international. Avec la participation de la communauté, la Galerie 1313 invite le public à découvrir l'art contemporain et à participer à de nombreux événements culturels. Elle encourage les artistes émergents, en leur apportant son soutien dans leur développement professionnel et en leur donnant des occasions de faire carrière. La galerie offre à ses membres un espace chaleureux où ils peuvent rencontrer d'autres collègues et artistes, développer leurs talents et contribuer au fonctionnement de la galerie.

La mission

Promouvoir la créativité et l'épanouissement professionnel des artistes pour les aider dans leur carrière. Inspirer la passion et l'appréciation des arts et de la culture chez le public.

L'espace d'exposition

Les quatre espaces de la galerie reçoivent plus de soixante-dix expositions et plusieurs événements culturels chaque année.

Director
Phil Anderson

Submission deadline
Ongoing

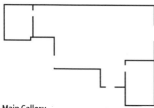

Main Gallery
Floor area: 120 m²
Linear hanging surface: 41 m
Height: 4.23 m
Process Gallery
Floor area: 10 m²
Linear hanging surface: 10 m
Height: 4.23 m
Cell Gallery
Floor area: 10 m²
Linear hanging surface: 11 m
Height: 4.23 m
Window Box Gallery
Dimensions: 0,19 x 0,46 x 0,19 m

Toronto ▲ Ontario

GALLERY 44, CENTRE FOR CONTEMPORARY PHOTOGRAPHY

Gallery 44's fully equipped shooting studio

401 Richmond St West, # 120
Toronto (Ontario) M5V 3A8
T 416 979-3941
F 416 979-1695
info@gallery44.org
www.gallery44.org

Tuesday to Saturday
11 h -17 h

Director
Lise Beaudry
lise@gallery44.org

Exhibition Coordinator
Alice Dixon
alice@gallery44.org

Facilities/Membership Coordinator
Stuart Sakai
stu@gallery44.org

Education Coordinator
soJin Chun
sojin@gallery44.org

Submission deadlines
September 30
PROOF – November 1

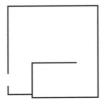

Floor Area: 84 m²
Linear hanging surface: 30.85 m
Height: 4.05 m

Known for its support of artistic innovation, artists' careers and collectivity, Gallery 44 Centre for Contemporary Photography is committed to the advancement of photographic art. Founded in 1979 to establish a creative, supportive environment in which photography could flourish, over the past thirty years Gallery 44 has expanded the understanding, appreciation and production of photography as an artistic medium.

Exhibitions

We encourage exhibition proposals from artists and curators who are innovative in their use of photography and approach to subject matter.

Education

We offer photography workshops for artists, students and youth, as well as gallery tours and artist talks.

Facilities

Gallery 44 maintains affordable production facilities and equipment responding to changing issues in photography and its modes of production.

Publications

Gallery 44 contributes to the dialogue on contemporary photography through its major publications and exhibition catalogues.

La Gallery 44 Centre for Contemporary Photography est vouée à l'avancement de l'art photographique. Fondée en 1979 en vue de créer un environnement favorable au rayonnement de la photographie, la Gallery 44 contribue depuis une trentaine d'années à la compréhension et à la reconnaissance de la photo comme moyen d'expression artistique, en plus de soutenir la production dans ce domaine.

Formation

Le centre offre des ateliers de photographie aux artistes, aux étudiants et aux jeunes, en plus d'organiser des visites guidées et des rencontres avec des artistes.

Installations

La Gallery 44 possède des installations et de l'équipement de production accessibles à coût abordable et adaptés à l'évolution de l'art photographique et de ses modes de production.

Publications

La Gallery 44 participe au dialogue sur la photographie contemporaine grâce à la publication d'importants ouvrages et de catalogues d'exposition.

HAMILTON ARTISTS INC.

161 James St North Hamilton (Ontario) L8L 4K6	Mailing address P.O. Box 37047 Jamesville RPO Hamilton (Ontario) L8R 3P1 T 905 529 3355 inc@hamiltonartistsinc.on.ca www.hamiltonartistsinc.on.ca	Tuesday to Friday 12 h – 16 h Saturday 12 h – 17 h

Massimo Grimaldi, installation in collaboration with the
AGH Series TURN ON: Contemporary Italian Art, 2009.
Photo: Irene Loughlin

Founded in 1975, Hamilton Artists Inc. acts as an incubator for contemporary visual aesthetics and ideas in all visual arts disciplines, by providing a venue of presentation and support for the work of emerging, mid-career and established artists. Hamilton is a culturally diverse city navigating the shifting dynamics of global change within a historically industrial economy. We aim to promote and contribute to Hamilton's evolving cultural voice by situating our artists and audience within relevant regional, national and international discourses.

Exhibitions

Programming for the gallery is planned two to three years in advance through an annual call for submissions for artists, curators and special projects. As of 2011, the gallery will consist of a main exhibition space, an adjunct members' gallery and an outdoor courtyard.

Publications

Each exhibition is accompanied by a full colour brochure and essay by the curator, programming director, or commissioned writer.

Fondé en 1975, Hamilton Artists inc. se veut un lieu de réflexion sur l'esthétique et les concepts de l'art contemporain, toutes disciplines confondues, en offrant diffusion et soutien aux artistes émergents, à mi-carrière et établis. Hamilton est une ville culturellement diversifiée fondée sur une économie historiquement industrielle qui évolue au rythme des changements de la dynamique mondiale. Notre rôle consiste à faire rayonner la culture en pleine évolution de notre ville en donnant une voix à nos artistes et à notre public sur la scène régionale, nationale et internationale.

Expositions

La programmation de la galerie est déterminée deux à trois ans à l'avance à l'issue d'appels de dossiers annuels provenant d'artistes, de commissaires et comprenant des projets spéciaux. À compter de 2011, la galerie se composera d'une salle principale, d'une galerie connexe destinée aux membres et d'une cour extérieure.

Publications

Chaque exposition est accompagnée d'une brochure en couleur comprenant un essai rédigé par le commissaire de l'exposition, le directeur de la programmation ou un intervenant extérieur.

Programming Director
Irene Loughlin

Submission deadline
August 1

Gallery space
The gallery will consist of a main exhibition space, an adjunct member's gallery, and an outdoor courtyard. Please consult our website

INDEPENDENT FILMMAKERS CO-OPERATIVE OF OTTAWA INC. (IFCO)

Membership coordinator – Tasha Waldrun.
Photo : Patrice James

Executive Director
Patrice James
director@ifco.ca

Technical Director
Roger Wilson
tech@ifco.ca

Membership Coordinator
Tasha Waldron
admin@ifco.ca

2 Daly Avenue
Ottawa (Ontario) K1N 6E2
T 613 569-1789
F 613 564-7728
director@ifco.ca
www.ifco.ca

Monday to Friday
10 h – 14 h

The Independent Filmmakers Co-operative of Ottawa Inc. (IFCO) is a centre for artists who express themselves using the medium of film.

Services

IFCO offers a complete and varied range of filmmaking resources for both emerging and more experienced filmmakers. Services are provided on a cooperative basis.

Equipment

IFCO has seventeen cameras, three complete sound kits, four lighting kits, five editing benches, a full studio, an Oxberry 16/35 animation stand, and an optical printer.

Training Programs

IFCO provides access to training programs (both introductory and advanced), film production equipment rentals, screening opportunities, production challenge programs, on-site facilities, production grants (for both emerging and senior-level artists), visiting artist programs, and more.

Other Services

IFCO also provides a weekly e-bulletin, a blog (Sprockets), and a comprehensive website.

L'Independent Filmmakers Co-operative of Ottawa (IFCO) est un centre destiné aux artistes qui privilégient la création de films comme moyen d'expression.

Services

L'IFCO offre aux cinéastes émergents et à ceux qui sont plus expérimentés une gamme complète et variée de ressources en création cinématographique. Les services sont offerts sur une base coopérative.

Équipement

L'IFCO dispose de 17 caméras, trois ensembles de sonorisation, quatre ensembles d'éclairage, cinq tables de montage, un studio complet, un banc d'animation Oxberry 16/35 et une imprimante optique.

Programmes de formation

L'IFCO offre des programmes de formation (de niveau débutant et avancé), la location d'équipement de production cinématographique, des occasions de visionnement, des projets spéciaux de production, de l'équipement sur place, des bourses de production (à l'intention des artistes émergents et établis), des programmes de résidence et bien plus encore.

Autres services

L'IFCO publie un bulletin électronique hebdomadaire et tient à jour un blogue (Sprockets) ainsi qu'un site Internet complet.

LE LABORATOIRE D'ART (LE LABO)

Quartier de la Distillerie
55, rue Mill
Édifice Cannery #58
Studio 317
Toronto (Ontario) M5A 3C4
T 416 861-1853
info@lelabo.ca
www.lelabo.ca

lundi au jeudi
10 h – 18 h
ou sur rendez-vous

Ryan Stec et Jan Pienowski, *Baignade/Swim*, 2008, dans le cadre de Scotiabank Nuit Blanche, 2008. Photo : Ryan Stec

Le Labo est un centre d'artistes francophone spécialisé dans les arts médiatiques et intégrés qui s'intéresse à la recherche et à l'expérimentation dans les arts médiatiques, les nouveaux médias et les pratiques interdisciplinaires. Il encourage le travail d'artistes francophones ontariens, canadiens et de l'étranger en privilégiant les artistes émergents et à mi-carrière. Le Labo se veut un lieu de recherche, de production, d'innovation, de formation, de collaboration et de diffusion. En plus de donner accès à un lieu d'incubation concret et à un équipement professionnel, il offre des résidences, des expositions/installations, des ateliers et conférences, ainsi que des rencontres et des partenariats.

Le Labo focuses on research and experimentation in media arts, new media and interdisciplinary projects. It supports the work of emerging francophone artists from Ontario, Canada, and abroad.
Le Labo encourages research, production, innovation and experimentation, education, collaboration and dissemination. In addition to providing access to a media production studio space with professional state-of-the-art technology. Le Labo's annual programming includes residencies, exhibitions (including installations), workshops, conferences, artist talks, and other professional and artistic partnerships.

Directeur
Igor Deschamps
direction@lelabo.ca

Appel de dossiers
Consulter le site Internet

183

LIAISON OF INDEPENDENT FILMMAKERS OF TORONTO (LIFT)

Bolex. Photo: Martina Hwang, 2009

1137 Dupont Street
Toronto (Ontario) M6H 2A3
T 416 588-6444
office@lift.on.ca
www.lift.on.ca

Monday to Friday
10 h – 18 h

24 Hour access for
producing members

Toronto ▶ Ontario

Executive Director
Ben Donoghue
director@lift.on.ca

Membership and Volunteer Coordinator
Renata Mohamed
membership@lift.on.ca

Liaison of Independent Filmmakers of Toronto is a member-based artist-run centre providing affordable access to film/video production, exhibition/installation equipment, post-production facilities and comprehensive education programs on all aspects of filmmaking. Since 1981, LIFT has provided services to a local, national and international community of artists to help realise their projects.

Resources and training available at LIFT cover the full range of Regular 8mm, Super 8mm, 16mm, Super 16mm and 35mm film along with HD video. Additionally LIFT's international residencies, artist talks, exhibitions, screenings, commissioning and production support programs provide support and a vibrant community for artists working with time-based media.

Film and Video Equipment and Facilities

Rentals include numerous animation stands, optical printers, editing suites, a wet darkroom, a digital classroom in addition to a wide range of mobile film and video equipment.

Other services

Over 150 courses and workshops per year
Diverse community education projects
Commissioning programs
Production grants for member productions
Residency programs
Numerous screenings and exhibitions

Liaison of Independent Filmmakers of Toronto (LIFT) est un centre d'artistes autogéré offrant à ses membres l'accès à du matériel de production et de diffusion, des installations de postproduction et des programmes de formation complets en création vidéo et cinématographique. Depuis 1981, LIFT appuie la réalisation de projets d'artistes locaux, nationaux et internationaux.

Les ressources et formations offertes couvrent les formats 8 mm, super 8, 16 mm, super 16, 35 mm et vidéo HD. De plus, grâce à un programme de résidence international, des rencontres avec des artistes, des expositions, des visionnements, la commande d'œuvres et un programme de soutien à la production, LIFT contribue au dynamisme de la communauté des arts médiatiques.

Les installations vidéo et cinématographiques en location comprennent des bancs-titres, des imprimantes optiques, des tables de montage, une chambre noire, une salle de classe numérique ainsi qu'un large éventail d'équipement mobile.

Autres services

*Plus de 150 cours et ateliers chaque année
Initiatives d'éducation communautaire
Commandes d'œuvres
Bourses de création pour les membres
Programmes de résidence
Séances de projection et expositions*

1286 Bloor Street West
Toronto (Ontario) M6H 1N9
T 416 536-1519
F 416 536-2955
info@mercerunion.org
www.mercerunion.org

Tuesday to Saturday
11 h – 18 h

Erin Thurlow, *Northern nights*. Wood, paint, fluorescent lights. Installation, 2010. Photo: Mercer Union

Mercer Union, A Centre for Contemporary Art provides a forum for the production and exhibition of Canadian and international conceptually and aesthetically engaging art and related cultural practices. We pursue our primary concerns through critical activities that include exhibitions, lectures, screenings, performances, publications, events and special projects.

Established in 1979, Mercer Union began as an artist-run centre believing in alternative art production and presentation. We support the professional development of artists in both formative and established stages of their careers, and provide a place to stimulate discussions between national and international artists. One of our main objectives is to support the creation and development of new and site-specific work, often premiering international artists' work alongside that of local artists.

Membership benefits include free admission to most public art galleries in Ontario, receiving communications for upcoming programming, discounts on admission to Mercer Union-sponsored events, 20% off Mercer Union publications, and participation in Mercer Union member exhibitions.

Mercer Union, centre d'art contemporain, est un forum voué à la production et à l'exposition d'art et de pratiques connexes témoignant d'un engagement conceptuel et esthétique. Le centre accueille des artistes du Canada et de l'étranger. Mercer Union poursuit son mandat en proposant des activités telles que des expositions, conférences, projections, performances, publications, événements et projets spéciaux.

Établi en 1979, Mercer Union a été fondé en tant que centre d'artistes autogéré dans l'esprit de la production et de la diffusion parallèles. Mercer Union soutient le développement des artistes à toute étape de carrière, en stimulant la communication entre les artistes nationaux et internationaux. Nos principaux objectifs sont le soutien à la création et au développement d'œuvres d'installation in-situ, ainsi que l'introduction de nouvelles œuvres internationales dans le contexte de la production locale.

Director of Exhibitions and Publications
Sarah Robayo Sheridan
sarah@mercerunion.org

Director of Operations and Development
York Lethbridge
york@mercerunion.org

Submission deadlines
Front Gallery, Back Gallery
March 1 / October 1
Platform
(Music, Performance, Time-based Practices)
Ongoing

Front Gallery
Floor area: 84 m²
Linear hanging surface: 33 m
Height: 4.2 m
Back Gallery
Floor area: 43 m²
Linear hanging surface: 23 m
Height: 4.2 m

Toronto ▲ Ontario

MODERN FUEL ARTIST-RUN CENTRE

(L- R) June Pak; Melanie MacDonald; Leigh Mayoh;
Kathleen Ritter, James Maxwell. *One-Dimensional Space.*
Photo: Bill Weedmark.

21 Queen Street
Kingston (Ontario) K7K 1A1
T 613-548-4883
modernfuel@bellnet.ca
www.modernfuel.org

Tuesday to Saturday
12 h –17 h

Artistic Director
Michael Davidge
modernfuel@bellnet.ca

Administrative Director
Bronwyn McLean
modernfuel@bellnet.ca

Submission deadline
May 1

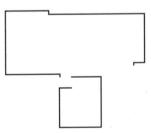

Main Gallery
Floor area: 249 m²
Linear hanging surface: 35.36 m
Height: 3.048 m
Members' Gallery
Floor area: 58.5 m²
Linear hanging surface: 16.76 m
Height: 3.048 m

Modern Fuel is a not-for-profit artist-run centre that supports innovation and experimentation in contemporary art. Since 1977, we have been showcasing provocative work by emerging and mid-career Canadian artists from diverse cultural communities.

Galleries

Modern Fuel's two gallery spaces, the Main Gallery and a members' gallery, present work that reflects the diversity of contemporary art practice in Canada and the Kingston region.

Art-in-the-Streets

Modern Fuel holds frequent workshops, concerts, performances, screenings, talks, and community events both in its gallery space and off-site.

New Media Workspace

Modern Fuel's New Media Workspace provides artists and community organizations with video production and post-production support and services available to members at accessible rates, encouraging the growth of the New Media Arts community in the Kingston region.

Equipment

The Workspace has a full complement of production/post-production equipment including HD cameras and professional editing suites. We also carry a range of camera, audio and lighting accessories.

Modern Fuel est un centre d'artistes sans but lucratif appuyant l'innovation et l'expérimentation en art contemporain. Depuis 1977, il présente les œuvres provocatrices d'artistes canadiens émergents et à mi-carrière issus de diverses communautés culturelles.

Galeries

Modern Fuel dispose de deux espaces – la galerie principale et celle des membres – où sont présentés des travaux reflétant la diversité des pratiques artistiques au Canada et dans la région de Kingston.

Les arts dans la rue

Modern Fuel organise régulièrement des ateliers, concerts, performances, projections, conférences et des activités communautaires, en galerie comme hors site.

Laboratoire de nouveaux médias

Équipé d'un laboratoire de nouveaux médias, le centre offre aux artistes et aux organismes communautaires du soutien ainsi que des services de production et de postproduction à prix raisonnable.

Équipement

Le studio dispose d'une gamme complète de matériel de production et de postproduction, dont des caméras HD et des tables de montage professionnelles, ainsi que de tout un éventail d'accessoires pour caméra, audio et d'éclairage.

354 St. Paul Street East
St. Catherines (Ontario)
L2R 3N2
T 905-641-0331
F 905-641-4970
artists@nac.org
www.nac.org

Wednesday to Friday
10 h to 17 h

Saturday
12 h to 16 h

Seth and NAC Members, *Dominion and The Wine King*, 2009. Photo: Ernest Harris Jr.

NAC is one of the oldest and most respected artist-run centres in Canada. Established in 1969, NAC is committed to distinguishing Niagara through the contemporary visual arts.

Membership

NAC's membership includes both artists and art supporters. Artists are offered subsidized use of equipment and facilities as well as use of the Dennis Tourbin Members Gallery.

Production & Editing Facilities

Members have access to digital video and 16mm film production equipment and facilities.

Workshops

NAC offers workshops for the professional development of artist members.

Programming

NAC has a reputation for eclectic programming embracing wit and satire and often involving collective activity. Artists showing in our Show Room Gallery receive artist fees above CARFAC rates and travel and transportation costs. We offer use of presentation equipment including flat-screen monitors, high def projectors, and various playback devices. Programming in the Show Room is also supported with NAC produced publications and fee-honoured artist talks.

Le Niagara Artists Centre (NAC) est l'un des centres d'artistes autogérés les plus anciens et respectés du Canada. Fondé en 1969, le NAC s'est donné pour mission de faire rayonner la région de Niagara au moyen des arts visuels contemporains.

Adhésion

Les membres du NAC sont des artistes et des amateurs d'art. Les artistes membres bénéficient d'un accès subventionné à l'équipement et aux installations du centre, ainsi qu'à la Dennis Tourbin Members Gallery.

Production et montage

Les membres ont accès à de l'équipement et à des installations de production vidéonumérique et 16 mm.

Programmation

Le NAC est réputé pour sa programmation éclectique faisant une place à l'humour et à la satire, souvent le fruit d'une démarche de collaboration. Les artistes qui exposent à la Show Room Gallery reçoivent un cachet supérieur aux tarifs du CARFAC ainsi que des indemnités de déplacement et de transport. Le centre dispose d'équipement de présentation varié, notamment d'écrans plats, de projecteurs haute définition et de différents types de lecteurs. La programmation de la Show Room Gallery est notamment financée grâce à la vente de publications et à l'organisation de conférences d'artistes.

Minister of Energy, Minds and Resources
Stephen Remus

Disco/Biblio Maniac
Natasha Pedros

The Maven Of Making It Happen
Annie Wilson

Submission deadlines
Spring and Fall

St. Catherines ▶ Ontario

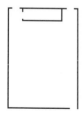

Floor area: 122.2 m²
Linear hanging surface: 43 m
Height: 3.5 m to ceiling, 3.3 m to beam

OPEN STUDIO

Open Studio's Intaglio/Relief area, Screenprinting area and
Lithography area. Photos: Kate Tarini

401 Richmond Street West
Suite 104
Toronto (Ontario) M5V 3A8
T/F 416 504-8238
office@openstudio.on.ca
www.openstudio.on.ca

Office
Monday to Friday
10 h -17 h

Gallery
Tuesday to Saturday
12 h -17 h

Print Sales
Tuesday to Friday
10 h – 17 h
Saturday
12 h – 17 h
or by appointment

Executive Director
Heather Webb
heather@openstudio.on.ca

Submission deadlines
Exhibitions
September 15 & January 30
Visiting Artist and Guest Renter Residencies
September 15
Scholarships
May 1
Open Studio National Printmaking Awards
check website in December

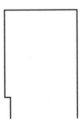

Floor area: 23.95 m²
Hanging surface: 111.25 m
Height: 3.96 m

Open Studio is dedicated to the production, preservation and promotion of contemporary printmaking.

Studio Facilities

Comprehensive production facilities for relief, intaglio, screenprinting and lithography (including photo-based processes).

Visiting Artist Residencies & Guest Renter Program

Visiting Artist residencies allow artists to develop a new print-based body of work in our facilities (printmaking experience not necessary) followed by a two-person exhibition (travel/accommodation not included). We also accept Guest Renter applications from printmakers outside of Toronto, who are responsible for travel/accommodation expenses and materials/supplies.

Scholarships

We award three scholarships annually, including rent-free access to the studio for one year; materials allowance; professional development assistance; free access to workshops; culminating in an exhibition and artist talk with CARFAC fees.

Exhibitions

8 to 10 annually, CARFAC fees are paid.

Education: Three sessions yearly.

Custom printing services for artists.

Open Studio se consacre à la production, à la préservation et à la promotion de l'estampe contemporaine.

Nous avons de l'équipement pour produire la gravure en relief, la taille-douce, la sérigraphie et la lithographie (incluant les procédés d'estampe photographique).

Les résidences permettent de créer une œuvre (l'expérience en estampe n'est pas nécessaire), que nous exposerons à raison de deux œuvres d'artistes différents par exposition (frais de déplacement et hébergement non compris). Nous acceptons aussi les demandes de location d'artistes en estampe résidant à l'extérieur de Toronto. Les coûts de leurs voyages, de leur hébergement et du matériel sont à leur charge.

Nous décernons trois bourses par année qui comprennent : l'accès aux ateliers sans frais; une allocation pour le matériel; de l'aide au développement professionnel; l'accès aux programmes de formation; la présentation et l'exposition des œuvres avec paiement des droits.

Notre galerie présente de 8 à 10 expositions par année dont les artistes reçoivent des droits.

Nous proposons trois sessions de formation par année.

Nous offrons des services d'impression personnalisée aux artistes.

984 Queen Street West
Toronto (Ontario) M6J 1H1
T 416 504-7142
gallery@propellerctr.com
www.propellerctr.com

Wednesday to Saturday
12 h – 18 h

Sunday
12 – 17 h

Exterior of Gallery, Photo: Keijo Tapanainen, 2008.

Propeller Center for the Visual Arts is a non-profit organisation established to give visual artists curatorial and commercial control over their creations. The centre's mandate is to provide a professional venue for exhibits along with technical support and promotional resources. As a visual arts collective, Propeller is membership-based, providing emerging and mid-career artists the opportunity to rent the gallery space for exhibition. Propeller accepts members from Toronto and throughout Canada. We also accept proposals for exhibitions from outside the membership.

Le Propeller Center for the Visual Arts est un organisme sans but lucratif créé par des artistes désireux de contrôler eux-mêmes le commissariat et le commerce de leurs œuvres. Le centre s'est donné pour mission d'offrir aux artistes un lieu d'exposition professionnel ainsi qu'un soutien technique et promotionnel. Collectif en arts visuels fonctionnant comme une association, le Propeller Center offre aux artistes émergents et à mi-carrière la possibilité de louer l'espace pour exposer. Le centre accepte des membres de Toronto et de partout au Canada. Être membre n'est pas obligatoire pour présenter des projets d'exposition.

Main Gallery
Floor area: 66 m²
Linear hanging surface: 399 m
Height: 3.35 m
North Gallery
Floor area: 30.65 m²
Linear hanging surface: 280 m
Height: 3.35 m

Toronto ▶ Ontario

SOUTH ASIAN VISUAL ARTS CENTRE (SAVAC)

SOUTH
ASIAN
VISUAL
ARTS
CENTRE

450-401 Richmond Street West
Toronto (Ontario) M5V 3A8
T 416 542.1661
info@savac.net
www.savac.net

Monday to Friday
10 h 30 - 17 h 30

Executive Director
Haema Sivanesan
haema@savac.net

Programming Co-ordinator
Srimoyee Mitra
srimoyee@savac.net

Toronto ▶ Ontario

Since 1993, South Asian Visual Arts Centre (SAVAC) has been dedicated to the presentation and promotion of contemporary visual art by artists of South Asian backgrounds. SAVAC presents innovative programming which critically explores issues and ideas shaping South Asian identities and experiences. SAVAC operates without a gallery space, and typically in collaboration with various organizations locally, nationally, and internationally to produce exhibitions, screenings, online projects, residencies, and artistic interventions.

SAVAC accepts curatorial and artist proposals on an ongoing basis. Please visit our website for details about programs and call for submissions.

Depuis 1993, le SAVAC présente les œuvres d'artistes visuels contemporains d'origine asiatique et favorise leur rayonnement. Il offre une programmation novatrice portant un regard critique sur les enjeux et les idées constituant le fondement de l'identité et de l'expérience asiatiques. Le centre ne possède pas sa propre galerie, mais travaille en collaboration avec divers organismes locaux, nationaux et internationaux afin de présenter des expositions, des projections, des projets en ligne et des interventions artistiques en plus d'offrir des résidences.

Le SAVAC accepte les propositions de commissaires et d'artistes en tout temps. Pour obtenir de plus amples renseignements sur la programmation et les appels de dossiers, visitez notre site Web.

GALERIE SAW GALLERY

67, rue Nicholas
Ottawa (Ontario) K1N 7B6
T 613 236-6181
F 613 238-4617
sawgallery@artengine.ca
www.galeriesawgallery.com

mardi au samedi
11 h – 18 h

Déversement accidentel : La nouvelle peinture en Ontario / Oil Spill: New Painting in Ontario. Photo David Barbour

Galerie SAW Gallery, fondée en 1973, est axé sur la diffusion et le développement communautaire.

Le programmation de SAW dénote un certain goût pour la prise de risques, en présentant les œuvres de nombreux artistes qui ne sont pas toujours considérés par les autres institutions artistiques canadiennes.

Formé de la galerie SAW, du Club SAW et de la cour extérieure, le centre constitue le lieu idéal pour présenter des performances, des œuvres médiatiques et de nouvelles pratiques artistiques.

La Galerie SAW Gallery appui les artistes canadiens et internationaux, jeunes et chevronnés, provenant de milieux culturels divers; elle présente un programme d'art contemporain axé sur la performance et les arts médiatiques canadiens, soutenu par du matériel didactique bilingue produit pour chaque exposition; elle s'adapte à la nature changeante des arts contemporains en assurant le maintien et le développement d'un espace de présentation interdisciplinaire; elle collabore avec d'autres organismes artistiques afin de multiplier les perspectives d'avenir pour les artistes et d'atteindre de nouveaux publics; elle subvient aux besoins de communautés diverses par des initiatives visant le développement des publics.

Galerie SAW Gallery was founded in 1973. It focuses on outreach and community development. The centre's risk-taking exhibition program presents the work of many artists who are not often considered by other Canadian art institutions.

An evolving space comprised of Galerie SAW Gallery, Club SAW and the SAW outdoor courtyard, the centre is an ideal venue for the presentation of performance, media art and new artistic practices.

Galerie SAW Gallery promotes contemporary Canadian and international artists, emerging and established, from diverse cultural backgrounds; presents a contemporary art program with a strong focus on Canadian performance and media art, with bilingual interpretative material produced for each exhibition; adapts to the changing nature of the contemporary arts by maintaining an evolving interdisciplinary presentation space; serves the needs of diverse communities through audience development initiatives; engages in collaborations with other arts organizations to increase opportunities for exhibiting artists and to reach out to new audiences.

Directrice / Director
Tam-Ca Vo-Van
sawgallery@artengine.ca

Commissaire / Curator
Stefan St-Laurent
sawprogramming@artengine.ca

Coordonnatrice du Club SAW / Club SAW Coordinator
Sarah Rainville
clubsaw@artengine.ca

Submission deadline
Ongoing

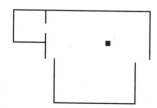

Superficie : 117 m²
Surface d'accrochage linéaire : 90,15 m
Hauteur : 3,35 m

Ottawa ▶ Ontario

SAW VIDEO: CENTRE FOR THE MEDIA ARTS

Outdoor programming, SAW Courtyard. Photo: SAW Video

Director
Penny McCann
penny@sawvideo.com

Administrative Coordinator
Erin Kelly
erin@sawvideo.com

Programmer
Mireille Bourgeois
mireille@sawvideo.com

Submission deadlines
Video Virgin Fund: 2nd Monday of January
JumpstART Mentorship Program: May 1
SAW Video Production Fund: May 1
Aboriginal Voices Fund: November 1
Cultural Equity Production Fund: November 1
Media art programming from curators and artists:
ongoing

67 Nicholas Street
Ottawa (Ontario) K1N 7B9
T 613 238-7648
F 613 238-4617
sawvideo@sawvideo.com
www.sawvideo.com

Monday to Friday
10 h – 18 h

Saturday
11 h – 17 h

SAW Video is an artist-run centre committed to supporting ground-breaking artistic production, presentation and programming of independent media art. Established in 1981, SAW Video is the largest media art centre in Eastern Ontario/West Quebec.

Membership

Membership allows media artists to access our affordable facilities and services and receive regular communications on media art news and opportunities.

Production Grants

SAW Video offers a variety of grants to video artists in all stages of their careers. Grants are a combination of equipment access, material costs and workshop subsidies.

Production & Editing Facilities

Producing members can access state-of-the-art production equipment and post-production facilities. Technical staff are on-hand to offer support.

Workshops

SAW Video offers introductory, intermediate, and advanced technical workshops taught by established professionals.

Media Art Programming

SAW Video presents a diverse cross-section of Canadian and international video artists. Curated screenings, exhibitions, artist talks and seminars explore the video medium through thought-provoking works.

Fondé en 1981, SAW Vidéo est un centre d'artistes autogéré voué au soutien de la production d'œuvres artistiques novatrices et à la présentation et programmation d'œuvres médiatiques indépendantes.

Adhésion

L'adhésion offre aux artistes des arts média-tiques l'accès à prix abordable à notre équipe-ment, nos services et bulletins de nouvelles.

Bourses de production

Nous offrons une gamme de bourses aux vidéastes à tous les stades de leur carrière pour leur donner accès aux équipements et aux ateliers et leur permettre d'acheter des matériaux.

Production et postproduction

Les membres producteurs ont accès sur place à une gamme d'équipement de production et de postproduction. Des coordonateurs techni-ques sont disponibles pour les conseiller.

Ateliers

SAW Vidéo offre différents types de formation professionnelle conçus pour les artistes des arts médiatiques.

Programmation en arts médiatiques

SAW Video présente une grande diversité d'artistes canadiens et internationaux. La programmation explore divers modes d'expression de la vidéo au moyen de visionnements, d'expositions, de rencontres d'artistes et de colloques.

Ottawa ▶ Ontario

401 Richmond Street West
Suite 309
Toronto (Ontario) M5V 3A8
T 416 703-9333
F 416 703-9986
info@reelasian.com
www.reelasian.com

The Toronto Reel Asian International Film Festival is a unique showcase of contemporary Asian cinema and work from the Asian diaspora. Works include films and videos by East and Southeast Asian artists in Canada, the U.S., Asia, and the rest of the world. The festival is Canada's premier pan-Asian international film festival, fostering the exchange of cultural and artistic ideals between east and west. It provides a public forum for homegrown Asian media artists and their work, as well as fuels the growing appreciation for Asian cinema in Canada.

Founded in 1997 by producer Anita Lee and journalist Andrew Sun, this non-profit, community-based festival has grown into an eagerly anticipated annual event that attracts thousands of attendees over six exciting days of galas, screenings, forums, workshops, and parties.

Le Festival international de films Reel Asian de Toronto est devenu au cours des années une plateforme unique pour le rayonnement du cinéma contemporain asiatique. Sa programmation comporte des films et des vidéos réalisés par des artistes d'origine asiatique établis non seulement en Asie, mais aussi au Canada, aux États-Unis et partout ailleurs.

Fondé en 1997 par la productrice Anita Lee et le journaliste Andrew Sun, Reel Asian est le premier festival canadien consacré au développement du cinéma asiatique. Il favorise notamment les échanges culturels et artistiques entre l'Orient et l'Occident. Bénéficiant d'un intérêt croissant de la part du public, ce festival contribue grandement à l'émergence des talents d'ici.

Executive Director
Sonia Sakamoto-Jog
executivedirector@reelasian.com

Artistic Director
Heather Keung
programming@reelasian.com

Submission deadline
June

Toronto ▲ Ontario

GALLERY TPW

Installation view of *Homing* from Farheen HaQ exhibition, 2008.

Executive Director
Gary Hall

Curator
Kim Simon

Gallery Coordinator
Gale Allen

Submission deadline
June 15

Floor area: 145 m²
Linear hanging surface: 70 m
Height: 3.35 m

56 Ossington Avenue
Toronto (Ontario) M6J 2Y7
T 416 645-1066
F 416 645-1681
info@gallerytpw.ca
www.gallerytpw.ca

Tuesday to Saturday
12 h – 17 h

Gallery TPW is an artist-run centre dedicated to the presentation and critical investigation of contemporary lens and screen-based art. Gallery TPW operates an exceptional exhibition space located in the heart of Toronto's West Queen West Art and Design District.

Programming

The gallery's programs address the vital role that images play in contemporary culture and explore the exchange between photography, new technologies and time-based media. Gallery TPW facilitates critical discourse through its exhibitions, screenings, live events, public discussions and commissioned critical writings.

Web Resources

Gallery TPW's website features current program information, an archive of exhibitions dating from 1976, original online programming and critical essays available in a format designed for downloading.

Submissions

Gallery TPW welcomes submission from artists and curators for gallery exhibitions and video screenings. Gallery TPW also accepts proposals for performance and events that consider the interplay between time-based media, photographic images and live mediation.

Gallery TPW est un centre d'artistes autogéré dédié à la diffusion et à l'exploration critique de l'art contemporain, de la photo et de la vidéo. La galerie dispose d'un espace exceptionnel situé en plein cœur du quartier des arts et du design de Toronto, le West Queen West.

Programmation

La galerie s'intéresse au rôle fondamental de l'image dans la culture contemporaine et explore les liens entre photographie, nouvelles technologies et arts médiatiques. Le centre alimente le discours critique grâce à des expositions, à des séances de projection, à l'organisation d'événements et de débats publics, ainsi qu'à la commande d'essais critiques.

Ressources Web

Le site Web de la galerie contient de l'information sur la programmation en cours, des archives des expositions ayant été présentées depuis 1976, du matériel exclusif en ligne et des essais critiques téléchargeables.

Soumission de dossiers

La galerie invite les artistes et les commis-saires à soumettre leurs projets d'exposition ou de projection vidéo. Le centre étudie également les projets de performance et les propositions axées sur l'interrelation entre les arts médiatiques, l'image photographique et la médiation en temps réel.

81, avenue Beechwood
Ottawa (Ontario) K1M 1L7
T 613 748-6954
voix_visuelle@hotmail.com
www.voixvisuelle.ca

mardi au samedi
11 h - 16 h

Marie-Jeanne Musiol, *La forêt radieuse*, 2009.
Photo : Jules Villemaire

Voix Visuelle est un lieu de diffusion en art actuel établi à Ottawa, qui soutient et fait connaître les pratiques des artistes francophones.

Voix Visuelle is a center for the presentation of contemporary arts in Ottawa, supporting and promoting the practices of francophone artists.

Expositions

La programmation du Centre privilégie les arts de l'image (art numérique, photo, vidéo) et les arts de l'espace (sculpture, installation) afin d'instaurer un dialogue entre les artistes, leur communauté d'appartenance et le monde élargi de l'art.

Le Centre organise à chaque automne une exposition internationale d'estampe numérique miniature.

Exhibitions

The Center's programming favours pictorial (digital artworks, photography, video) as well as spatial art forms (sculpture, installation) in order to promote dialogue between artists, their community, and the art world at large.

Each fall, the Center organises an international digital miniprint exhibition.

Formation

Le Centre offre aussi des formations ciblées pour les artistes, prenant ses expositions comme point de départ. Il facilite les présentations, les conférences et toute autre activité propre à faire avancer la compréhension des arts dans son milieu. Il soutient la découverte de jeunes artistes par des actions concertées auprès du milieu scolaire.

Education

In conjunction with its exhibitions, the Center develops targeted training activities for artists. We facilitate presentations, conferences, and other activities designed to advance the understanding of arts in our community. We support the emergence of younger artists through concerted actions in a school environment.

Réseautage

Le Centre cherche activement à former un réseau pour élargir son champ d'action, s'ouvrir aux autres communautés francophones minoritaires et encourager la circulation des œuvres et des artistes afin d'augmenter leurs chances d'être connus sur un plus grand territoire.

Networking

The Center strives to network with other organisations in order to widen its sphere of action, to open itself to other francophone minority communities, and to encourage the circulation of artworks and artists over a wider area.

Directrice
Shahla Bahrami

Appels de dossiers
En tout temps

Superficie : 17 m²
Surface d'accrochage linéaire : 16,22 m
Hauteur : 2,4 m

Ottawa ▶ Ontario

VTAPE

Vtape viewing and research stations. Photo: courtesy of Vtape

401 Richmond Street West
Suite 452
Toronto (Ontario) M5V 3A8
T 416 351-1317
F 416 351-1509
info@vtape.org
www.vtape.org

Tuesday to Friday
11 h – 17 h

Saturday
12 h – 16 h

Submissions and Outreach Coordinator
Erik Martinson
info@vtape.org

Development Director
Deirdre Logue
deirdrel@vtape.org

Distribution Director
Wanda vanderStoop
wandav@vtape.org

Submission deadline
Ongoing

Vtape distributes video art works and provides extensive information resources related to media arts. Founded in 1982, Vtape is a non-profit organization dedicated to connecting artists and audiences. We initiate collaborations with individuals, organizations, and funding agencies, and actively encourage increased awareness of Indigenous media arts production through partnerships and projects.

Collection

We make our exceptional collection accessible to a client base of over 9000 educators, curators, programmers, scholars, and diverse publics worldwide.

Training

Offering training and educational programs, Vtape provides opportunities for emergent cultural workers to gain essential experience with contemporary and historical media arts discourses and practices.

Facilities

Vtape is a unique technical facility with up-to-date equipment and experienced staff.

Distribution

Vtape is dedicated to improving the economic status of the artist. As a distributor, we insist on the just compensation of artists for the use of their work, returning 75% of all revenues earned from sales, rentals, and broadcast sales to our artists.

Fondé en 1982, Vtape diffuse des œuvres vidéographiques et offre des ressources spécialisées axées sur les arts médiatiques. Il favorise la collaboration entre les artistes, les organismes et les bailleurs de fonds et travaille activement au rayonnement de la pratique autochtone des arts médiatiques par le truchement de divers partenariats et projets.

Collection

La collection exceptionnelle de Vtape est accessible à une clientèle composée de plus de 9 000 spécialistes, conservateurs, programmateurs et chercheurs, ainsi qu'à des publics diversifiés de partout dans le monde.

Formation

Grâce à des programmes éducatifs et de formation, Vtape permet aux nouveaux agents culturels de se familiariser avec les pratiques et les discours contemporains et historiques des arts médiatiques.

Installations

Vtape offre des installations techniques uniques et de l'équipement de pointe, le tout sous la supervision d'un personnel chevronné.

Diffusion

Vtape a à cœur d'améliorer le statut économique des artistes. En tant que diffuseur, nous croyons en la juste rémunération des artistes pour l'utilisation de leur travail. C'est pourquoi nous leur remettons 75 % des recettes provenant des ventes, de la location et de la diffusion de leurs œuvres.

Toronto ▲ Ontario

401 Richmond Street West
#122
Toronto (Ontario) M5V 3A8
T 416 977-0097
F 416 977-7425
warc@warc.net
www.warc.net

Tuesday to Friday
11 h – 17 h
Saturday
12 h – 17 h

WARC is dedicated to the advancement of contemporary Canadian and Quebec womens art practice.

Exhibitions

WARC presents visual/media art exhibitions, offering opportunities for artistic excellence, that encourage experimentation, innovation and spark exchange and insight into ideas and art forms. WARC documents gallery exhibitions, using a broadcast quality video camera and digital photo camera and we offer artists a complimentary DVD for their professional portfolios.

Activites and services

WARC presents public discussions, professional development opportunities, panel discussions and conferences.

Curatorial Research Library

WARC houses a Curatorial Research Library, 25 years in the making, currently comprised of 3000 + files, including emerging and more senior artists, representative of regionally and culturally diverse communities.

Partnerships

WARC partners with Images Festival, Female Eye Film Festival, Contact Photo Festival, and Nuit Blanche Festival. Most recently, WARC partnered with IMAA, Media Arts Conference and Festival, June 2010.

La galerie CRAF (Centre de ressources des artistes femmes) se voue à l'avancement de la pratique des femmes canadiennes et québécoises en art contemporain.

Expositions

L'espace d'exposition est réservé aux arts visuels et médiatiques. Le centre encourage l'excellence en favorisant l'exploration et l'innovation tout en nourrissant le dialogue sur la théorie et la pratique des arts. Les expositions sont documentées à l'aide d'une caméra vidéo de qualité professionnelle et d'un appareil photo numérique; un DVD est remis aux artistes pour leur portfolio.

Activités et services

Le CRAF organise des discussions publiques, des débats d'experts et des conférences, en plus d'offrir des occasions de perfectionnement professionnel.

Bibliothèque des commissaires

Le centre abrite une bibliothèque de recherche destinée aux commissaires contenant plus de 3 000 fichiers sur des artistes émergents et établis représentant la diversité des communautés régionales et culturelles.

Partenariats

Le CRAF est partenaire du festival Images, du festival de film Female Eye, du festival de photographie Contact et de la Nuit blanche. Il s'est dernièrement associé à l'Alliance des arts médiatiques indépendants (AAMI) dans le cadre de la conférence annuelle de l'AAMI de juin 2010.

Co Director
Linda Abrahams

Co Director
Irene Packer

Submission deadline
March 30

Toronto ▲ Ontario

XPACE CULTURAL CENTRE

Martin Kuchar and Andrew MacDonald, *Static and Loss*,
2010. Photo: Elise Victoria Louise Windsor

58 Ossington Avenue
Toronto (Ontario) M6J 2Y7
T 416 849-2864
derek@xpace.info
www.xpace.info

Tuesday/Wednesday/
Saturday
12 h - 18 h

Thursday/Friday
12 h - 20 h

Director
Derek Liddington

Submission deadlines
Spring and Fall

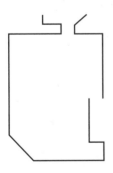

Floor area: 96 m²
Linear hanging surface: 32 m
Height: 3.65 m

XPACE is a membership-driven organization supported by the OCAD Student Union. We provide a forum for emerging contemporary artists working in visual/media arts, performance, literature, and music relevant to Toronto artists.

Main gallery

XPACE's primary space, programmed for group exhibitions, panel discussions, workshops and other events.

Basement gallery

A raw space programmed for solo exhibitions, including works-in-progress that respond to this unique environment.

Window space

Facing out on to Ossignton Avenue, our window space provides a unique opportunity for solo and collaborative installations that can be viewed around the clock.

Off-site media space

Located in OCAD's Jim Meekison Student Lounge, this screen is programmed for video and interactive artworks with an emphasis on student and emerging artists work.

Web-based projects

Online and web-based artworks hosted on our website.

Nous offrons un forum aux artistes torontois émergents travaillant dans les arts visuels, médiatiques, l'art de performance, la littérature et la musique.

Galerie principale

Espace principal de XPACE où les expositions de groupe, débats, ateliers et autres événements se tiennent.

Galerie souterraine

Espace où ont lieu les expositions individuelles et les travaux en cours qui répondent à cet environnement unique.

Espace fenêtre

Il donne sur l'avenue Ossington et fournit un lieu propice aux installations individuelles et collectives et peuvent être vues en tout temps.

Espace média externe

Situé dans le salon des étudiants Jim Meekison à l'Ontario College of Art & Design (OCAD), cet écran est programmé pour la vidéo et les œuvres interactives privilégiant les travaux d'étudiants et d'artistes débutants.

Espace Web

Projets d'art en ligne hébergés sur notre site Web.

140-401 Richmond Street West
Toronto (Ontario) M5V 3A8
T 416 598-4546
F 416 598-2282
yyz@yyzartistsoutlet.org
www.yyzartistsoutlet.org

Tuesday to Saturday
11 h – 17 h

YYZ's *New Century Motto (Words We Live By)*, Staff and Board, 2010. Photo: Marissa Neave

A site of contemporary cultural conversation, YYZ exists to give artists space and support to take risks and create freely. YYZ leads the advancement of Canadian culture through presenting and initiating critical and engaging projects.

Artist Residencies (YYreZidency)

The YYreZidency program allows artists to use the gallery as a site for experimentation while giving the public an opportunity to see the processes of art production.

Intervention Program (YYZUNLIMITED)

YYZUNLIMITED invites artists to imagine and reinvent the organization as a site of opportunity through a series of interventions, the presence of which serves as material evidence of a lasting community that is not determined by the duration or protocol of the exhibition structure at YYZ.

Exhibitions

YYZ annually hosts twelve exhibitions, alongside a number of other special programming events.

Publications

YYZBOOKS publishes a wide range of books about Canadian criticism and art history, contributing to a broad discourse on visual culture.

YYZ est un lieu de dialogue culturel contemporain dont la raison d'être est d'apporter aux artistes un soutien et un espace qui leur permettent de prendre des risques et d'expérimenter librement. YYZ favorise le développement de la culture canadienne en présentant et initiant des projets stimulants et à teneur critique.

Résidences artistiques (YYreZidency)

Le programme YyreZidency permet aux artistes de se servir de la galerie comme lieu d'expérimentation tout en offrant au public l'occasion d'assister aux processus de création artistique.

Programme d'intervention (YYZUNLIMITED)

YYZUNLIMITED invite les artistes à repenser et à réinventer l'organisme en tant que lieu d'ouverture et de possibilités au moyen d'une série d'interventions faisant la preuve du dynamisme d'une communauté qui n'est définie ni par la durée ni par les protocoles structurels des expositions à YYZ.

Exposition

Chaque année, YYZ accueille douze expositions, ainsi qu'un certain nombre de programmes spéciaux.

Édition

YYZBOOKS publie un large éventail de livres de critique et d'histoire de l'art du Canada, contribuant ainsi à un discours élargi sur la culture visuelle.

Director
Ana Barajas

Submission deadlines
Ongoing

Toronto ▶ Ontario

Y Gallery
Floor area: 77.54 m²
Linear hanging surface: 106.93 m
Height: 4.42 m
Z Gallery
Floor area: 42 m²
Linear hanging surface: 87.82 m
Height: 4.42 m

ASSOCIATIONS

Artist-Run Centres & Collectives of Ontario (ARCCO)
P.O. Box 44026, Market Tower Lane Post Office
141 Dundas Street
London (Ontario) N6A 5S5
T 519 672-7898
arcco@bellnet.ca
www.arcco.ca

Toronto Artscape Corporation
Head Office
171 East Liberty Street, Suite 224
Toronto (Ontario) M6K 3P6
 T 416 392-1038
info@torontoartscape.on.ca
www.torontoartscape.on.ca

Bureau des regroupements des artistes visuels de l'Ontario
C.P. 53004, Succ. Rideau
Ottawa, (Ontario) K1N 1C5
T 819 457-1892 ou 1 800 611-4789
dg@bravoart.org ou info@bravoart.org
www.bravoart.org

Canadian Bookbinders and Book Artists Guild
60 Atlantic Avenue, Suite 112
Toronto (Ontario) M6K 1X9
T 416 581-1071
cbbag@cbbag.ca
www.cbbag.ca

Canadian Artists Representation / Le Front des artistes canadiens – Ontario (CARFAC)
401 Richmond Street West, Suite 440
Toronto (Ontario) M5V 3A8
T 416 340-8850
carfacontario@carfacontario.ca
www.carfacontario.ca

Cultural Careers Council Ontario
27 Carlton Street, Suite 303
Toronto (Ontario) M5B 1L2
T 416 340-0086
info@workinculture.ca
www.workinculture.ca

Ontario Association of Art Galleries (OAAG)
111 Peter Street, Suite 617
Toronto (Ontario) M5V 2H1
T 416 598-0714
oaag@oaag.org
www.oaag.org

Visual Arts Ontario
PO Box 1159, TDC Postal Station
77 King Street West
Toronto (Ontario) M5K 1P2
T 416 591-8883
info@vao.org
www.vao.org

ART COUNCILS AND CULTURE DEPARTMENTS / CONSEILS DES ARTS ET MINISTÈRES

Canadian Heritage / Patrimoine canadien
150 John Street, Suite 400
Toronto (Ontario) M5V 3T6
T 416-954-0395
pch-ontario@pch.gc.ca
www.pch.gc.ca

Canadian Heritage / Patrimoine canadien
55 Bay Street North, 8th floor
Hamilton (Ontario) L8R 3P7
T 905 572-2355
www.pch.gc.ca

Canadian Heritage / Patrimoine canadien
350 Albert Street, Suite 330
Ottawa (Ontario) K1A 0M5
T 613 996-5977
www.pch.gc.ca

Canadian Heritage / Patrimoine canadien
10 Elm Street, Suite 604
Sudbury (Ontario) P3C 5N3
T 705 670-5536
www.pch.gc.ca

Canadian Heritage / Patrimoine canadien
457 Richmond Street, 6th Floor
London (Ontario) N6A 3E3
T 519 465-4659
www.pch.gc.ca

Council for the Arts in Ottawa
2 Daly Avenue
Ottawa (Ontario) K1N 6E2
T 613 569-1387
council@arts-ottawa.on.ca
www.arts-ottawa.on.ca

Ministry of Tourism and Culture
Hearst Block, 9th Floor
900 Bay Street
Toronto (Ontario) M7A 2E1
T 416-326-9326
Info@mtr.gov.on.ca
www.culture.gov.on.ca

Ontario Arts Council / Conseil des arts de l'Ontario
151 Bloor Street West, 5th Floor
Toronto (Ontario) M5S 1T6
T 416 961-1660
info@arts.on.ca
www.arts.on.ca

Ontario Arts Foundation
151 Bloor Street West, 5th Floor
Toronto (Ontario) M5S 1T6
T 416 969-7413
info@arts.on.ca
www.ontarioartsfoundation.on.ca

Ontario Cultural Attractions Fund
151 Bloor Street West, 5th Floor
Toronto (Ontario) M5S 1T6
T 416 969-7421
ksharpe@arts.on.ca
www.ocaf.on.ca

Toronto Arts Council
141 Bathurst Street
Toronto (Ontario) M5V 2R2
T 416 392-6800
mail@torontoartscouncil.org
www.torontoartscouncil.org

Canadian Art Foundation
215 Spadina Avenue, Suite 320
Toronto (Ontario) M5T 2C7
T 416 368-8854
info@canadianart.ca
www.canadianart.ca

Centre for Cultural Management
Hagey Hall 143
Waterloo (Ontario) N2L 3G1
T 519 888-4567 ext. 5058
ccm@watarts.uwaterloo.ca
www.ccm.uwaterloo.ca

Imagine Canada - Toronto
2 Carlton Street, Suite 600
Toronto (Ontario) M5B 1J3
T 416 597-2293
info@imaginecanada.ca
www.imaginecanada.ca

Ontario Heritage Foundation
10 Adelaide Street East
Toronto (Ontario) M5C 1J3
T 416 325-5000
programs@heritagefdn.on.ca
www.heritagefdn.on.ca

Ontario Trillium Foundation
45 Charles Street East, 5th Floor
Toronto (Ontario) M4Y 1S2
T 416 963-4927
trillium@trilliumfoundation.org
www.trilliumfoundation.org

Toronto Artscape Corporation
171 East Liberty Street, Suite 224
Toronto (Ontario) M6K 3P6
T 416 392-1038
info@torontoartscape.on.ca
www.torontoartscape.on.ca

Agnes Etherington Art Centre
University Avenue at Bader Lane
Queen's University
Kingston (Ontario) K7L 3N6
T 613 533-2190
aeac@post.queensu.ca
www.aeac.ca

Art Gallery of Algoma
10 East Steet
Sault Ste. Marie (Ontario) P6A 3C3
T 705 949-9067
galleryinfo@artgalleryofalgoma.ca
www.artgalleryofalgoma.on.ca

Art Gallery of Hamilton
123 King Street West
Hamilton (Ontario) L8P 4S8
T 905 527-6610
info@artgalleryofhamilton.com
www.artgalleryofhamilton.on.ca

Art Gallery of Mississauga
300 City Centre Drive
Mississauga (Ontario) L5B 3C1
T 905 896-5088
www5.mississauga.ca/agm

Art Gallery of Northumberland
55 King Street West
Cobourg (Ontario) K9A 2M2
T 905 372-0333
agn@eagle.ca
www.artgalleryofnorthumberland.com

Art Gallery of Ontario (AGO)
317 Dundas Street West
Toronto (Ontario) M5T 1G4
T 416 979-6648
www.ago.net

Art Gallery of Peel
9 Wellington Street East
Brampton (Ontario) L6W 1Y1
T 905 791-4055
peelheritageprograms@peelregion.ca
www.region.peel.on.ca/heritage/art-gallery/
index.htm

Art Gallery of Peterborough
250 Crescent Street
Peterborough (Ontario) K9J 2G5
T 705 743-9179
gallery@agp.on.ca
www.agp.on.ca

Art Gallery of Sudbury
251 John Street
Sudbury (Ontario) P3E 1P9
T 705 675-4871
gallery@artsudbury.org
www.artsudbury.org

Art Gallery of Windsor (AGW)
401 Riverside Drive West
Windsor (Ontario) N9A 7J1
T 519 977-0013
email@agw.ca
www.artgalleryofwindsor.com

Art Gallery of York University
Accolade East Building
4700 Keele Street
Toronto (Ontario) M3J 1P3
T 416 736-5169
agyu@yorku.ca
www.yorku.ca/agyu/

Render - University of Waterloo Art Gallery
200 University Avenue West
Waterloo (Ontario) N2L 3G1
T 519 888-4567 poste 33575
a3hunter@uwaterloo.ca
http://render.uwaterloo.ca/

Blackwood Gallery
Kaneff Center
University of Toronto Mississauga
3359 Mississauga Road North
T 905 828-3789
blackwood.gallery@utoronto.ca
www.erin.utoronto.ca/services/gallery

Burlington Art Centre
1333 Lakeshore Road
Burlington (Ontario) L7S 1A9
T 905 632-7796
info@BurlingtonArtCentre.on.ca
www.burlingtonartcentre.on.ca

Cambridge Galleries
1 North Square
Cambridge (Ontario) N1S 2K6
T 519 621-0460
galleriesinfo@cambridgegalleries.ca
www.cambridgegalleries.ca

Campus Gallery
1 Georgian Drive
Barrie (Ontario) L4M 3X9
T 705 728-1968 ext 1281
www.georgianc.on.ca/sdva/index.php

Canadian Museum of Contemporary Photography / Musée canadien de la photographie contemporaine
380, promenade Sussex
C.P. 427, Succursale A
Ottawa (Ontario) K1N 9N4
T 613 990-1985
info@beaux-arts.ca
www.mcpc.beaux-arts.ca

Canadian Sculpture Centre
500 Church Street
Toronto (Ontario) M4Y 2C8
T 647 435-5858
gallery@cansculpt.org
www.cansculpt.org

Carleton University Art Gallery
St. Patrick's Building,
1125 Colonel By Drive
Ottawa (Ontario) K1S 5B6
T 613 520-2120
www.carleton.ca/gallery

Design Exchange
234 Bay Street
Toronto (Ontario) M5K 1B2
T 416 363-6121
info@dx.org
www.dx.org

Doris McCarthy Gallery
1265 Military Trail
Toronto (Ontario) M1C 1A4
T 416 287-7007
dmg@utsc.utoronto.ca
www.utsc.utoronto.ca/~dmg

Galerie d'art d'Ottawa – Ottawa Art Gallery
2, avenue Daly
Ottawa (Ontario) K1N 6E2
T 613 233-8699
info@ottawaartgallery.ca
www.ottawaartgallery.ca

Galerie Glendon Gallery
2275 Bayview Avenue
Toronto (Ontario) M4N 3M6
T 416 487-6721
gallery@glendon.yorku.ca
www.glendon.yorku.ca/gallery

Gallery 96
P.O. Box 21108
Stratford (Ontario) N5A 7V4
T 519 271-4660
info@gallery96.com
www.gallery96.com

Gallery Lambton
150 Christina Street North
Sarnia (Ontario) N7T 7W5
T 519 336-8127
www.lclmg.org/lclmg/GalleryLambton/tabid/54/Default.aspx

Glenhyrst Art Gallery of Brant
20 Ava Road
Brantford (Ontario) N3T 5G9
T 519 756-5932
info@glenhyrstartgallery.ca
www.glenhyrst.ca

Globe Studios
141 Whitney Place, P.O. Box 1122
Kitchener (Ontario) N2G 4G1
T 519 576-3338
admin@globestudios.org
www.globestudios.org

Grimsby Public Art Gallery
18 Carnegie Lane
Grimsby (Ontario) L3M 1Y1
T 905 945-3246
www.town.grimsby.on.ca/ArtGallery/Main

Justina M Barnicke Gallery (Hart House)
7 Hart House Circle University of Toronto
Toronto (Ontario) M5S 3H3
T 416 978-8398
www.jmbgallery.ca

Institute of Contemporary Culture
Royal Ontario Museum
100 Queen's Park
Toronto (Ontario) M5S 2C6
T 416 586-5524
icc@rom.on.ca
www.rom.on.ca/about/icc

Interaccess
9 Ossington Avenue
Toronto (Ontario) M6J 2Y8
T 416 532-0597
alex.snukal@interaccess.org
www.interaccess.org

Kitchener-Waterloo Art Gallery
101 Queen Street North
Kitchener (Ontario) N2H 6P7
T 519 579-5860
mail@kwag.on.ca
www.kwag.on.ca

Koffler Gallery
4588 Bathurst Street
Toronto (Ontario) M2R 1W6
T 416 638-1881
lstarr@kofflerarts.org
www.kofflerarts.org

National Gallery of Canada / Musée des beaux-arts du Canada
380, Promenade Sussex C.P. 427, Succursale A
Ottawa (Ontario) K1N 9N4
T 613 990-1985
info@beaux-arts.ca
www.beaux-arts.ca

Macdonald Stewart Art Centre
358 Gordon Street
Guelph (Ontario) N1G 1Y1
T 519 837-0010
info@msac.ca
www.msac.uoguelph.ca

McIntosh Gallery
University of Western Ontario
London (Ontario) N6A 3K7
T 519 661-3181
mcintoshgallery@uwo.ca
www.mcintoshgallery.ca

McMaster Museum of Art
Alvin A. Lee Building,
University Avenue
1280 Main Street West
Hamilton (Ontario) L8S 4L6
T 905 525-9140 ext. 23081
museum@mcmaster.ca
www.mcmaster.ca/museum

McMichael Canadian Art Collection
10365 Islington Avenue
Kleinburg (Ontario) L0J 1C0
T 905 893-1121
info@mcmichael.com
www.mcmichael.com

**Museum of Contemporary Canadian Art
(MOCCA)**
952 Queen Street West
Toronto (Ontario) M6J 1G8
T 416 395-0067
info@mocca.ca
www.mocca.ca

Native Women in the Arts
401 Richmond Street West, Suite 420
Toronto (Ontario) M5V 3A8
T 416 598-4078
info@nativewomeninthearts.com
www.nativewomeninthearts.com

Oakville Galleries
1306 Lakeshore Road East
Oakville (Ontario) L6J 1L6
T 905 844-4402 ext. 25
info@oakvillegalleries.com
www.oakvillegalleries.com

Ontario College of Art and Design
100 McCaul Street
Toronto (Ontario) M5T 1W1
T 416 977-6000
general@ocad.ca
www.ocad.ca

Ottawa Arts Court Foundation
2 Daly Avenue
Ottawa (Ontario) K1N 6E2
T 613 564-7240
info@artscourt.ca
www.artscourt.ca

**The Power Plant
Harbourfront Centre**
231 Queens Quay West
Toronto (Ontario) M5J 2G8
T 416 973-4949
thepowerplant@harbourfrontcentre.com
www.thepowerplant.org

Queens University – Union Gallery
101 University Avenue 1st Floor
Kingston (Ontario) K7L 5C4
T 613 533-3171
ugallery@queensu.ca
www.uniongallery.queensu.ca

Robert McLaughlin Gallery
72 Queen Street
Oshawa (Ontario) L1H 3Z3
T 905 576-3000
communications@rmg.on.ca
www.rmg.on.ca

Rodman Hall Arts Centre
109 St. Paul Crescent
St. Catherines (Ontario) L2S 1M3
T 905 684 2925
rodmanhall@brocku.ca
www.brocku.ca/rodmanhall

Ryerson University
122 Bond Street
Toronto (Ontario) M5B 2K3
T 416 979-5000 ext 4282
www.imagearts.ryerson.ca

Textile Museum of Canada
55 Centre Avenue
Toronto (Ontario) M5G 2H5
T 416 599-5321
info@textilemuseum.ca
www.textilemuseum.ca

The Tree Museum
Ryde Lake Road
Muskoka (Ontario)
current@attglobal.net
www.thetreemuseum.ca

Thunder Bay Art Gallery
1080 Keewatin Street
P.O. Box 10193
Thunder Bay (Ontario) P7B 6T7
T 807 577-6427
info@tbag.ca
www.tbag.ca

Tom Thomson Art Gallery
840 First Avenue West
Owen Sound (Ontario) N4K 4K4
T 519 376-1932
ttag@e-owensound.com
www.tomthomson.org

Toronto Sculpture Garden
115 King Street East
Toronto (Ontario) M5C 1G9
T 416 515-9658
info@torontosculpturegarden.com
www.torontosculpturegarden.com

University of Toronto Art Centre
15 King's College Circle
University College
Toronto (Ontario) M5S 3H7
T 416 978-1838
www.utac.utoronto.ca

Visual Arts Centre of Clarington
143 Simpson Avenue
P.O. Box 52
Bowmanville (Ontario) L1C 3K8
T 905 623-5831
visual@vac.ca
www.vac.ca

White Water Gallery
109 Main Street. East
P.O. Box 1491
North Bay (Ontario) P1B 1A9
T 705 476-2444
info@whitewatergallery.com
www.whitewatergallery.com

Woodland Cultural Centre
184 Mohawk Street
P.O. Box 1506
Brantford (Ontario) N3T 5V6
T 519 759-2650
museum@woodland-centre.on.ca
www.woodland-centre.on.ca

Ydessa Hendeles Art Foundation
778 King Street West
Toronto (Ontario) M4V 1N6
T 416 603-2227
ydessa@yhaf.org

York University
Joan & Martin Goldfarb Centre for Fine Arts
4700 Keele Street
Toronto (Ontario) M3J 1P3
T 416 736-5135
finearts@yorku.ca
www.yorku.ca/finearts

**COMMERCIAL GALLERIES /
GALERIES PRIVÉES**

AWOL Gallery
78 Ossington Avenue
Toronto (Ontario) M6J 2Y7
T 416 535-5637
awol@awolgallery.com
www.awolgallery.com

Bau-Xi Gallery
340 Dundas Street West
Toronto (Ontario) M6T 1G5
T 416 977-0600
toronto@bau-xi.com
www.bau-xi.com

Canadian Clay & Glass Gallery
25 Caroline Street North
Waterloo (Ontario) N2L 2Y5
info@canadianclayandglass.ca
www.canadianclayandglass.ca

Christopher Cutts Gallery
21 Morrow Avenue
Toronto (Ontario) M6R 2H9
T 416 532-5566
info@cuttsgallery.com
www.cuttsgallery.com

Clint Roenisch Gallery
944 Queen St West
Toronto (Ontario)
T 416 516-8593
yes@clintroenisch.com
www.clintroenisch.com

Corkin Shopland Gallery
55 Mill Street, Bldg. 61
Toronto (Ontario) M5A 3C4
T 416 979-1980
info@corkingallery.com
www.corkingallery.com

DeLeon White Gallery
1096 Queen Street West
Toronto (Ontario) M6J 1H9
T 416 597-9466
emmersive@gmail.com
www.ecotecturecanada.org

Drabinsky Gallery
114 Yorkville Avenue
Toronto (Ontario) M5R 1B9
T 416 324-5766
info@drabinskygallery.com
www.drabinskygallery.com

Galerie d'art Jean-Claude Bergeron
150, rue Saint-Patrick
Ottawa (Ontario) K1N 5J8
T 613 562-7836
galbergeron@rogers.com
www.galeriejeanclaudebergeron.ca

Galerie St-Laurent + Hill
293 Dalhousie
Ottawa (Ontario) K1N 7E5
T 613 789-7145
info@gstl.info
www.galeriestlaurentplushill.com

Gallery one
121 Scollard Street
Toronto (Ontario) M5R 1G4
T 416 929-3103
info@galleryone.ca
www.galleryone.ca

Jessica Bradley Art + Projects
1450 Dundas Street West
Toronto (Ontario) M6J 1Y6
T 416 537-3125
info@jessicabradleyartprojects.com
www.jessicabradleyartprojects.com

Leo Kamen Gallery
80 Spadina Avenue, Suite 406
Toronto (Ontario) M5V 2J4
T 416 504-9515
info@leokamengallery.com
www.leokamengallery.com

Mira Godard Gallery
22 Hazelton Avenue
Toronto (Ontario) M5R 2E2
T 416 964-8197
godard@godardgallery.com
www.godardgallery.com

Monte Clark Gallery
55 Mill Street, Building 2
Toronto (Ontario) M5A 3C4
T 416 703-1700
info@clarkandfaria.com
www.monteclarkgallery.com

Moore Gallery
80 Spadina Avenue, Suite 404
Toronto (Ontario) M5V 2J3
T 416 504-3914
sales@mooregallery.com
www.mooregallery.com

Olga Korper Gallery
17 Morrow Avenue
Toronto (Ontario) M6R 2H9
T 416 538-8220
info@olgakorpergallery.com
www.olgakorpergallery.com

Paul Petro Contemporary Art
980 Queen Street West
Toronto (Ontario) M6J 1H1
T 416 979-7874
info@paulpetro.com
www.paulpetro.com

Paul Petro Multiples & Small Works
962 Queen Street West
Toronto (Ontario) M6J 1G8
T 416 979-7874
www.paulpetro.com

Red Head Gallery
401 Richmond Street West, Suite 115
Toronto (Ontario) M5V 3A8
T 416 504-5654
art@redheadgallery.org
www.redheadgallery.org/

Stephen Bulger Gallery
1026 Queen Street West
Toronto (Ontario) M6J 1H6
T 416 504-0575
info@bulgergallery.com
www.bulgergallery.com

The Robert McLaughlin Gallery
72 Queen Street, Civic Centre
Oshawa (Ontario) L1H 3Z3
T 905 576-3000
communications@rmg.on.ca
www.rmg.on.ca

Wynick / Tuck Gallery
401 Richmond Street West, Suite 128
Toronto (Ontario) M5V 3A8
T 416 504-8716
wtg@wynicktuckgallery.ca
www.wynicktuckgallery.ca

**FESTIVALS AND EVENTS /
FESTIVALS ET ÉVÉNEMENTS**

aluCine Toronto Latin Media Festival
330 Adelaide Street West
Toronto (Ontario) M5V 1R4
T 416 548-8914
info@alucinefestival.com
www.alucinefestival.com

CONTACT Toronto Photography Festival
80 Spadina Avenue, Suite 310
Toronto (Ontario) M5V 2J4
 T 416 539-9595
info@contactphoto.com
www.contactphoto.com

Images Festival of Independant Film and Video
401 Richmond Street West, Suite 448
Toronto (Ontario) M5V 3A8
T 416 971-8405
images@imagesfestival.com
www.imagesfestival.com

aceartinc.
La Maison des artistes visuels francophones inc.
Mentoring Artists for Women's Art (MAWA)
Martha Street Studio
Platform centre for photographic + digitals arts
Urban Shaman: Contemporary Aboriginal Art
Video Pool Media Arts Centre
Winnipeg Film Group

Manitoba

ACEARTINC.

Photo courtesy of aceartinc.

290 McDermot Avenue
2nd Floor
Winnipeg (Manitoba)
R3B 0T2
T 204 944-9763
gallery@aceart.org
www.aceart.org

Tuesday to Saturday
12 h – 17 h

Program coordinator
hannah_g
program@aceart.org

Administrative coordinator
Jen Moyes
admin@aceart.org

Gallery coordinator
Liz Garlicki
gallery@aceart.org

Submission deadline
August 1 (postdated accepted)

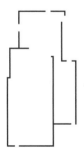

Floor area: 230.51 m²
Linear hanging surface: 84.8 m
Height: 4 m

aceartinc. is an artist-run centre dedicated to the development, exhibition and dissemination of contemporary art by cultural producers. aceartinc. maintains a commitment to emerging artists and recognises its role in placing contemporary artists in a larger cultural context.

Cultural Diversity

aceartinc. is dedicated to cultural diversity in its programming and to this end encourages applications from contemporary artists and curators identifying as members of GLBT (gay, lesbian, bisexual and transgendered), Aboriginal (status, non-status, Inuit and Metis) and all other culturally diverse communities.

Spaces

Used for exhibition, events, critical writing and dialogue.

Professional Development

We provide concrete opportunities for the professional development of artists, writers, curators, gallery workers, volunteers and members.

Resources

We also house a library and archives.

aceartinc. est un centre d'artistes dédié au développement, à l'exposition et à la diffusion de l'art contemporain. aceartinc. s'engage envers les artistes débutants et s'efforce d'insérer les artistes dans un contexte culturel élargi.

Diversité culturelle

aceartinc. encourage la diversité au niveau de sa programmation et, à cette fin, encourage les inscriptions d'artistes et de commissaires qui sont membres des communautés GLBT (gaie, lesbienne, bisexuelle et transsexuelle), Premières Nations (avec statut, sans statut, Inuits et métis), ainsi que toute autre communauté culturellement diverse.

Espaces

Nos espaces sont utilisés pour les expositions, les évènements, l'écriture critique et le dialogue.

Développement professionnel

Nous favorisons concrètement le développement professionnel des artistes, écrivains, commissaires d'expostion, travailleurs en galeries, bénévoles et membres.

Ressources

Nous avons aussi une bibliothèque et des archives.

Winnipeg ▲ Manitoba

LA MAISON DES ARTISTES VISUELS FRANCOPHONES INC.

219, boulevard Provencher
Saint-Boniface (Manitoba)
R2H 0G4
T 204 237-5964
F 204 233-5074
artistes@mts.net
www.maisondesartistes.mb.ca

lundi au vendredi
9 h - 17 h

Saison estivale
Tous les jours
9 h -17 h

Eric Lesage, *Talents émergents.* Photo : Denis Prieur

La Maison des artistes visuels francophones inc. est un centre d'artistes en art actuel œuvrant avec la communauté francophone du Manitoba, la communauté francophone élargie et toutes les instances qui interagissent avec elles.

Programmation

La Maison des artistes offre une programmation en art contemporain dans tous les médiums, tant à l'intérieur de la galerie qu'à l'extérieur. Nous travaillons avec les artistes pouvant communiquer en français. Nous sommes très fiers de notre Jardin de sculptures qui présente des sculptures permanentes *in situ*, des endroits désignés pour des œuvres éphémères, ainsi que des projets saisonniers dont une boîte lumineuse pour photos et des drapeaux aux deux mâts qui figurent devant l'édifice.

Jardin de sculptures

En juin 2008, le rêve de la Maison des artistes – le Jardin de sculptures – est devenu une réalité. Le Jardin met en évidence des sculptures contemporaines *in situ*, ainsi que des espaces réservés aux œuvres éphémères.

La Maison des artistes visuels francophones is an artist centre for contemporary art that works with the francophone community in Manitoba as well as the French-speaking community at large.

Program

La Maison des artistes programming offers a great diversity of contemporary art, both inside and outside the gallery. La Maison des artistes works with artists who are able to communicate in French. We are proud of our new sculpture garden which features permanent sculptures, spaces reserved for ephemeral works as well as seasonal projects such as our photography light box and our flag contest.

Sculpture Garden

In June 2008, La Maison des artistes' longstanding dream of developing a sculpture garden became a reality. The garden holds in situ sculptures as well as spaces designed for ephemeral works.

Directrice générale
Liza Maheu
maison@mts.net

Appel de dossiers
Fin septembre

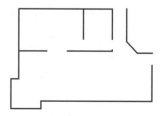

Galerie
Superficie : 72 m²
Surface d'accrochage linéaire : 45 m
Hauteur : 3,16 m
Galerie communautaire
Superficie : 50 m²
Surface d'accrochage linéaire : 20,5 m
Hauteur : 3,16 m

Saint-Boniface ▲ Manitoba

MARTHA STREET STUDIO

Photo: Megan Kroeker

11 Martha Street
Winnipeg (Manitoba)
R3B 1A2
T 204 779-6253
F 204 944-1804
printmakers@mts.net
www.printmakers.mb.ca

Monday to Friday
10 h – 17 h

Executive Director
Sheila Spence

Administrative Coordinator
Kristin Nelson

Education & Outreach Coordinator
Darren Stebeleski

Martha Street Studio offers Winnipeg's artistic community equipment, facilities, training and support in the production, exhibition, and dissemination of print-based works, at a local, provincial, national and international level.

Gallery

Martha Street Studio houses a gallery and maintains an inventory of artists' work for sale, as well as an archive of work produced at the studio since 1988.

Production Facilities & Equipment

We offer members 4000 square feet (2000 per floor) of facilities and equipment, including one high quality digital printer, three intaglio presses, two lithography presses, six silkscreening tables, one letterpress table-top platen press.

Editions

Martha Street Studio publishes editions by contemporary artists from Winnipeg and beyond. These pieces are represented in significant public, corporate and private collections throughout North America.

Le Martha Street Studio offre à la communauté artistique de Winnipeg de l'équipement, des installations, des formations et du soutien afin de produire, d'exposer et de diffuser des œuvres imprimées à l'échelle locale, provinciale, nationale et internationale.

Galerie

Le Martha Street Studio abrite une galerie et conserve des œuvres aux fins de vente, en plus d'archiver des travaux réalisés sur place depuis 1998.

Installations et équipement de production

Nos locaux s'étendent sur 4 000 pi. ca., soit deux étages de 2 000 pi. ca., où l'équipement mis à la disposition de nos membres comprend une imprimante numérique de pointe, trois presses à imprimer hélio, deux presses lithographiques, six tables à sérigraphie et une presse typographique à platine.

Edition

Le Martha Street Studio publie des ouvrages d'artistes contemporains de Winnipeg et d'ailleurs, dont les œuvres font partie d'importantes collections publiques, de collections d'entreprise et de collections privées dans toute l'Amérique du Nord.

Floor area: 55.7 m²
Linear hanging surface: 30.6 m
Height: 3 m

Winnipeg ▶ Manitoba

611 Main Street
Winnipeg (Manitoba)
R3B 1E1
T 204 949-9490
programs@mawa.ca
www.mawa.ca

Tuesday to Friday
10 h – 16 h

First Saturday of each month
12 h – 16 h

MAWA's 611 Main Street space. Photo: Lisa Waldner

MAWA encourages and supports the intellectual and creative development of women in the visual arts through peer-based education, and by providing an ongoing forum for education and critical dialogue. For twenty-six years, MAWA has been sustaining art in our community through mentorship programs.

Mentorship Programs

The Foundation Mentorship Program is a year-long, one-on-one mentorship pairing emerging women artists with established artists. Short-term mentorships also offered for emerging, mid-career and senior artists, ranging in length from 3-6 weeks and focusing on a specific media or theme, often with a guest Canadian or international artist.

Monthly Talks

- First Fridays monthly talks on a wide variety of topics from how to apply for exhibitions to the history of Aboriginal curation.
- Lecture Series featuring talks by local, national and international established art practitioners.

Workshops

Workshops on a variety of topics, from animation techniques to bookbinding.

Critical Reading Groups

Critical reading groups focus on various concerns such as Aboriginal feminism, women and technology and the gendering of architecture.

MAWA soutient le développement intellectuel et créatif des femmes en arts visuels par l'intermédiaire de formations par les pairs et d'un forum dynamique axé sur la sensibilisation et le dialogue critique. Grâce au mentorat, MAWA appuie la diffusion des arts au sein de la communauté depuis 26 ans.

Mentorat

Le programme de mentorat individuel consiste à jumeler, pendant un an, une artiste de la relève à une artiste établie. Des programmes plus courts, d'une durée de trois à six semaines, généralement axés sur un médium ou un thème particulier, sont également offerts à ces artistes, celles qui sont à mi-carrières et établies, en collaboration avec des artistes canadiennes ou internationales invitées.

Conférences mensuelles

MAWA organise le premier lundi de chaque mois des conférences sur des sujets allant de la soumission de dossiers à l'histoire du commissariat de l'art autochtone. Le centre présente en outre des conférences d'intervenantes locales, nationales et internationales reconnues dans le domaine des arts.

Ateliers

MAWA offre des ateliers sur des sujets variés, comme les techniques d'animation, la reliure, etc.

Cercles de lecture critique

Lieu de réflexion sur différentes questions telles que le féminisme autochtone, les femmes et la technologie, et l'architecture sexospécifique.

Co-Executive Directors
Dana Kletke
Shawna Dempsey

Program Coordinator
Tracy Peters

Winnipeg ▲ Manitoba

PLATFORM CENTRE FOR PHOTOGRAPHIC + DIGITALS ARTS

When the Mood Strikes Us..., works by Colleen Wolstenholme, Paul Butler, Jeremy Shaw. J.J. Kegan McFadden (curator), 2008. Photo: Larry Glawson

121-100 Arthur Street
(Artspace Building)
Winnipeg (Manitoba)
R3B 1H3
T 204 942-8183
F 204 942-1555
info@platformgallery.org
www.platformgallery.org

Tuesday to Saturday
12 h – 17 h
Thursdays
12 h – 19 h

Director / Curator
J.J. Kegan McFadden

Administrative Coordinator
Larry Glawson

Outreach Coordinator
Natasha Peterson

Submission deadline
Ongoing

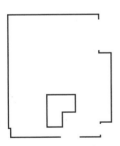

Floor area: 85.6 m²
Linear hanging surface: 31.4 m
Height: 3.96 m

Established in 1981, Platform is an artist-run centre that fosters an environment of critical discourse for the exhibition, promotion, and production of photo-based and digital art. Platform commits to being a relevant, engaging, and influential organization through critically rigorous and innovative projects and commissions of contemporary photo-based and digital art.

Exhibitions

Platform presents approximately nine exhibitions annually, along with additional off-site projects and programs, including lectures, screenings, and workshops.

Production

As well as an exhibition space, the centre offers resources for the production of photographic and digital art, including two darkroom facilities for printing in black and white, a digital media station, a members' lending library, and educational workshops.

Publications

Platform is committed to producing broadsheets, monographs, catalogues, and artist books in association with their programming schedule.

Fondé en 1981, Platform est un centre d'artistes autogéré qui favorise la diffusion, la reconnaissance et la production d'œuvres dans le domaine des arts numériques et de la photo s'inscrivant dans un discours critique. Platform se veut un organisme pertinent, engagé et influent grâce au soutien qu'il assure à ces arts.

Expositions

Platform présente une dizaine d'expositions par année, sans compter les divers projets et programmes hors site, notamment des conférences, des séances de projection et des ateliers.

Production

En plus de la galerie, le centre offre les ressources nécessaires à la production d'œuvres photographiques et numériques, dont deux chambres noires pour le tirage noir et blanc, un poste de production de médias numériques, une bibliothèque accessible aux membres et des ateliers éducatifs.

Edition

Platform publie dépliants, monographies, catalogues et livres d'artistes liés à la programmation de la galerie.

Winnipeg ▲ Manitoba

203-290 McDermot Avenue
Winnipeg (Manitoba)
R3B 0T2
T 204 942-2674
info@urbanshaman.org
www.urbanshaman.org

Exhibition Hours
Tuesday to Saturday
12 h – 17 h

Office Hours
Tuesday to Friday
10 h – 17 h

Kent Monkman, *Dance to the Berdashe*, 2008.
Photo: Scott Stephens

Established in 1996, Urban Shaman: Contemporary Aboriginal Art is an Aboriginal artist-run centre that provides a vehicle for artistic expression in all disciplines and at all levels. We take a leadership role in the cultivation of Indigenous art.

Gallery

The two galleries are used for exhibitions, associated programming, workshops, curatorial initiatives and possible future opportunities for residencies and project-based initiatives of Aboriginal artists and communities.

Online Galleries

Visit our eSpace Galleries. *Non-Compliance*: three nationally recognized curators create programs of seminal works by Aboriginal artists. *Storm Spirits*: Aboriginal New Media Art. *Conundrum Online*: Journal of Contemporary Aboriginal Artists & Aesthetics.

Publications and Resource Library

Our recently completed Resource Library includes rare publications of local and national Aboriginal art exhibitions, art theory and art history. To increase the discourse around Aboriginal contemporary art, we offer publications for purchase.

Audio, Video and Podcasts coming soon.

Fondé en 1996, Urban Shaman est un centre d'artistes autochtones autogéré offrant une vitrine pour l'expression artistique, toutes disciplines et tous niveaux confondus. Il joue un rôle primordial dans le rayonnement de l'art autochtone.

Galerie

Le centre dispose de deux galeries consacrées à des expositions, activités connexes, ateliers et projets de commissariat et compte éventuellement organiser des résidences d'artistes et offrir à la communauté la possibilité de réaliser des projets sur place.

Galerie en ligne

Visitez nos espaces en ligne : « NonCompliance », initiative de trois commissaires réunissant les œuvres charnières d'artistes autochtones; « Storm Spirit », plateforme artistique des nouveaux médias autochtones; et « Conundrum Online », revue sur les arts contemporains autochtones.

Publications et bibliothèque en ligne

La bibliothèque récemment mise en ligne regroupe des publications rares sur l'art autochtone local et national, qu'il s'agisse d'expositions, de théorie ou d'histoire. Ces publications sont en vente afin d'encourager la diffusion des connaissances et la réflexion sur l'art contemporain autochtone.

Des documents audio, vidéo et des balados seront également accessibles sous peu.

Director
Amber-Dawn Bear Robe
director@urbanshaman.org

Finance Coordinator
Karen Angeconeb
finance@urbanshaman.org

Program Coordinator
Kevin Lee Burton
program@urbanshaman.org

Submission deadline
Ongoing

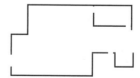

Main Gallery
Floor area: 185.81 m²
Linear hanging surface: 48.34 m
Height: 3.05 m

Marvin Francis Media Gallery
Floor area: 74.32 m²
Linear hanging surface: 19.45 m
Height: 2.47 m

Winnipeg ▲ Manitoba

VIDEO POOL MEDIA ARTS CENTRE

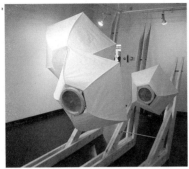

Ken Gregory, *Wind coil sound flow.* Copyright © 2009
Photo: K. Gregory

300-100 Arthur Street
Winnipeg (Manitoba)
R3B 1H3
T 204 949-9134
F 204 942-1555
www.videopool.org

Monday to Friday
11 h - 17 h

Executive Director
vpdirector@videopool.org

Distribution Coordinator
Hope Peterson
vpdist@videopool.org

Submission deadlines
Please check website

Video Pool is a non-profit artist-run centre
dedicated to independent video, audio
and computer integrated multimedia
production, located in Winnipeg, Manitoba.
Video Pool distributes and exhibits media
art, and assists artists in their work through
workshops and affordable production
facilities and equipment.

Residencies

Video Pool's Artist-In-Residence program
alternates yearly between local artists and
international artists. Please check website
for details.

*Situé à Winnipeg, au Manitoba, Video Pool
est un centre d'artistes autogéré sans
but lucratif consacré à la production
indépendante d'œuvres multimédias
intégrant la vidéo, l'audio et l'informatique.
Il se consacre à la présentation et à la
diffusion des arts médiatiques en plus
d'appuyer le travail des artistes en offrant
des ateliers et en mettant à leur disposition
des installations et de l'équipement de
production à faible coût.*

Résidences

*Le programme de résidence d'artiste
de Video Pool est offert chaque année
en alternance à des artistes locaux et
internationaux. Consulter le site Web pour
obtenir de plus amples renseignements.*

304-100 Arthur Street
Winnipeg (Manitoba)
R3B 1H3
T 204 925-3456
F 204 942-6799
info@winnipegfilmgroup.com
www.winnipegfilmgroup.com
winnipegcinematheque.com

Production Centre
Monday to Friday
10 h – 18 h

Cinematheque
Wednesday to Sunday
various times

Guy Maddin, *Archangel* (Production still), 1990.
Photo: Jeff Solylo

The Winnipeg Film Group was founded in 1974 and is a charitable, artist-run organization dedicated to promoting the art of cinema. We have served as a resource for Manitoba filmmakers and video artists for over 35 years, providing access to affordable training, mentorship, production funding, experimentation opportunities, production and postproduction equipment and facilities, and local, national and international programming and distribution.

Production Support

Our Production department provides practising moving image artists with analogue film and digital video equipment, production grants and mentorship programs.

Distribution Services

Our Distribution department carries the work of Canadian filmmakers and video artists, with special emphasis on Manitoba and prairie region artists. We additionally provide marketing funding support for Manitoba creators.

Cinematheque

Our 97-seat Cinematheque is Manitoba's only artist-run cinema and presents special series including traditional and expanded cinema, and film and video performances. We place special emphasis on the work of Canadian creators.

Fondé en 1974, le Winnipeg Film Group est un centre d'artistes autogéré sans but lucratif qui est voué à la promotion de l'art du cinéma. Pendant 35 ans, nous avons servi en tant que ressource pour les cinéastes et les vidéastes du Manitoba, donnant accès à des programmes de formation, à du mentorat, à des subventions de production et à des opportunités d'expérimentation en arts médiatiques.

Production

Le département de production offre aux membres la location d'équipements de tournage numérique et analogique et des salles de production et postproduction.

Distribution

Notre département de distribution vise à diffuser le travail de cinéastes canadiens dans de nombreux festivals et événements à travers le monde.

Cinémathèque

La Cinémathèque, qui contient 97 sièges, est le seul cinéma artistique autogéré au Manitoba qui met un accent particulier sur la diffusion des travaux de réalisateurs canadiens. La Cinémathèque présente des films, vidéos et performances qui incluent une gamme élargie, qui va du cinéma traditionnel aux pratiques novatrices en arts médiatiques.

Cinematheque
Dave Barber
dave@winnipegfilmgroup.com

Distribution Services
Monica Lowe
monica@winnipegfilmgroup.com

Production Support
Mike Maryniuk
mike@winnipegfilmgroup.com

Submission deadlines
Distribution: ongoing
Cinematheque: November 1

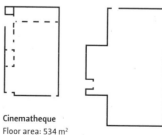

Cinematheque
Floor area: 534 m²
Seats: 97
Studio de production du Winnipeg Film Group
Floor area: 195 m²
Height: 4,57 m

Winnipeg. ▲ Manitoba

215

ASSOCIATIONS

Manitoba Visual Arts Association (MVAA)
c/o 290 McDermot Avenue
2nd Floor
Winnipeg (Manitoba) R3B 0T2

ArtsSmarts Manitoba
525 - 93 Lombard Avenue
Winnipeg (Manitoba) R3R 3B1
T 204 945-2670
ldesilets@artssmartsmanitoba.ca
www.artssmartsmanitoba.ca

Association of Manitoba Book Publishers
404 - 100 Arthur Street
Winnipeg (Manitoba) R3B 1H3
T 204 947-3335
www.bookpublishers.mb.ca

CARFAC Manitoba
407 - 100 Arthur Street
Winnipeg (Manitoba) R3B 1H3
T 204 943-7211
manitoba@carfac.mb.ca
www.carfac.mb.ca

Dauphin & District Allied Arts Council Inc.
104 - 1st Avenue NW
Dauphin (Manitoba) R7N 1G9
T 204 638-6231
art6231@mts.net
www.watsonartcentre.ca

Manitoba Arts Network
203 - 100 Arthur Street
Winnipeg (Manitoba) R3B 1H3
T 204 943-0036
info@communityarts.mb.ca
www.communityarts.mb.ca

Manitoba Crafts Council
214 McDermot Avenue
Winnipeg (Manitoba) R3B 0S3
T 204 487-6114
info@manitobacrafts.ca
www.manitobacrafts.ca

Manitoba Film & Sound
410 - 93 Lombard Avenue
Winnipeg (Manitoba) R3B 3B1
T 204 947-2040
explore@mbfilmsound.mb.ca
www.mbfilmsound.mb.ca

Manitoba Visual Arts Network
Winnipeg (Manitoba)
T 204 489-4830
info@mbvan.org
www.mbvan.org

The Alliance for Arts Education in Manitoba
c/o 525 - 93 Lombard Avenue
Winnipeg (Manitoba) R3B 3B1
scottee_aaem@shaw.ca

ART COUNCILS AND CULTURE DEPARTMENTS / CONSEILS DES ARTS ET MINISTÈRES

Canadian Heritage / Patrimoine canadien
275 Portage Avenue, 2nd floor, P.O. Box 2160
Winnipeg (Manitoba) R3C 3R5
T 204 983-3601
www.pch.gc.ca

Manitoba Arts Council
525 - 93 Lombard Avenue
Winnipeg (Manitoba) R3B 3B1
T 204 945-2237
info@artscouncil.mb.ca
www.artscouncil.mb.ca

Manitoba Culture, Heritage and Tourism
213 Notre-Dame
Winnipeg (Manitoba) R3B 1N3
T 204 945-3766
rrs@gov.mb.ca
www.gov.mb.ca

Winnipeg Arts Council
555 Main Street, Suite 102
Winnipeg (Manitoba) R3B 1C3
T 204 943-7668
info@winnipegarts.ca
www.winnipegarts.ca

FOUNDATIONS / FONDATIONS

C.P. Loewen Family Foundation Inc.
77 Hwy 52 W.
Steinbach (Manitoba) R5G 1B2
T 204 326-6808 #201
kenfriesen@loewen.com
www.loewenfoundation.com

The Winnipeg Foundation
1350 One Lombard Place
Winnipeg (Manitoba) R3B 0X3
T 204 944-9474
info@wpgfdn.org
www.wpgfdn.org

EXHIBITION SPACES / LIEUX DE DIFFUSION

Art Gallery of Southwestern Manitoba
710 Rosser Avenue, Unit 2
Brandon (Manitoba) R7A 0K9
T 204 727-1036
info@agsm.ca
www.agsm.ca

Galerie du Centre culturel franco-manitobain
340, boul. Provencher
Saint-Boniface (Manitoba) R2H 0G7
T 204 233-8972
artsvisuels@ccfm.mb.ca
www.ccfm.mb.ca

Gallery One One One
Fort Garry Campus of the University of Manitoba
Winnipeg (Manitoba) R3T 2N2
T 204 474-9322
eppr@ms.umanitoba.ca
www.umanitoba.ca/schools/art/content/galleryoneoneone/

Grafitti Gallery
109 Higgins Avenue
Winnipeg (Manitoba) R3B 0B5
T 204 667-9960
graffart@mts.net

Outworks Gallery
3 - 290 McDermot Avenue
Winnipeg (Manitoba)
T 204 949-0274
info@outworksgallery.com
www.outworksgallery.com

Pembina Hills Arts Council
352 Stephen Street
Morden (Manitoba) R6M 1T5
T 204 822-6026
pembhill@mts.net
www.mordenmb.com/Visitors/Attractions/
ArtGallery

Plug In Institute for Contemporary Art
460 Portage Avenue
Winnipeg (Manitoba) R3C 0E8
T 204 942-1043
info@plugin.org
www.plugin.org

St. Norbert Arts Centre (SNAC)
100 des Ruines du Monastère Street
P.O. Box 175
Winnipeg (Manitoba) R3V 1L6
T 204 269-0564
snacc@snac.mb.ca
www.snac.mb.ca

Winnipeg Art Gallery
300 Memorial Boulevard
Winnipeg (Manitoba) R3V 1V1
T 204 786-6641
inquiries@wag.mb.ca
www.wag.mb.ca

COMMERCIAL GALLERIES /
GALERIES PRIVÉES

803 Gallery
803 Erin Street
Winnipeg (Manitoba) R3G 2W2
T 204 489-0872
gallery@gallery-803.com
www.gallery-803.com

Mayberry Fine Art
212 McDermot Avenue
Winnipeg (Manitoba) R3B 0S3
T 204 255-5690
info@mayberryfineart.com
www.mayberryfineart.com

Semai Gallery
Basement Corridor
264 McDermot Avenue
Winnipeg (Manitoba) R3B 0S8
T 204 275-5471
semaigallery@gmail.com
www.semaigallery.info

Wah-Sa Gallery
130 - 25 Forks Market Road
Winnipeg (Manitoba) R3C 4S8
T 204 942-5121
wahsa@escape.ca
www.wahsa.mb.ca

FESTIVALS AND EVENTS /
FESTIVALS ET ÉVÉNEMENTS

Send + Receive
c/o Video Pool, 300 - 100 Arthur Street
Winnipeg (Manitoba) R3B 1H3
www.sendandreceive.org

AKA Gallery
Common Weal
The Indigenous Peoples Artist Collective (IPAC)
Neutral Ground
PAVED Arts
Tribe

Saskatchewan

AKA GALLERY

424 20th Street West
Saskatoon
(Saskatchewan) S7M 0X4
T / F 306 652-0044
www.akagallery.org

Tuesday /
Wednesday / Friday
12 h - 18 h

Thursday
12 h - 20 h

Saturday
12 h - 16 h

Hadley+Maxwell, *The Metal Drummer and the Walldog: Billboard Project*, 2009. Photo Dagmara Genda

Director
Tod Emel
director.aka@sasktel.net

Gallery Coordinator
Mitch Martin
comm.aka@sasktel.net

Submission deadline
March 31

Floor area: 324.2 m²
Linear hanging surface: 36 m
Height: 3.5 m

AKA is an artist-run centre committed to the dissemination and development of contemporary art.

Our mission is to be a catalyst for community development, intercultural dialogue and innovation. AKA values responsiveness to local needs, diversity, respectful dialogue and exchange, collaboration, interdisciplinarity, and experimentation.

Priorities

- Diversity, integration, collaboration, outreach and development;
- Committed to the principles of artist self-determination, consensus decision-making, freedom of expression, and professional treatment of artists;
- Finding a balance between local and national artists, artists from diverse cultural backgrounds as well as emerging and more established artists;
- AKA pays CARFAC fees at a minimum, return shipping, transportation and per diem where applicable.

Facilities

In addition to the main gallery, the building AKA co-owns and shares with PAVED Arts features a programmable billboard spanning the front of the building and an event space equipped with full media presentation capabilities, allowing for an expansive range in the gallery's programming capacity.

AKA est un centre d'artistes autogéré dédié à la diffusion et au rayonnement de l'art contemporain.
Sa mission consiste à jouer un rôle de catalyseur dans le développement communautaire, le dialogue interculturel et l'innovation. AKA valorise les besoins locaux, la diversité, le dialogue et l'interaction, la collaboration, l'interdisciplinarité et l'expérimentation.

Priorités

- Favoriser la diversité, l'intégration, la collaboration, la sensibilisation et le développement.
- Respecter les principes de l'autodétermination de l'artiste, du consensus en matière de prise de décision et de la liberté d'expression, et traiter les artistes avec professionnalisme.
- Trouver un équilibre entre les artistes locaux et internationaux, les artistes de diverses cultures, ainsi que les artistes émergents et établis.
- AKA verse aux artistes au moins le cachet minimum prévu par le CARFAC et prend en charge les frais d'expédition de retour, le transport et les indemnités journalières, s'il y a lieu.

Installations

En plus de la galerie principale, l'immeuble détenu en copropriété par AKA et PAVED Arts possède un tableau d'affichage programmable sur la façade et un espace d'évènements entièrement équipé pour les présentations multimédias, permettant à la galerie d'accueillir une programmation des plus variées.

Saskatoon ▲ Saskatchewan

Regina Office
#220 - 1808 Smith Street
Regina (Saskatchewan)
S4P 2N4
T 306 780-9442
F 306 780-9491

Prince Albert Office
1010 Central Avenue
Prince Albert (Saskatchewan)
S6V 4V5
T 306 763-8023
F 306 953-4814
nac@ commonweal-arts.com
www.commonweal-arts.com

Monday to Friday
9 h – 17 h

Grasslands, Where Heaven Meets Earth, 2004.
Photo: Common Weal Community Arts Inc.

Common Weal Community Arts facilitates the production of participatory art projects based on creating partnerships between communities and artists through a philosophy of inclusion and cooperation in order to create opportunities and choices for individuals and communities.
This is achieved through:
- producing art that promotes critical thinking;
- embracing cooperation, diversity, and inclusiveness;
- committing to projects of high artistic merit;
- affirming and developing a creative consciousness by challenging the status quo with honesty and integrity;
- recognizing and engaging alternative voices and world views; and,
- prioritizing the engagement of Indigenous peoples.
Our projects are diverse, ranging from video, performance, audio, photography, traditional practices, voice, site-specific, multimedia, and interdisiplinary works.

Common Weal Community Arts soutient la réalisation de projets artistiques axés sur l'établissement de partenariats entre la communauté et les artistes dans un esprit d'inclusion et de coopération. L'organisme multiplie les occasions pour les individus et les communautés en :
soutenant une production artistique favorisant la pensée critique;
encourageant la coopération, la diversité et l'inclusion;
appuyant des projets artistiques de grande qualité;
stimulant une conscience créative conduisant à des remises en question sincères;
reconnaissant et diffusant des points de vue marginaux;
mettant la participation des peuples autochtones au cœur de ses priorités.

Common Weal soutient des projets variés axés sur la vidéo, la performance, l'audio, la photographie, les pratiques traditionnelles et la voix, ainsi que des projets locaux in situ, multimédias et interdisciplinaires.

Executive Director
Joanne Shannon
edcommonweal@sasktel.net

Southern Artistic Coordinator
Gerry Ruecker
adcommonweal@sasktel.net

Northern Artistic Coordinator
Judy McNaughton
nac@commonweal-arts.com

Submission deadline
Ongoing

Regina, Prince Albert ▲ Saskatchewan

THE INDIGENOUS PEOPLES ARTIST COLLECTIVE (IPAC)

Michel Boutin, *Performance Time, Two Story Café*, 2008.
Photo: Thomas Porter

1010 Central Avenue
Prince Albert (Saskatchewan)
S6V 4V5
T 306 763-8023
F 306 953-4814
ipac_pa@live.com
www.ipac-pa.ca

Monday to Friday
10 h -17 h

Artistic Director
Michel Boutin
m.boutin@shaw.ca

Program Manager
Terri Lynn McDonald
ipac_pa@live.com

Administration Advisor
Judy McNaughton
jmmcnaughton@hotmail.com

Submission deadline
By invitation

The Indigenous Peoples' Artist Collective of Prince Albert (IPAC) is an organization created to provide venues to promote and display the work of artists of Métis and First Nations background.

Gallery Space

The John V. Hicks Gallery is shared by IPAC and other organizations within the Prince Albert Art Centre that utilize this space for visual art exhibitions and performance art.

Special Events

IPAC holds multidisciplinary, visual art, and musical events including the annual Two Story Café. Held over three days every October, it showcases Aboriginal artistic performances and artworks.

Mentorships

Individual and group mentorships are a large part of IPAC's services. These include the weekly visual arts studio sessions Wednesday Open Studio and Uber Gurls, two components of IPAC's Urban Arts Program.

L'Indigenous Peoples' Artist Collective of Prince Albert (IPAC) est un organisme créé dans le but d'offrir aux artistes métis et des Premières nations un espace de diffusion et de promotion de leurs œuvres.

Galerie

L'IPAC partage avec d'autres organismes du Prince Albert Art Centre la John V. Hicks Gallery, espace consacré à la diffusion des arts visuels et performatifs.

Événements spéciaux

L'IPAC organise des évènements multidisciplinaires, artistiques et musicaux, notamment le Two Story Café, qui, chaque année en octobre, présente pendant trois jours performances et travaux d'artistes autochtones.

Mentorat

Le mentorat individuel et de groupe est au cœur des services offerts par l'IPAC, notamment par l'intermédiaire des ateliers hebdomadaires en arts visuels du Wednesday Open Studio et d'Uber Gurls, qui s'inscrivent dans le programme d'art urbain de l'IPAC.

203 1856 Scarth Street
Regina (Saskatchewan)
S4P 2G3
T 306 763-8023
F 306 953-4814
neutralground@accesscomm.ca
www.neutralground.sk.ca

Tuesday to Saturday
11 h – 17 h
Evening events scheduled
regularly

KIT and Robert Saucier, *Virutorium, The Ecology of Self Replicating Systems*, 2008. Photo : Jason Thiry

Working in the disciplines of visual and new media art, Neutral Ground is active as a presenter to create and disseminate work that emphasizes critical and conceptual innovation or interdisciplinarity.

Actif dans le domaine des arts visuels et des nouveaux médias, Neutral Ground favorise la création et la diffusion d'œuvres axées sur l'innovation critique et conceptuelle ou l'interdisciplinarité.

Programming

Formed in 1982, the centre has a diverse programming history that has challenged existing paradigms in the arts and initiated new production models for live and new media art. Programming is determined through open submissions and by invitation.

Media Lab

A research and production facility with an emphasis on the production of new media art and developing new artistic genres.

Residencies

Short- and long-term residencies for new media research and production, performance or visual art projects are determined on a case by case basis and self-directed residencies accessing the Lab are welcomed year-round.

New Music Concert Series

A sound art concert series runs annually for solo works and works that can be recreated through transcription and scoring.

Programmation

Fondé en 1982, le centre a présenté depuis une programmation variée défiant les paradigmes existant dans les arts en plus de concevoir de nouveaux modèles de pratique, tant dans le domaine de la performance que dans celui des nouveaux médias. La programmation est déterminée par appel de dossiers et sur invitation.

Laboratoire médiatique

Le laboratoire offre des installations de recherche et de production axées sur la création artistique dans le domaine des nouveaux médias et l'exploration de nouveaux genres artistiques.

Résidences

Les résidences à court et à long terme en recherche et en production de nouveaux médias, en performance ou en arts visuels sont sélectionnées au cas par cas. Les résidences autonomes en laboratoire sont accessibles toute l'année.

Concerts de musique émergente

Série de concerts des arts du son organisée chaque année présentant des œuvres individuelles et des pièces nées de transcriptions et de compositions électroacoustiques.

Director
Brenda Cleniuk

Production
Jason Thiry

Curatorial Resident
John Hampton

Submission deadlines
Ongoing

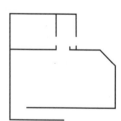

Main Gallery
Floor area: 83.7 m²
Linear hanging surface: 35.3 m
Height: 3.25 m
Adjunct Gallery
Area: 20.58 m²
Linear hanging surface: 13.86 m
Height: 3.22 m

Regina ▲ Saskatchewan

PAVED ARTS

Martin Beauregard, *Drive-End (Part 1) Billboard project*, 2009. Photo: David LaRiviere

424 20th Street West
Saskatoon
(Saskatchewan)
S7M 0X4
T 306 652-5502
F 306 652-0534
www.pavedarts.ca

Tuesday to Friday
12 h – 18 h

Saturday
12 h – 16 h

Executive Director
Laura Margita
executive@pavedarts.ca

Artistic Director
David LaRiviere
artistic@pavedarts.ca

Technical Director
Ian Campbell
technical@pavedarts.ca

Submission deadline
September 15

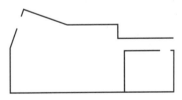

Floor area
Main Gallery: 68.49 m²; **Media Gallery:** 14.60 m²
Linear hanging surface: 10.52 m
Height: 3.66 m (3.18 m to track lighting)

PAVED Arts is a member-driven centre for artistic production, research, presentation, dissemination, exploration and interaction. We are committed to facilitating access, dialogue and skills development in an environment of creative expression and critical thought.

Production

Our production facilities enable media artists to explore independent perspectives in contemporary media and new media, including broadcast-ready HD video editing and a full, professional-grade audio recording suite and monitoring booth.

Physical Plant

PAVED's home is a two-storey building in central Saskatoon, shared with our colleagues at AKA Gallery, and includes a shared performance space (150 persons) with video projection and quadraphonic sound capacity.

Outreach

PAVED serves its audiences with significant outreach, youth cultural production as well as community collaboration activities. Riversdale has a strong First Nations presence, and PAVED has become recognized as a leading centre within the context of the community.

PAVED Arts est un centre géré par ses membres pour la production, la recherche, la présentation, la diffusion, l'exploration et l'interaction artistiques. Nous nous engageons à offrir un accès aux services et aux présentations, les possibilités d'échange et un perfectionnement professionnel dans un cadre de création et de réflexion critique.

La production

Notre centre de production permet aux artistes en arts médiatiques de poursuivre leurs propres pistes d'exploration en nouveaux médias et en médias contemporains de façon autonome. Il offre une salle de montage vidéo HD pour radiodiffusion et un studio d'enregistrement sonore de calibre professionnel avec cabine de contrôle.

L'installation

PAVED se trouve dans un édifice à deux étages du centre-ville de Saskatoon que nous partageons avec nos collègues d'AKA Gallery. Les deux organismes partagent également une salle de présentation de 150 places avec de l'équipement de projection vidéo et système de son quadraphonique.

Le rayonnement

Nous offrons à notre public des services de diffusion importants, une production culturelle jeunesse et des possibilités de collaboration communautaire. Riversdale est marqué d'une forte présence autochtone, et PAVED est devenu un noyau culturel de premier plan au sein de cette collectivité.

A Centre for the evolving Aboriginal Media, Visual and Performing Arts Inc.
805 601 Spadina Crescent East
Saskatoon (Saskatchewan)
S7K 3G8

P.O. Box 7861
Saskatoon (Saskatchewan)
S7K 4RS
T 306 244-4814
F 306 975-0892
tribe.inc@sasktel.net
www.tribeinc.org

Monday to Friday
12 h – 17 h

Photo: Tribe

Tribe is a non-profit arts organization. Through our partnerships and collaborations over the last 15 years, Tribe has promoted cross-cultural exchange and dialogue between Native and non-Native communities. Tribe provides a stimulating, challenging, and creative forum for Aboriginal artists, curators, and critics to develop as professionals in the contemporary art world.

Artistic objectives

- To provide emerging, established, and senior Aboriginal artists with invaluable opportunities to pursue their artistic development;
- To strengthen and enrich the Aboriginal arts community locally and nationally;
- To partner and collaborate with Aboriginal and non-Aboriginal institutions in order to develop and disseminate Aboriginal arts programming;
- To deliver professional development resources to the Aboriginal and non-Aboriginal arts community;
- To increase public awareness of contemporary Aboriginal artists and the art they create;
- To facilitate the development of a visible and productive community of contemporary Aboriginal artists in Saskatchewan and Canada.

Tribe est un organisme artistique sans but lucratif. En collaboration avec différents partenaires, il œuvre depuis 15 ans à la promotion des échanges interculturels et du dialogue entre les communautés autochtones et non autochtones. Tribe offre un forum stimulant et inspirant aux artistes autochtones, aux commissaires et aux critiques qui souhaitent faire carrière dans le milieu de l'art contemporain.

Mission

- Offrir aux artistes autochtones émergents, à mi-carrière et établis des occasions de poursuivre leur cheminement artistique;
- renforcer et enrichir la communauté artistique autochtone de la scène locale et nationale;
- établir des partenariats et collaborer avec des organismes autochtones et non autochtones en vue de développer et de faire connaître les programmes d'art autochtone;
- offrir des ressources en formation professionnelle à la communauté artistique autochtone et non autochtone;
- sensibiliser le public aux artistes contemporains autochtones et aux formes d'art qu'ils pratiquent;
- accroître la visibilité et la productivité de la communauté des artistes contemporains autochtones en Saskatchewan et ailleurs au Canada.

Executive Director
Lori Blondeau

Submission deadline
Ongoing

Saskatoon ▲ Saskatchewan

ASSOCIATIONS

Plains Artist-Run Centres Association (PARCA)
c/o Tribe, A Centre for the evolving Aboriginal
Media, Visual and Performing Arts Inc.
805 - 601 Spadina Crescent East
Saskatoon (Saskatchewan) S7K 3G8
P.O. Box 7861
Saskatoon (Saskatchewan) S7K 4RS
T 306 244-4814
tribe.inc@sasktel.net
www.tribeinc.org

ArtsSmarts Saskatchewan
Saskatchewan Arts Board
1355 Broad Street
Regina (Saskatchewan) S4R 7V1
T 306 787-4056
417 24th Street East
Saskatoon (Saskatchewan) S7K 0K7
T 306 964.1155
info@artsboard.sk.ca
www.artsboard.sk.ca

CARFAC Saskatchewan
1734-A Dewdney Avenue
Regina (Saskatchewan) S4R 1G6
T 306 522-9788
carfac@carfac.sk.ca
www.carfac.sk.ca

Conseil culturel fransaskois (CCF)
2114, 11e Avenue, Bureau 303
Regina (Saskatchewan) S4P 0J5
T 306 565-8916
ccf@culturel.sk.ca
www.culturel.sk.ca

Faculty of Fine arts
University of Regina
Room RC 247 - Riddel Centre
Regina (Saskatchewan) S4S 0A2
T 306 585-5562
visualarts@uregina.ca
www.uregina.ca/finearts

Regina Multicultural Council
2144 Cornwall Street
Regina (Saskatchewan) S4P 2K7
T 306 757-5990
E-mail: rmc.pa@sasktel.net
www.reginamulticulturalcouncil.ca

Museums Association of Saskatchewan
422 McDonald Street
Regina (Saskatchewan) S4N 6E1
T 306 780-9279
mas@saskmuseums.org
www.saskmuseums.org

Saskatchewan Arts Alliance
2314 11th Avenue (205A)
Regina (Saskatchewan) S4P 0K1
T 306 780-9820
info@artsalliance.sk.ca
www.artsalliance.sk.ca

Saskatchewan Craft Council
813 Braodway Avenue
Saskatoon (Saskatchewan) S7N 1B5
T 306 653-3616
saskcraftcouncil@sasktel.net
www.saskcraftcouncil.org

Saskatchewan Filmpool Cooperative
301 - 1822 Scarth Street
Regina (Saskatchewan) S4P 2G3
T 306 757-8818
web@filmpool.ca
www.filmpool.ca

**Saskatchewan Professional Art Galleries
Association (SPAGA)**
Box 661
Regina (Saskatchewan) S4P 3A3
T 306 569-9279
contact@spaga.com
www.spaga.com

Saskatchewan Society for Education through Art
Box 9497
Saskatoon (Saskatchewan) S7K 7E9
T 306 975-0222
ssea_ssea@sasktel.net
www.saskedthroughart.ca

SaskCulture Inc.
600 - 2220 12th Avenue
Regina (Saskatchewan) S4P 0M8
T 306 780-9284
saskculture.info@saskculture.sk.ca
www.saskculture.sk.ca

ART COUNCILS AND CULTURE DEPARTMENTS / CONSEILS DES ARTS ET MINISTÈRES

Canadian Heritage / Patrimoine canadien
1975 Scarth Street, Suite 400
Regina (Saskatchewan) S4P 2H1
T 306 780-7287
pnr-rpn@pch.gc.ca
www.pch.gc.ca

Canadian Heritage / Patrimoine canadien
101 22nd Street East, Suite 311
Saskatoon (Saskatchewan) S7K 0E1
T 306 975-5505
pnr-rpn@pch.gc.ca
www.pch.gc.ca

**Government of Saskatchewan –
Tourisme, Parks, Culture and Sports**
www.tpcs.gov.sk.ca

Organization of Saskatchewan Arts Councils
1102 8th Avenue
Regina (Saskatchewan) S4R 1C9
T 306 586-1250
info@osac.sk.ca
www.osac.sk.ca

**Saskatchewan Arts Board /
Conseil des arts de la Saskatchewan**
T 306 787-4056
info@artsboard.sk.ca
www.artsboard.sk.ca

EXHIBITION SPACES / LIEUX DE DIFFUSION

Allan Sapp Gallery
1 Railway Avenue East, P.O. Box 460
North Battleford (Saskatchewan) S9A 2Y6
sapp@accesscomm.ca
www.allensapp.com

Art Gallery of Regina
Box 1790
Regina (Saskatchewan) S4P 3C8
T 306 522-5940
agr@sasktel.net
www.artgalleryofregina.ca

Chapel Gallery
891 99th Street, Box 460
North Battleford (Saskatchewan) S9A 2Y6
www.chapelgallery.ca

Dunlop Art Gallery
Regina Public Library
2311 12th Avenue
P.O. Box 2311
Regina (Saskatchewan) S4P 3Z5
T 306 777-6040
acachia@reginalibrary.ca
www.dunlopartgallery.org

Sherwood Village Branch Gallery
6121 Rochdale Boulevard
Regina (Saskatchewan)
T 306 777-6040
www.dunlopartgallery.org

Estevan Art Gallery & Museum
118 4th Street
Estevan (Saskatchewan) S4A 0T4
T 306 634-7644
eagm@sasktel.net
www.eagm.ca

Gordon Snelgrove Gallery
Room 191, Murray Building
University of Saskatchewan
3 Campus Drive
Saskatoon (Saskatchewan) S7N 5A4
T 306 966-4208
gary.young@usask.ca
www.usask.ca/snelgrove

Kenderdine Art Gallery
2nd Level - Agriculture Building
51 Campus Drive
Saskatoon (Saskatchewan) S7N 5A8
T 306 966-6816
kag.cag@usask.ca
www.usask.ca/kenderdine

Mackenzie Art Gallery
3475 Albert Street
Regina (Saskatchewan) S4S 6X6
T 306 584-4250
mackenzie@uregina.ca
www.mackenzieartgallery.sk.ca

Mendel Art Gallery and Civic Conservatory
950 Spadina Crescent East, P.O. Box 569
Saskatoon (Saskatchewan) S7K 3L6
T 306 975-7610
srobertson@mendel.ca
www.mendel.ca

Moose Jaw Museum & Art Gallery
Crescent Park
Moose Jaw (Saskatchewan) S6H 0X6
T 306 692-4471
mjamchin@sasktel.net
www.mjmag.ca

Red Shift Gallery
118 20th Street West
Saskatoon (Saskatchewan) S7M 0W6
redshiftgallery@hotmail.com
www.redshiftgallery.ca

Saskatchewan Indian Cultural Centre
111 - 2553 Grasswood Road East
Saskatoon (Saskatchewan) S7T 1C8
T 306 373-9901
info@sicc.sk.ca
www.sicc.sk.ca

St. James' and the Refinery
609 Dufferin Avenue
Saskatoon (Saskatchewan) S7N 1C4
T 306 653-5193
office@refinersonline.org
www.refinersonline.org

The Godfrey Dean Art Gallery
49 Smith Street East
Yorkton (Saskatchewan) S3N 0H4
T 306 786-2992
info@deangallery.ca
www.deangallery.ca

COMMERCIAL GALLERIES /
GALERIES PRIVÉES

Darrell Bell Gallery
317 – 220 3rd avenue South
Saskatoon (Saskatchewan) S7K 1M1
T 306 955-5701
darrellbellgallery@sasktel.com
www.darrellbellgallery.com

FESTIVALS AND EVENTS /
FESTIVALS ET ÉVÉNEMENTS

Yorkton Short Film & Video Festival
49 Smith Street East
Yorkton (Saskatchewan) S3N 4J3
T 306 782-7077
info@goldensheafawards.com
www.yorktonshortfilm.org

Alberta Printmakers' Society & Artist Proof Gallery
EMMEDIA Gallery & Production Society
Harcourt House Arts Centre
Latitude 53 Contemporary Visual Culture
Mountain Standard Time Performative Art Festival
The New Gallery (TNG)
Society of Northern Alberta Print–artists
Stride Gallery
Trap\door Artist-Run Centre
TRUCK Contemporary Art in Calgary
Untitled Art Society

Alberta

ALBERTA PRINTMAKERS' SOCIETY & ARTIST PROOF GALLERY

Courtesy of the Alberta Printmakers' Society.
Photo: Concetta Zurzolo

2010F 11 St. SE
Calgary (Alberta) T2G 3G3

PO Box 6821, Stn. D
Calgary (Alberta) T2P 2E7

Wednesday to Saturday
11 h – 16 h

T 403-287-1056
aprint1@telus.net
www.albertaprintmakers.ca

Centre Director
Christie Kirchner
aprint1@telus.net

Submission deadline
September 15

The Alberta Printmakers' Society (A/P) is a non-profit artist-run centre, founded in 1989 in Calgary, Alberta. A/P endeavours to increase public awareness of printmaking as a fine arts medium, and to provide support, opportunity and resources for print media artists.

Exhibitions

The Alberta Printmakers' Society programs seven exhibitions per year in the Artist Proof Gallery, an artist-run gallery space located adjacent to the Alberta Printmakers' Society studios. The gallery exhibits innovative, contemporary print-based work by emerging and established artists. The gallery strives to exhibit the diversity of print media as a contemporary and vital artistic medium.

Studio

The Alberta Printmakers' Society offers a studio rental program for members of the Society in our fully-equipped printmaking studio.

Education

The Alberta Printmakers' Society's education program offers course-based and one-on-one instruction year-round in our studio.

Talks/Events

The Alberta Printmakers' Society organizes regular artist talks by national and international artists through our Engraving Culture Speaker Series program.

Alberta Printmakers' Society est un centre d'artiste autogéré à but non lucratif, fondé en 1989 à Calgary, Alberta.

Expositions

Alberta Printmakers' Society programme sept expositions par an dans l'Artist Proof Gallery, espace autogéré situé à côté des studios d'Alberta Printmakers' Society. La galerie expose le travail imprimé, contemporain et diversifié, d'artistes émergents et confirmés. La galerie veut présenter la gravure dans sa diversité et comme une méthode contemporaine et un moyen artistique vital.

Studio

Alberta Printmakers' Society offre en location à ses membres un atelier de gravure entièrement équipé.

Éducation

Le programme d'éducation d'Alberta Printmakers Society dispense des cours d'initiation à la gravure pendant toute l'année.

Événements

Alberta Printmakers' Society organise régulièrement des conférences données par des artistes nationaux et internationaux dans le cadre de notre programme de Engraving Culture Speaker Series.

Floor area: 23.34 m²
Linear hanging surface: 2.13 m
Height: 2.13 m

Calgary ▶ Alberta

EMMEDIA GALLERY & PRODUCTION SOCIETY

203 - 351 11 Ave SW
Calgary (Alberta) T2R 0C7
T 403 263-2833
  403 263-2838
F 403 232-8372
emmedia@emmedia.ca
www.emmedia.ca

Monday to Saturday
10 h – 17 h

Photo courtesy of EMMEDIA

Established in 1979, EMMEDIA is a member-based society that offers affordable access to Media Arts production tools and services, technical and critical education, and an array of public exhibition programs. EMMEDIA maintains a resource centre of over 1200 electronic recordings by artists on-site.

Programming

EMMEDIA offers year-round public screenings, lectures, installations and performances focussing on the Media Arts including: audio, video, web-based art, independent film, animation, multimedia, performance and environments.

Production

EMMEDIA rents out production equipment, post-production editing suites, and a presentation/screening room. We also offer introductory, advanced and custom-designed workshops in production and post-production.

Production Access Programs

EMMEDIA supports emerging and established artists through our Production Access program that includes free access to workshops, production equipment, post-production facilities, and professional mentorship through the production process of a media artwork. This includes our Scholarship, Bars 'n' Tone, and Artist-in-Residence programs.

Fondé en 1979, EMMEDIA est un organisme dont les membres peuvent accéder à peu de frais à des ressources et services de production en art médiatique, à des formations techniques et critiques, de même qu'à tout un éventail de programmes publics d'exposition. EMMEDIA abrite un centre de ressources regroupant plus de 1 200 enregistrements électroniques réalisés sur place par des artistes.

Programmation

Tout au long de l'année, EMMEDIA présente au public des projections, conférences, installations et performances axées sur les arts médiatiques, notamment des œuvres audio, vidéo, sur Internet, des films indépendants et d'animation, ainsi que des interventions multimédias et d'ambiance.

Production

Outre du matériel de production, des tables de montage postproduction, ainsi qu'une salle de projection en location, EMMEDIA offre des ateliers d'initiation et de perfectionnement, de même que des formations sur mesure en production et en postproduction.

Programmes de soutien à la production

EMMEDIA appuie les artistes grâce à divers programmes de soutien visant à accéder gratuitement à des ateliers, à de l'équipement de production ainsi qu'à des installations de postproduction, de même qu'à un encadrement professionnel tout au long du processus de création. Parmi ces initiatives figurent les programmes de bourse, Bars 'n' Tone, et de résidence.

Operations Coordinator
operations@emmedia.ca

Production Coordinator
production@emmedia.ca

Program & Outreach Coordinator
programming@emmedia.ca

Submission deadline
Ongoing

Calgary ▶ Alberta

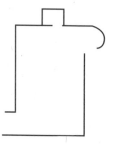

Floor area: 56m^2

HARCOURT HOUSE ARTS CENTRE

Photo: Courtesy of Harcourt House Arts Centre

10215 112 Street
Edmonton (Alberta) T5K 1M7
T 780 426-4180
F 780 425-5523
harcourt@telusplanet.net
www.harcourthouse.ab.ca

Monday to Friday
10 h – 17 h
Saturday
12 h – 16 h

Executive Director
Derek Brooks

Exhibition and Education Manager
Terrena Boss

Administrative Assistant
Marilyn Glenn

Submission deadlines
Main gallery
November 30 and June 30
Front room
Ongoing
Artist-in-Residence Program
May 30

The Front Room
Floor area: 49.8 m²
Height: 2.6 m
Main Gallery
Floor area: 77 m²
Height: 2.6 m

Exhibitions

Now in its 23rd year, Harcourt House Arts Centre provides and encourages an engaging exhibition program to present a diverse range of artworks and cultural products. Our focus is to present challenging contemporary visual art in all disciplines, and to promote discourse through new works in multi-media installation, painting, sculpture, photography, printmaking, drawing, film, video, performance art, and new technologies.

Resources

As part of Harcourt House's commitment to provide arts resources, including support and assistance, to artists and members, our offices provide library materials, audiovisual equipment loans, clerical support, use of office equipment, and access to information about professional opportunities for artists and cultural workers. Harcourt provides 42 on-site artist studios for working artists.

Education

Harcourt is committed to bringing art education to those who might not otherwise have the opportunity. Classes are provided on-site and at various other locations in Alberta.

Expositions

Le Harcourt House Arts Centre, qui en est à sa 23ᵉ année d'activité, offre un programme d'expositions des plus intéressants en présentant un large éventail d'œuvres et de produits culturels. Le centre a pour but de faire connaître les arts contemporains de toutes disciplines et de susciter le dialogue autour de travaux novateurs en installation multimédia, peinture, sculpture, photographie, gravure, dessin, vidéo, performance et nouvelles technologies.

Ressources

Soucieux d'offrir soutien et ressources artistiques aux artistes comme à ses membres, le Harcourt House leur donne accès à des ouvrages de référence, à du matériel audiovisuel en location, à un soutien administratif, à du matériel de bureau et à de l'information sur des perspectives professionnellement intéressantes pour les artistes et les agents culturels. Le centre dispose en outre de 42 ateliers d'artiste.

Formation

Le Harcourt House Arts Centre a à cœur d'offrir de la formation artistique à des personnes qui n'y auraient pas accès autrement. Les cours sont offerts au centre et ailleurs en Alberta.

10248 106th Street
Edmonton (Alberta) T5J 1H7
T 780 423-5353
F 780 424-9117
info@latitude53.org
www.latitude53.org

Tuesday to Friday
10 h – 18 h
Saturday
12 h – 17 h

Flutura & Besnik Haxhillari, *The Two Gullivers*, 2008.
Photo: Jessica Tse

Founded in 1973, Latitude 53 Contemporary Visual Culture is a not-for-profit artist-run centre. Our purpose is to encourage contemporary artistic practices and to foster the development and exhibition of experimental art forms.

Mandate

Latitude 53 provides a forum for dialogue about contemporary art practices, supports research and development of new artistic practices and concepts and encourages artists' experimentation through diverse programming.

Exhibitions

Latitude 53 has two primary exhibition spaces: the Main Gallery and the ProjEx Room. Individual artists, artists' collectives and curators are invited to submit proposals in any media.

Performance Festivals

Home to Visualeyez… Canada's annual performance art festival curated by Todd Janes.

Critical Publications

Latitude 53 produces monographs, catalogues & publications that focus on critical writing about visual art & culture that fosters dialogues in our community and beyond.

Residencies

Latitude 53 has a writer-in-residence program.

Fondé en 1973, Latitude 53 Contemporary Visual Culture est un centre d'artistes autogéré sans but lucratif visant à encourager les pratiques en art contemporain et à soutenir la création et la diffusion de formes d'art expérimentales.

Mandat

Latitude 53 offre un forum de discussion sur les pratiques en art contemporain, soutient la recherche et la création de nouvelles pratiques et concepts artistiques et encourage l'expérimentation artistique au moyen de divers programmes.

Expositions

Latitude 53 offre deux espaces de diffusion, soit la galerie principale et la salle ProjEx. Les artistes individuels, les collectifs et les conservateurs sont invités à soumettre leurs propositions sous diverses formes.

Festival de la performance

Latitude 53 organise chaque année Visualeyez, festival canadien annuel des arts de la performance sous la direction de Todd Janes.

Publications

Latitude 53 publie des monographies, des catalogues et des ouvrages offrant un regard critique sur les arts visuels et la culture qui stimulent le dialogue au sein de la communauté artistique et au-delà.

Résidences

Le centre offre des résidences en écriture.

Executive Director
Todd Janes
todd.janes@latitude53.org

Program Officer
April Dean
april.dean@latitude53.org

Administrative Assistant
admin@latitude53.org

Submission deadlines
Main Gallery: September 30 and April 30
Projex Room: Ongoing

Main Gallery
Floor area: 83.5 m² / Linear hanging surface: 38.85 m: Height: 3.5 m
ProjEx Room
Floor area: 28.95 m² / Linear hanging surface: 18.5 m: Height: 3.5 m

Edmonton ▶ Alberta

MOUNTAIN STANDARD TIME PERFORMATIVE ART FESTIVAL (M:ST)

Morgan Sea (Calgary), *Citizen Justice in the Cow-Town of Tomorrow*, M:ST 4, 2008. Photo: M:ST

P.O. Box 22056 Bankers Hall
R.P.O
Calgary (Alberta) T2P 5G7
T 403 837-6678
info@mstfestival.org
www.mstfestival.org

Submission deadlines
Biannually and ongoing

M:ST's main activity is the organisation and presentation of a biennial performative art festival. This Festival is a collaborative endeavour between ten Southern Alberta arts organizations. The result is a unique participatory context, where artists and audience experience contemporary performative work outside of more traditional festival or gallery models.

M:ST is committed to presenting performative works from a variety of disciplines that reflect current issues and practices in contemporary art. Through exhibitions, performances, and events, M:ST fosters the development of performative art practices among local, national and international artistic communities.

What is Performative Art?

The term "performative" describes practices that originate from a visual or media arts background and involve the live presence of the artist. Performative art draws primarily from the tradition of performance art, but can also include public interventions, culture jamming, video, film, spoken word, installation, or live web streaming.

M:ST se consacre principalement à l'organisation et à la présentation d'une biennale des arts performatifs, une initiative conjointe de 10 organismes artistiques du sud de l'Alberta. Il s'agit d'un événement issu d'une collaboration unique en son genre permettant aux artistes et au public de vivre une expérience artistique hors des cadres habituels.

M:ST a à cœur de présenter des œuvres performatives dans tout un éventail de disciplines qui traduisent les pratiques et les enjeux actuels en art contemporain. Grâce à des expositions, des performances et d'autres activités, M:ST appuie le développement des arts de la performance au sein des communautés artistiques locales, nationales et internationales.

Qu'est-ce que la performance ?

La performance désigne les pratiques qui tirent leur origine des arts visuels ou médiatiques et nécessitent présence de l'artiste in situ. L'art performatif puise principalement dans les arts de la performance traditionnels, mais peut également faire appel à la participation du public et comporter des éléments empruntés à la vidéo, au cinéma, à la création parlée, à l'installation ou au Web en direct.

Calgary ▶ Alberta

THE NEW GALLERY (TNG)

212 - 100 7th Ave SW
Calgary (Alberta) T2P 0W4
T 403 233-2399
F 403 290-1714
info@thenewgallery.org
www.thenewgallery.org

Tuesday to Friday
11 h – 17 h
Saturday
12 h – 18 h
"First Thursdays"
11 h – 21 h

Susy Oliveira, *Your face, like a lone nocturnal garden in Worlds where Suns spin round!*, TNG Main Space, Art Central, 2010. Photo : Rebecca Rowley

Established in 1975, The New Gallery is an active artist-run centre for the presentation contemporary art in Calgary. The New Gallery recognizes diversity, encourages critical discourse, and promotes a public appreciation of contemporary art.

Exhibitions

TNG features exhibitions in any media by artists, collectives and curators dealing with contemporary art forms and issues.

Resource Centre

The Resource Centre is a combined library and archive that documents the history of TNG and artist-run culture in Calgary.

Public Programs and Events

TNG presents lectures, workshops, performances, screenings, and educational programs to create a forum on contemporary issues.

TNG Press

Our publications address critical issues in contemporary art while increasing the appreciation of artistic activities in this region and beyond.

Artist Trading Cards

TNG facilitates Artist Trading Card workshops on the last Saturday of every month.

Fondée en 1975, The New Gallery (TNG) est un centre d'artistes autogéré œuvrant à la mise en valeur de l'art contemporain à Calgary. TNG reconnaît la diversité, encourage le discours critique et favorise le rayonnement de l'art contemporain auprès du public.

Expositions

TNG présente des œuvres diversifiées d'artistes, de collectifs et de conservateurs qui s'intéressent aux pratiques artistiques et aux questions contemporaines.

Centre de ressources

Le centre de ressources abrite une bibliothèque et des archives qui documentent l'histoire de la galerie et la culture des centres d'artistes autogérés de Calgary.

Programmes et activités offerts au public

TNG présente conférences, ateliers, performances et projections, en plus d'offrir des programmes éducatifs afin de susciter des discussions sur les questions contemporaines.

Publications

Les publications de TNG examinent les enjeux importants de l'art contemporain tout en favorisant le rayonnement des activités artistiques dans la région et à l'extérieur.

Artist Trading Cards

Tous les derniers samedis du mois, TNG organise l'Artist Trading Cards, un atelier d'échange de cartes réalisées par des artistes.

Programming Director
Tim Westbury
tim@thenewgallery.org

Administrative Director
Jessica McCarrel
jessica@thenewgallery.org

Resource Centre Coordinator
Johanna Plant
johanna@thenewgallery.org

Submission deadline
Ongoing

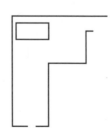

Floor area: 122 m²
Linear hanging surface: 28 m
Height: 4 m

Calgary ▶ Alberta

SOCIETY OF NORTHERN ALBERTA PRINT-ARTISTS

Photo: Anna-Karolina Szul

10123 121 Street
Edmonton (Alberta) T5N 3W9
T 780 423-1492
F 780 426-1177
snap@snapartists.com
www.snapartists.com

Tuesday to Saturday
12 h – 17 h

Executive Director
Anna-Karolina Szul

Submission deadline
January 31

The Society of Northern Alberta Print-artists (SNAP) is dedicated to the promotion of both traditional and experimental printmaking practices. This includes prints, artists' books, posters, and print-based installations as well as new experimental hybrid forms.

Averaging eight exhibitions per year, SNAP Gallery hosts local, national, and international artists, many of whom give lectures or demonstrations during their visits.

SNAP's printshop has the only publicly accessible letterpress in Northern Alberta, darkroom facilities, and flatbed presses used in a variety of printing applications. The new shop also includes 10 individual artist studios.

SNAP's community programs provide specialised printmaking programs for artists, adults and children.

Members receive access to shop facilities, deals on programs, as well as discounts at local art supply stores. Sponsor members receive four limited-edition hand-pulled prints per year with SNAPline, the quarterly newsletter. SNAP has published catalogues for major exhibitions and collaborations.

The Society of Northern Alberta Print-artists (SNAP) est consacrée à la promotion des pratiques d'impression traditionnelles et expérimentales. Cela comprend des publications, des livres d'artistes, des affiches, et des installations aussi bien que de nouvelles formes hybrides expérimentales.

Proposant une moyenne de huit expositions par an, SNAP Galerie reçoit les artistes locaux, nationaux et internationaux, dont beaucoup présentent les conférences ou des démonstrations pendant leurs visites.

L'atelier d'estampe SNAP possède la seule presse typographique accessible au public en Alberta, des équipements de chambre noire et des presses à plateau aux utilisations variées. Le nouvel atelier offre également 10 différents studios louables à des artistes.

Les programmes de SNAP sont spécialisés en estampe et s'adressent aux artistes, aux adultes et aux enfants de tous âges.

Nos membres ont accès aux équipements de l'atelier, bénéficient de tarifs avantageux sur les programmes et de rabais dans les magasins locaux de fournitures d'art. Les membres qui parrainent nos activités reçoivent chaque année quatre estampes à tirage limité, imprimées à la main.

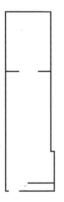

Floor area: 54 m²
Linear hanging surface: 31 m
Height: 3.5 m

Edmonton ▶ Alberta

1004 MacLeod Trail SE
Calgary (Alberta) T2G 2M7
T 403 262-8507
F 403 269-5220
info@stride.ab.ca
www.stride.ab.ca

Tuesday to Saturday
11 h – 17 h

Scott Rogers, *Wireframe*, 2010. Photo: M.N. Hutchinson

The Stride Gallery supports the artistically innovative, regardless of ideological attachments or material considerations. We offer artists opportunities to take significant steps within their own independent practice, that may well become better defined and better understood for having exhibited at Stride Gallery. We are committed to excellence in contemporary exhibitions, site-specific and public initiatives, lectures, special events, and publications. We are diverse in our practices, but united by a commitment to the value of contemporary art to our society.

Exhibitions

Stride programs exhibitions in three distinct spaces: our Main Space, Project Room, and off-site +15 Window Space. Submissions are accepted year-round and the Board of Directors meets three times per year to make programming decisions.

Publications

Stride's publishing program offers artists and writers opportunities to produce text- or image-based publications that contribute to contemporary art discourse. Please refer to our website for examples of past publishing projects, and contact the gallery for more information on publishing opportunities.

La Galerie Stride soutient l'innovation artistique, indépendamment des considérations idéologiques ou matérielles. Nous offrons aux artistes l'occasion de créer des projets indépendants importants pour leur carrière. Nous nous sommes engagés à soutenir l'excellence dans nos activités : expositions d'art contemporain, initiatives in situ et d'art public, conférences, événements spéciaux et publications. Nous favorisons les pratiques variées, mais affirmons notre engagement en faveur de l'art contemporain rayonnant dans la société.

Expositions

Stride gère trois programmes distincts d'exposition, l'un dans la galerie principale, un autre dans la salle de projet et celui de la vitrine d'exposition + 15. Les soumissions sont acceptées durant toute l'année et le Conseil d'administration se réunit trois fois par an pour décider de la programmation.

Édition

Le programme d'édition de Stride offre aux artistes et aux auteurs l'occasion de publier des textes ou des livres illustrés qui contribuent au discours de l'art contemporain. Référez-vous à notre site Web pour prendre connaissance des publications existantes et contactez la galerie pour plus d'informations sur nos projets.

Director
Lisa Benschop
stride2@telusplanet.net

Assistant Director
Kyle Whitehead
info@stride.ab.ca

Submission deadline
Ongoing

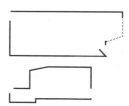

Main Space
Floor area: 40 m² / Linear hanging
surface: 22.6 m / Height: 3.7 m
Project Room
Floor area: 22 m² / Linear hanging
surface: 16.2 m / Height: 2.1 m
+15 Window Space
Floor area: 10.7 m² / Linear hanging
surface: 4.2 m / Height: 1.9 m

Calgary ▶ Alberta

TRAP\DOOR ARTIST-RUN CENTRE

Andrew Taggart, *Demonstrations and Rational Demons,*
le petit trianon in Lethbridge (AB), 2008.
Photo : Jane Edmundsen

c/o 811 5th Avenue South
Lethbridge (Alberta) T1J 0V2
info@trapdoorarc.com
www.trapdoorarc.com

Lethbridge ▶ Alberta

Submission deadlines
General
May 5
Gushul Studio and Collaboration
December 15

Founded in 2004, Trap\door is dedicated
to the promotion of challenging and critical
contemporary visual art, encouraging
experimentation by artists whose work
explores the peripheries of their discipline.

Exhibitions

With no permanent exhibition space, we
match the artists we exhibit with locations
that best suit their projects. Working with
a limited budget, Trap\door deliberately
dedicates the majority of its funds to artist
fees, exhibition expenses, and the direct
costs of providing public access to
contemporary art.

Collaborations

We collaborate with other venues
and institutions, sharing resources and
developing symbiotic relationships.

Residencies

Since 2006 Trap\door has been hosting
the month-long Gushul Studio Residency &
Collaboration Project in Blairmore, Alberta.
This project combines the skills, knowledge,
histories and varied approaches of two
emerging visual artists, at least one of
whom is an Alberta resident. Artists apply
individually and are paired with another
artist or apply as a team.

*Fondé en 2004, Trap\door se consacre
à la reconnaissance de travaux en arts
visuels contemporains qui sont critiques
et stimulants, encourageant ainsi
l'expérimentation chez des artistes qui
repoussent les limites de leur discipline.*

Expositions

*N'ayant pas d'espace d'exposition fixe
nous trouvons, pour les artistes dont nous
présentons le travail, les lieux les mieux
adaptés à leurs projets. Avec ses contraintes
budgétaires, Trap\door choisit de dédier la
majeure partie de ses fonds aux cachets
d'artistes, aux frais d'exposition et aux coûts
directs liés à la diffusion publique de l'art
contemporain.*

Collaborations

*Nous collaborons avec d'autres lieux et
institutions en partageant nos ressources
et en élaborant des relations avec
leurs membres.*

Résidences

*Depuis 2006, Trap\door est l'hôte du projet
Gushul Studio Residency & Collaboration
à Blairmore, en Alberta. Ce projet allie
le savoir-faire, les connaissances, le passé
et les différentes approches de deux jeunes
praticiens en arts visuels, dont un au moins
réside en Alberta. Un artiste peut s'inscrire
individuellement pour être ensuite jumelé
à un autre artiste; deux artistes peuvent
également s'inscrire comme équipe.*

815 First Street SW
Calgary (Alberta) T2P 1N3
T 403 261-7702
F 403 264-7737
www.truck.ca

Tuesday to Friday
11 h – 17 h
Saturday
12 h – 17 h

Micheal Fernandes, *Base Camp*, basement of The Grain Exchange, 2009. Photo: Renato Vitic

TRUCK Contemporary Art in Calgary is a non-profit artist-run centre dedicated to the development and public presentation of contemporary art.

Exhibitions and Events

Currently, TRUCK presents 15 exhibitions annually in its two exhibition venues, and various collaborative events and activities with other art groups and non-profit organisations.

Camper

Camper is TRUCK's Contemporary Art Mobile Public Exhibition Rig. Camper is a studio, hosting three thematic residencies, each lasting one month.

Residencies

TRUCK is proud to introduce its new residency program, Temporary Resident: Artists for Innovative Contemporary Culture (TR:AFICC) that will be run out of Camper.

Soap Box

The TRUCK Contemporary Art Soap Box Series is a multi-facetted approach to fostering dialogue surrounding contemporary art through a number of public presentations about current art production, curation, as well as art writing and criticism within Calgary.

TRUCK Contemporary Art in Calgary est un centre d'artistes à but non lucratif voué à la diffusion de l'art contemporain.

Expositions et événements

TRUCK présente 15 expositions par année dans ses deux lieux de diffusion, en plus de participer à divers événements en collaboration avec d'autres regroupements d'artistes ou organismes à but non lucratif.

Le Campeur

Le Campeur, à l'origine un véhicule récréatif, est un espace d'exposition mobile. Il peut également fonctionner comme un atelier, accueillant chaque année trois résidences thématiques d'un mois chacune.

Les résidences

TRUCK est fier de présenter son nouveau programme de résidences d'artistes intitulé TR:AFICC (Temporary Resident: Artists for Innovative Contemporary Culture/Les Artistes pour l'innovation dans la culture contemporaine). Le Campeur sera le lieu de déroulement privilégié de ces résidences.

Soap Box

TRUCK présente Contemporary Art Soap Box Series, plateforme de présentation qui vise à stimuler la discussion et la réflexion sur l'art par une série de communications publiques sur la production de l'art, le commissariat, ainsi que de textes critiques sur l'art à Calgary.

Director
Renato Vitic
director@truck.ca

Submission deadline
September 1

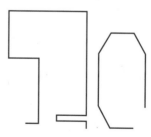

Main Space
Floor area: 64 m²
Linear hanging surface: 31.3 m
Height: 4.2 m
+15 Window Space
Floor area: 5.4 m²
Linear hanging surface: 5.8 m
Height: 1.9 m

Calgary ▶ Alberta

239

UNTITLED ART SOCIETY

Chris Bowman, *In Bloom* (exhibition), 2010.
Photo: Shyra De Souza

319 10th Avenue SW
Calgary (Alberta) T2R 0C3
T 403 262-7911
attendant@untitledart.org
www.untitledart.org

Thursdays and Fridays
12 h – 16 h

Calgary ▶ Alberta

Gallery Attendant
Jill Armstrong
attendant@untitledart.org

Chair
Shyra De Souza
chair@untitledart.org

Vice-Chair
Melanie Aikenhead
vice-chair@untitledart.org

Submission deadlines
Twice yearly, see website for current calls

The Untitled Art Society supports the artistic practices of a community of local artists by providing and maintaining access to subsidized production spaces such as artist studios, and a black & white darkroom, as well as exhibition venues.

Exhibitions

UAS offers two exhibition spaces. The main gallery space is located in downtown Calgary at the Untitled Art Society within the common space connecting the artist studios with nine exhibitions and one Member's Show per year. The Plus 15 Project Window is located amongst several other window galleries at The EPCOR Centre for the Performing Arts. Calls for submissions are released twice per year for both spaces (spring and fall), and typically book 6 to 12 months ahead.

UAS services mainly Alberta-based artists at the student and emerging levels, and holds several group shows per year exhibiting work from artists from all career levels.

L'Untitled Art Society (UAS) soutient les pratiques artistiques de la communauté locale en offrant et en favorisant l'accès à des installations de production subventionnées, dont des ateliers, une chambre noire pour le traitement des pellicules en noir et blanc, de même que des lieux d'exposition.

Expositions

L'UAS abrite deux espaces d'exposition. La galerie principale est située au centre-ville de Calgary dans l'espace commun du centre attenant aux ateliers, et présente annuellement dix expositions, dont une réservée aux membres. La galerie vitrine Plus 15 est située parmi les nombreuses autres galeries vitrines du EPCOR Centre for the Performing Arts. Les appels de dossiers ont lieu deux fois l'an pour les deux espaces (à l'automne et au printemps). La programmation est généralement déterminée de 6 à 12 mois à l'avance.

L'UAS est principalement au service des artistes albertains étudiants et émergents, mais elle organise régulièrement des expositions collectives d'artistes à différents stades de carrière.

Main Space Gallery
Floor Area: 45 m²
Linear hanging surface: 43 m
Height: 2.44 m
Plus 15 Project Window
at The EPCOR Centre for the Performing Arts
Floor Area: 5 m²
Linear hanging surface: 5 m
Height: 2.06 m

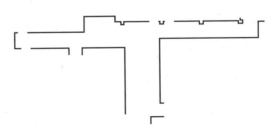

ASSOCIATIONS

Alberta Association of Artist-Run Centres (AAARC)
c/o 1004 MacLeod Trail SE
Calgary (Alberta) T2G 2M7

Alberta Craft Council Gallery and Shop
10186 106 Street
Edmonton (Alberta) T5J 1H4
T 780 488-6611
acc@albertacraft.ab.ca
www.albertacraft.ab.ca

Alberta Museums Association
404 - 10408 126 Street
Edmonton (Alberta) T5N 1R5
T 403 424-2626
info@museums.ab.ca
www.museums.ab.ca

Alberta Society of Artists (ASA)
P.O. Box 11334, Main Post Office
Edmonton (Alberta) T5J 3K6
T 780 426-0072
north@artists-society.ab.ca
www.artists-society.ab.ca

Calgary Aboriginal Arts Awareness Society
202B - 351 11 Avenue SW
Calgary (Alberta) T2R 0C7
T 403 296-2227
C_A_A_A_S@yahoo.ca
www.freewebs.com/caaas

Calgary Professional Arts Alliance
c/o Bay 9 - 6143 4th Street SE
Calgary (Alberta) T2H 2H9
T 403 294-7419
www.cpaa.ca

Calgary Society of Independent Filmmakers (CSIF)
J2 - 2711 Battleford Avenue SW
Calgary (Alberta) T3E 7L4
www.csif.org

Film and Video Arts Society of Alberta (FAVA)
www.fava.ca

Quickdraw Animation Society
201 – 351 11 Avenue SW
Calgary (Alberta) T2R 0C7
T 403 261-5767
email@quickdrawanimation.ca
quickdrawanimation.ca

Société francophone des arts visuels de l'Alberta
9103, 95e Avenue
Edmonton (Alberta) T6C 1Z4
T 780 461-3427
cava@shaw.ca
www.savacava.com

ART COUNCILS AND CULTURE DEPARTMENTS / CONSEILS DES ARTS ET MINISTÈRES

Alberta Foundation for the Arts
10708 105 Avenue
Edmonton (Alberta) T5H 0A1
T 780 427-9968
www.affta.ab.ca

Calgary Arts Development
L12, 100 - 7th Avenue SW
Calgary (Alberta) T2P 0W4
T 403 264-5330
info@calgaryartsdevelopment.com
www.calgaryartsdevelopment.com

Canadian Heritage / Patrimoine canadien
Room 1630, Canada Place
9700 Jasper Avenue
Edmonton (Alberta) T5J 4C3
T 780 495-3350
www.pch.gc.ca

Canadian Heritage / Patrimoine canadien
320 - 700 6th Avenue SW
Calgary (Alberta) T2P 0T8
T 403 292-5541
www.pch.gc.ca

City of Calgary Public Art Program
P.O. Box 2100, Stn. M, #63
Calgary (Alberta) T2P 2M5
T 403 268-5213

FOUNDATIONS / FONDATIONS

Calgary Foundation
700 - 999 8th Street SW
Calgary (Alberta) T2R 1J5
T 403 802-7700
www.thecalgaryfoundation.org

EXHIBITION SPACES / LIEUX DE DIFFUSION

Art Gallery of Alberta
2 Sir Winston Churchill Square
Edmonton (Alberta) T5J 2C1
T 780 422-6223
info@youraga.ca
www.youraga.ca

Art Gallery of Calgary
117 8th Avenue West
Calgary (Alberta) T2P 1B4
T 403 770-1350
info@artgallerycalgary.org
www.artgallerycalgary.org

ArtPoint Gallery & Studios
1139 11th Street SE
Calgary (Alberta) T2G 3G1
T 403 265-6867
www.artpoint.ca

Banff Centre for the Arts
107 Tunnel Mountain Drive, Box 1020
Banff (Alberta) T1L 1H5
T 403 762-6100
arts_info@www.banffcentre.ca
www.banffcentre.ca/arts

Fine Arts Building Gallery
1 - 1 Fine Arts Building
University of Alberta
112th Street and 89th Avenue
Edmonton (Alberta) T6G 2C9
T 403 492-2081
bbrennan@gpu.srv.ualberta.ca
www.ualberta.ca/~artdesin/html/fab

Glenbow Museum
130 9th Avenue SE
Calgary (Alberta) T2G 0P3
T 403 268-4100
glenbow@glenbow.org
www.glenbow.org

Illingworth Kerr Gallery
Alberta College of Art and Design
1407 14th Avenue NW
Calgary (Alberta) T2N 4R3
T 403 284-7680
www.acad.ab.ca

Marion Nicoll Gallery
Alberta College of Art and Design
1407 4th Avenue NW
Calgary (Alberta) T2N 4R3
T 403 284-7625
mng@acadsa.ca
www.acad.ab.ca

Nickle Arts Museum
2500 University Dr. NW
Calgary (Alberta) T2N 1N4
T 403 220-7234
nickle@ucalgary.ca
www.ucalgary.ca/~nickle/

Southern Alberta Art Gallery
601 3rd Avenue South
Lethbridge (Alberta) T1J 0H4
T 403 327-8770
info@saag.ca
www.saag.ca

Syntax Arts Society
contactus@scartissue.org
www.scartissue.org

The Centre for Creative Arts
9904 101 Avenue
Grande Prairie (Alberta) T8V 0X8
T 780 814-6080
www.creativecentre.ca

Triangle Gallery of Visual Arts
104 - 800 Macleod Trail SE
Calgary (Alberta) T2G 2M3
T 403 262-1737
info@trianglegallery.com
www.trianglegallery.com

University of Lethbridge Art Gallery
W600 Centre for the Arts
4401 University Drive
Lethbridge (Alberta) T1K 3M4
T 403 329-2666
www.uleth.ca/artgallery

Walter Phillips Gallery
107 Tunnel Mountain Road, P.O. Box 1020, Station 14
Banff (Alberta) T1L 1H5
T 403 762-6281
walter_phillipsgallery@banffcentre.ca
www.banffcentre.ca/wpg

Whyte Museum of Canadian Rockies
111 Bear Street, Box 160
Banff (Alberta) T1L 1A3
T 403 762-2291 #300
info@whyte.org
www.whyte.org

COMMERCIAL GALLERIES / GALERIES PRIVÉES

Douglas Udell Gallery
10332 124 Street
Edmonton (Alberta) T5N 1R2
T 780 488-4445
dug@douglasudellgallery.com
www.douglasudellgallery.com

Jarvis Hall Fine Frames
617 11 Avenue SW
Calgary (Alberta) T2R 0E1
T 403 206-9942
jarvis@jhff.ca
www.jhff.ca

Newzones
730 Eleventh Avenue SW
Calgary (Alberta) T2R 0E4
T 403 266-1972
info@newzones.com
www.newzones.com

Paul Kuhn Gallery
724 Eleventh Avenue SW
Calgary (Alberta) T2R 0E4
T 403 263-1162
paul@paulkuhngallery.com
www.paulkuhngallery.com

Scott Gallery
10411 124 Street
Edmonton (Alberta) T5N 3Z5
T 780 488-3619
info@scottgallery.com
www.scottgallery.com

SKEW Gallery
1615 10th Avenue SW
Calgary (Alberta) T3C 0J7
T 403 244-4445
info@skewgallery.com
www.skewgallery.com

The Gallery Walk Association of Edmonton
www.gallery-walk.com

TrépanierBaer Gallery
105 - 999 8 Street SW
Calgary (Alberta) T2R 1J5
T 403 244-2066
info@tbg1.com
www.trepanierbaer.com

FESTIVALS AND EVENTS /
FESTIVALS ET ÉVÉNEMENTS

Mountain Standard Time
Performative Art Festival Society (M:ST)
info@mstfestival.org
www.mstfestival.org

The Works Visual Arts Festival
10635 95th Street NW
Edmonton (Alberta) T5H 2C3
T 780 426-2122
theworks@telusplanet.net
www.theworks.ab.ca

Visualeyez
c/o 10248 106 Street
Edmonton (Alberta) T5J 1H5
T 780 423-5353
info@latitude53.org
www.latitude53.org

Access Gallery
Alternator Centre for Contemporary Art
Arnica Artist-Run Centre
Artspeak
Cineworks Independent Filmmakers Society
Gallery Gachet
Grunt Gallery
Helen Pitt Gallery Artist Run Centre
Kootenay School of Writing (KSW)
LIVE Performance Art Biennale
Malaspina Printmakers
Ministry of Casual Living
Open Space
Or Gallery
VIVO Media Arts Centre
W2
The Western Front
Xchanges Artists' Gallery and Studios

British Columbia

Colombie-Britannique

ACCESS GALLERY

Kate Sansom, *Post-Apocalyptic Cocktail Lounge*, produced as part of her residency Den at Access, 2009. Photo courtesy of the artist

437 W. Hastings St.
Vancouver (British Columbia)
V6B 1L4
T 604 689-2907
access@vaarc.ca
www.accessgallery.ca

Tuesday to Saturday
12 h – 17 h

Co-Directors/Curators
Jesse Birch
Liz Park

Submission deadline
Ongoing

Main Gallery Space
Floor area: 65 m²
Linear hanging surface: 23.89 m

Access is a non-profit organization dedicated to emergent contemporary art practices. We provide points of access for artists and audiences alike by supporting presentations of diverse views and creative practices of local, national and international artists, curators and cultural practitioners. Access strives to spark critical conversations about contemporary art through experimentation and risk-taking within the gallery space and beyond.

Exhibitions

Five exhibitions a year featuring emergent and experimental art practices.

Residencies

One 2-3 month long artist residency every year.

Parallel Presentations

Public forums that engage the artists in a broader conversation by inviting other artists, curators, and scholars to participate in screenings, panel discussions, performances, and reading groups.

Parallel Guidebooks

Small, finely crafted publications produced for each exhibition to support and develop ideas related to the project while providing a lasting record of the exhibition.

Access Gallery est une organisation à but non lucratif vouée aux pratiques émergentes d'art contemporain. Nous fournissons aux artistes et à leur public l'occasion d'entendre diverses opinions sur l'art et les pratiques créatives des artistes, commissaires et praticiens culturels locaux, nationaux et internationaux. Access s'efforce de provoquer le débat critique sur l'art contemporain par l'expérimentation, que ce soit dans la galerie ou ailleurs.

Expositions

Cinq expositions par année issues de pratiques artistiques émergentes et expérimentales.

Résidence

Une résidence d'une durée de 2 à 3 mois, chaque année.

Présentations parallèles

Forums publics qui engagent les artistes dans une conversation ouverte avec d'autres artistes et commissaires que nous invitons à participer lors de visionnements, tables rondes, performances et groupes de lecture.

Guides parallèles

Une brochure explicative accompagne chaque exposition et permet d'en conserver un souvenir durable.

421 Cawston Avenue
Unit 103
Kelowna (British Columbia)
V1Y 6Z1
T 250 868-2298
F 250 868-2896
info@alternatorgallery.com
www.alternatorgallery.com

Tuesday, Wednesday,
Saturday
11 h – 17 h
Thursday, Friday
13 h – 21 h

Dominique Rey, *Selling Venus*, exterior of facility, 2007.

The Alternator Centre for Contemporary Art in Kelowna, B.C., is an artist-run centre operated by the Okanagan Artists Alternative Association, a non-profit society created in 1989. We are a welcoming space for alternative art-making and community-building and find work that challenges prevailing cultural standards to be especially compelling.

Exhibitions

The Alternator presents year-round exhibitions in all media by emerging and mid-career Canadian and international artists.

Our programming includes artist talks, exchanges, panel discussions, performances (including the Wearable Art Gala), public interventions, publications, workshops and other events promoting an awareness of contemporary art practices.

Media Arts

The Alternator Media Arts Centre offers members access to a video production facility, organizes an annual masters level workshop, commissions projects and organizes the G74 festival.

Residencies

Visiting artist-in-residency projects are based out of Studio 111 and include access to media arts equipment.

L'Alternator Centre for Contemporary Art de Kelowna (Colombie-Britannique) est un centre d'artistes autogéré exploité par l'Okanagan Artists Alternative Association, organisme sans but lucratif créé en 1989. Axé sur la communauté, c'est un espace ouvert à la pratique des arts alternatifs, qui s'intéresse plus particulièrement aux œuvres défiant les normes culturelles actuelles.

Expositions

L'Alternator présente des expositions d'artistes de pratiques variées, canadiens et internationaux, de la relève et à mi-carrière, et ce, tout au long de l'année.

La programmation comporte en outre des rencontres avec des artistes, des discussions et des tables rondes, des performances (y compris le Wearable Art Gala), des interventions publiques, des publications, des ateliers et des activités visant à mieux faire connaître les pratiques en art contemporain.

Arts médiatiques

Le centre des arts médiatiques de l'Alternator offre à ses membres l'accès à des installations de production vidéo. Il organise annuellement un atelier de maître, en plus de soutenir la réalisation de divers projets et d'organiser chaque année le festival G74.

Résidences

L'Alternator accueille des artistes en résidence qui réalisent leur projet à l'aide des installations du Studio 111 et de l'équipement du centre des arts médiatiques.

Submission deadline
Ongoing

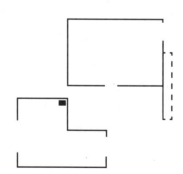

Main Gallery
Floor area: 79.15 m²
Linear hanging surface: 32.07 m
Window
Area: 7.2 m²
Studio 111
Floor area: 40.13 m²
Height: 3.17 m

Kelowna ▸ Colombie-Britannique

ARNICA ARTIST-RUN CENTRE

The Old Courthouse Cultural Centre Kamloops.
Photo: Arnica

Old Courthouse Arts Centre
7 Seymour Street W.
Kamloops (British Columbia)
V2C 1E4
T 250 372-2444

Tuesday to Friday
10 h – 17 h
Saturday
10 h – 16 h

President
Ray Perreault
ray.perreault@telus.net

Membership coordinator
Kelly Perry
kellycperry@hotmail.com

Submission deadline
Ongoing

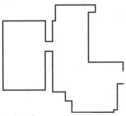

Main gallery
Floor area: 27.59 m²
Linear hanging surface: 12.19 m
Height: 3.23 m
Vault
Floor area: 16.3 m²
Linear hanging surface: 17.13 m
Height: 3.23 m

Founded in 2003, Arnica Artist-Run Centre Society (AARC) is a not-for-profit gallery that provides a supportive environment for emerging contemporary artists. Arnica also serves as a safe space for artists to research and develop new work. AARC helps keep emerging artists in our city and adds to the cultural mix of Kamloops.

Exhibitions

AARC provides exhibition space for contemporary art that is dynamic, innovative and thoughtful.

Workshops

Arnica offers workshops that also act as fundraising events and are of interest to its members and members of the public.

Services to Members

Regular email newsletter, access to (juried & non-juried) member exhibitions, discounts on workshops, information on calls for regional, national & international exhibition proposals via email, information on regional artist-run centre exhibits via email.

Fondée en 2003, Arnica Artists' Run Centre Society (AARC) est une société à but non lucratif qui vise à fournir un environnement avantageux aux nouveaux artistes contemporains voulant explorer de nouvelles possibilités artistiques. L'AARC encourage les nouveaux artistes à rester dans la ville de Kamloops et à ajouter leur créativité à sa diversité culturelle.

Expositions

Arnica fournit un lieu pour exposer de l'art dynamique et innovateur, et qui fait réfléchir sur des sujets contemporains.

Ateliers

Arnica offre des ateliers à l'usage des membres et au grand public. Ces ateliers servent aussi à l'occasion pour collecter des fonds.

Services disponibles aux membres

Bulletins électroniques, accès aux expositions des membres (avec ou sans jury), rabais sur les frais des ateliers, informations sur les appels de dossiers pour les expositions régionales, nationales et internationales.

Arnica loge au Centre culturel de Kamloops, dans l'ancien Palais de justice.

233 Carrall Street
Vancouver (British Columbia)
V6B 2J2
T 604 688-0051
F 604 685-1912
info@artspeak.ca
www.artspeak.ca

Tuesday to Saturday
12 h – 17 h

Photo courtesy of Artspeak.

Artspeak is a non-profit artist-run centre established in 1986 in Vancouver. Artspeak presents contemporary practices, innovative publications, editions, talks, and events that encourage a dialogue between visual art and writing.

Exhibitions

Artspeak's mandate is to exhibit contemporary art and foster an exchange of ideas between visual art and writing. Of particular interest is work that crosses the boundaries between the two disciplines.

Publications

Artspeak's publications program supports our mandate by bringing together the works of artists and writers contributing to in artist books, works of ficto-criticism, parallel texts, and critical anthologies.

Talks/Events

Artspeak organizes topical symposia, artist talks, readings, and performances.

Editions

Artspeak editions support the organization.

Archives/Library

Artspeak's physical and online archive is an excellent resource for researchers. The lending library is available to members.

Fondé à Vancouver en 1986, Artspeak est un centre d'artistes autogéré sans but lucratif. Il présente des pratiques contemporaines, des publications novatrices, des multiples, des conférences et des évènements pour stimuler le dialogue entre les arts et l'écriture.

Expositions

Artspeak s'est donné pour mission de diffuser l'art contemporain et de favoriser le dialogue entre l'art visuel et l'écriture. Il s'intéresse plus particulièrement aux œuvres qui transgressent la frontière entre ces deux disciplines.

Publications

Le programme de publication d'Artspeak soutient la mission du centre en réunissant les œuvres d'artistes et d'écrivains, qu'il s'agisse de livres d'artistes, d'œuvres de fiction critiques, de documents connexes ou d'anthologies critiques.

Activités et conférences

Artspeak organise des symposiums thématiques, des rencontres avec des artistes, des séances de lecture et des performances.

Multiples

Les ventes de multiples servent à financer l'organisme.

Archives et bibliothèque

La bibliothèque et les archives en ligne constituent de précieuses ressources pour les chercheurs. La bibliothèque de prêt est accessible aux membres.

Director/Curator
Melanie O'Brian

Programme Coordinator
Peter Gazendam
info@artspeak.ca

Submission deadline
Ongoing

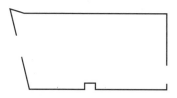

Floor area: 48.96 m²
Gallery width: 4.7 m
Height: 3.55 m

Vancouver ▲ Colombie-Britannique

CINEWORKS INDEPENDENT FILMMAKERS SOCIETY

Holly Schmidt, *Laboratory for Living installation*, close up, Moveable City exhibition at Cineworks Annex, 2009.

300-1131 Howe Street
Vancouver (British Columbia)
V6Z 2L7
T 604 685-3841
F 604 685-9685
www.cineworks.ca

Office
Monday to Friday
12 h – 18 h

Equipment
Monday to Friday
13 h – 18 h

Executive Director
Meg Thornton

Equipment Coordinator
Juergen Beerwald

Office Manager/Member Services
Leanne Makcrow

Vancouver ▶ British Columbia

Cineworks Independent Filmmakers Society was formed to promote and encourage the production, distribution, and exhibition of independent film in British Columbia.

Equipment and Facilities

Cineworks provides its members with production and post-production equipment, facilities and information in a supportive environment.

Exhibitions

Cineworks regularly presents exhibitions in the form of curated screenings, cinematic installations and/or expanded cinema performances.

Cinematic Salons

Cinematic Salons provide an opportunity for dialogue around film artistry and bring together members of the independent film community in an informal and intimate environment.

Film Pool

The Film Pool is Cineworks' annual allocation to members of 16mm and 35mm short ends and donated film.

Workshops

Workshops in the technical and creative aspects of filmmaking are offered throughout the year and are designed specifically with the independent filmmaker in mind.

La Cineworks Independent Filmmakers Society a été créée pour promouvoir et encourager la production, la distribution et la présentation de films indépendants en Colombie-Britannique.

Équipement et installations

Cineworks met à la disposition de ses membres de l'équipement et des installations de production et de postproduction, en plus de leur offrir information et soutien.

Expositions

Cineworks présente régulièrement des expositions sous la forme de projections, d'installations et de performances cinématographiques.

Rencontres cinématiques

Les rencontres cinématographiques (Cinematic Salons) offrent un lieu de discussion sur la pratique cinématographique et réunissent la communauté du cinéma indépendant dans une ambiance intime et décontractée.

Film Pool

Chaque année, le Film Pool est l'occasion pour les membres d'acquérir des restes de bobines vierges (16 mm et 35 mm) et de la pellicule donnée au centre.

Ateliers

Des ateliers sur les aspects techniques et créatifs de la réalisation conçus pour répondre aux besoins particuliers des cinéastes indépendants sont offerts tout au long de l'année.

Floor area: 62 m²
Height: 3 m

GALLERY GACHET

88 E Cordova Street
Vancouver (British Columbia)
V6A 1K2
T 604 687-2468
F 604 687-1196
gallery@gachet.org
www.gachet.org

Wednesday to Sunday
12 h – 18 h

Photo: Unknown, 2009.

Formed in 1993, Gallery Gachet is a collectively-run arts centre in Vancouver with two exhibition spaces and art production studios for painting, ceramics, woodworking, media arts, performance art and community art collaborations.

Exhibitions

Through the display of art (outsider, contemporary and community-engaged) and public discourse events, we aim to make clear and more comprehensible issues related to mental health, trauma or abuse.

Performance

Much of our additional programming (live music and cabaret events, traveling shows) is developed and finalized throughout the year.

Publications

The Ear is a platform for people with mental health, trauma or abuse experience to showcase their talent as writers and visual artists, while providing insight into mental health issues based on issue themes such as "then and now".

Production Facilities

Our studio space contains a kiln and wheel, woodworking area, painting area and linocut, screen-printing area.

Fondée en 1993, la Gallery Gachet est un centre d'artistes autogéré par un collectif de Vancouver et doté de deux salles d'exposition ainsi que d'ateliers de peinture, de céramique, de travail du bois, d'arts médiatiques, de performance destinés à la réalisation de projets artistiques communautaires.

Expositions

Par la diffusion des arts (marginaux, contemporains et communautaires) et des activités de sensibilisation, la galerie tâche de favoriser la compréhension d'enjeux relatifs à la santé mentale, aux traumatismes et à la violence.

Performances

La majorité des activités hors programmation (concerts, spectacles-cabarets, présentations itinérantes) se précisent en cours d'année.

Publications

The Ear *est une tribune qui permet aux personnes atteintes de maladie mentale, victimes de traumatisme ou de violence de faire valoir leurs talents d'écrivain ou d'artiste, en plus d'aborder des questions de santé mentale dans des dossiers thématiques.*

Installations de production

L'atelier comprend un four et un tour à poterie, ainsi que des installations pour le travail du bois, la peinture, la linogravure et la sérigraphie.

Operations Director
operations@gachet.org

Programming Director
programming@gachet.org

Submission deadline
October 30

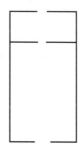

Floor area: 130 m²
Linear hanging surface: 52 m
Height: 4 m (2.5 m in secondary spaces)

Vancouver ▲ Colombie-Britannique

GRUNT GALLERY

Dmitry Strakovsky, ...as if a forest, 2009.
Photo: Henri Robideau Photography

350 East 2nd Avenue, Unit 116
Vancouver (British Columbia)
V5T 4R8
T 604 875-9516
F 604 877-0073
info@grunt.ca
www.grunt.ca

Tuesday to Saturday
12 h – 17 h

Program Director
Glenn Alteen

Operations Director
Meagan Kus

Communications and Programming Coordinator
Demian Petryshyn

Submission deadline
July 15

Floor area: 36.5 m²
Linear hanging surface: 19 m
Height: 5.3 m

Formed in 1984, grunt gallery maintains exhibition, performance, and publications programs focusing on work that would otherwise not be seen in Vancouver. The history and programming at grunt is based on evolving concepts of community. The centre has a long-term mandate of supporting First Nations contemporary practice, which is reflected in the composition of its programming, staff, and board.

Exhibitions

Programming for the gallery space is set annually, after our July 15th submissions deadline.

Performance

Grunt maintains an active performance art program, which includes both work occurring in the gallery and at off-site locations. Submissions are accepted on an ongoing basis.

Publications

In addition to catalogues and other print projects, grunt also has a long-standing commitment to developing innovative web-based dissemination projects.

Media Centre (Coming Soon)

Beginning fall 2010, the grunt facility will be renovated to include a small exhibition space capable of accommodating technically exotic projects.

Créée en 1984, la Grunt Gallery offre une vitrine à des œuvres, des performances et des publications qui, autrement, ne seraient pas présentées à Vancouver. L'histoire et la programmation de la Grunt Gallery s'articulent autour du caractère dynamique de la communauté. Le centre s'est donné pour mandat d'appuyer la pratique contemporaine des Premières Nations, priorité qui se reflète dans la composition de sa programmation, dans son personnel et son conseil d'administration.

Expositions

La programmation de la galerie est déterminée annuellement après le 15 juillet, date limite de soumission des dossiers.

Performances

La Grunt Gallery soutient activement un volet arts de la performance, dans le cadre duquel sont présentées des œuvres performatives à la galerie et en divers autres lieux. Les dossiers sont acceptés en tout temps.

Publications

En plus de publier des catalogues et autres ouvrages imprimés, la galerie soutient depuis longtemps la réalisation de projets novateurs de diffusion sur le Web.

Centre des médias (à venir)

À compter de l'automne 2010, les locaux de la Grunt Gallery seront rénovés pour inclure une petite salle d'exposition capable d'accueillir des projets techniquement audacieux.

Vancouver ▲ British Columbia

100 – 221 East Georgia St.
Vancouver (British Columbia)
V6A 1Z6
T 604 681-6740
info@helenpittgallery.org
www.helenpittgallery.org

148 Alexander St., Vancouver -- former location of the Helen Pitt Gallery. Photo: Keith Higgins

The Helen Pitt Gallery concentrates on promoting newly emerging artists; during its 35-year history, the gallery has been a starting point for many careers. Due to the draconian cutbacks in provincial funding for the arts and culture, the Helen Pitt Gallery closed its doors in October 2009, and has been presenting exhibitions in borrowed and temporary spaces. During 2010, we hope to establish ourselves in permanent premises again, and present a full schedule of exhibitions, talks and other events.

Updated information is available on our website.

La Helen Pitt Gallery se voue à la promotion d'artistes de la relève. En 35 ans d'existence, elle a servi de tremplin à de nombreuses carrières. Victime des coupes draconiennes dans le budget provincial alloué aux arts et à la culture, la galerie a dû fermer ses portes en octobre 2009. Depuis, elle présente des expositions dans des espaces empruntés et temporaires. Nous espérons occuper de nouveau des locaux permanents en 2010 afin de présenter un programme complet d'expositions, de conférences et d'autres activités.

Les dernières nouvelles à propos de la galerie sont accessibles sur le site Web.

Administrative Coordinator
Keith Higgins

Vancouver ▶ Colombie-Britannique

KOOTENAY SCHOOL OF WRITING (KSW)

Photo courtesy of KSW.

PO Box 21541
1424 Commercial Drive
Vancouver (British Columbia)
M6J 1G8
info@kswnet.org
www.kswnet.org

*Opening hours
dependent on
programming*

Nikki Reimer
nikki.reimer@gmail.com

Donato Mancini
donatoma@gmail.com

Cris Costa
criscosta00@gmail.com

Submission deadline
On invitation.

Canada's Only Writer-Run Centre

The Kootenay School of Writing (KSW) encourages and supports innovative writing in a non-institutional setting and addresses issues of social and literary marginalization, particularly with regard to class-based exclusions. In our readings, talks, series, workshops and colloquia, we feature emerging and established writers drawn from local, national and international writing communities.

KSW has an international reputation as an organisation that welcomes and seeks out innovative work and fosters creative/critical dialogue necessary for such work to grow and thrive.

Over the past 25 years we have hosted large international colloquia and conducted workshops on all aspects of writing, long and short-term visits and residencies by Canadian, American, and British writers, and curated several series of talks, readings, lectures, discussions and study groups around methodological approaches to writing and publication and debates around a range of social issues. We also publish *W magazine*, in print and online.

Fondé en 1984, Le Kootenay School of Writing (KSW) est un centre d'écriture dédié particulièrement à la poésie contemporaine innovatrice inspirée par une orientation sociale et politique. Des discours sur les enjeux politiques et culturels reliés aux thèmes du pouvoir, des relations de classes ainsi qu'au rôle de la poésie y sont prééminents, à travers une série de récitals, de conférences, de séminaires, de résidences d'artistes et de groupes d'études qui se poursuit depuis plus de 26 ans.

Le KSW est réputé pour avoir créé un lieu de débat public dans lequel naissent de nouveaux dialogues critiques, politiques et littéraires nécessaires à l'épanouissement du champ poétique. Plusieurs fois par mois, nous présentons à Vancouver des auteurs canadiens, américains et anglais, créant ainsi un réseau international d'écrivains. Nous sommes aussi dotés d'un site Web qui offre un grand nombre d'enregistrements à caractère littéraire, disponibles en format MP3, et publions une revue papier également numérisée.

21 Pender Street East
Vancouver (British Columbia)
V6A 1S9
T 778 238-2787
info@livebiennale.ca
www.livebiennale.ca

Norico Sunayama (Japan), *A Sultry World*, durational performance, LIVE2009, Centre A, 2009. Photo: Hank Bull

LIVE is an international contemporary art festival focusing on new notions of performance art. LIVE's goal is to provide artists an opportunity to present new performance–based and relational artworks to the public; to produce and disseminate analytical and critical information about these practices; and to facilitate and promote discourse about the art form. LIVE's artistic objective is to promote new living art in our city by presenting to a wide and culturally diverse Vancouver public a biennial festival and occasional off–season activities featuring local, national and international practitioners of new, experimental, time–based and performative art.

LIVE est un festival international d'art contemporain axé sur la performance artistique d'avant-garde. Il a pour but d'offrir aux artistes la possibilité de présenter de nouvelles œuvres performatives et relationnelles; de produire et de diffuser des publications analytiques et critiques sur la pratique; et de favoriser le débat sur cette forme d'art. LIVE vise à promouvoir les arts vivants à Vancouver en présentant à un public vaste et culturellement diversifié un festival bisannuel et des activités ponctuelles mettant en vedette des artistes locaux, nationaux et internationaux dont la pratique s'articule autour de l'art contemporain, expérimental, médiatique et performatif.

Executive Director
Randy Gledhill
director@livebiennale.ca

President
Debra Zhou
info@livebiennale.ca

Vice President
Jeremy Todd
info@livebiennale.ca

Submission deadline
Ongoing

Vancouver ▲ Colombie-Britannique

MALASPINA PRINTMAKERS

1555 Duranleau Street
Vancouver (British Columbia)
V6H 3S3
T 604 688-1724
malaspinagallery@telus.net
www.malaspinaprintmakers.com

Tuesday to Friday
10 h – 17 h
Saturday, Sunday
11 h – 17 h

Installation view of *Make It Strange with works* (left to right) by Edgar Heap of Birds, Vanessa Kwan, Michael Morris, Vincent Trasov and Lawrence Paul Yuxweluptun, 2010. Photo: Andrea Pinheiro

Executive Director
Lisa Fedorak
mpsprint@telus.net

Program Manager
Andrea Pinheiro
malaspinagallery@telus.net

Studio Coordinator
Melanie Bond

Submission deadline
Ongoing

Linear hanging surface: 16.6 m

Malaspina Printmakers was formed in 1975 and is dedicated to the development, preservation, exhibition and exploration of contemporary print-based visual arts. It encourages and supports the expression of artistic vision through print media by providing safe and accessible studio facilities and qualified instruction. Through critically and culturally relevant exhibition and outreach programs it actively re-enforces the social and artistic value of print media.

Studio & Equipment

The studio offers 24-hour access to professional facilities for stone and plate lithography, intaglio, relief, digital and photo-based printmaking to experienced artists. Customized one-on-one instruction and courses are available for those with little to no experience. Please check the website for details about how to access the studio, rates and up-to-date equipment information regarding equipment and processes.

Exhibitions

The exhibitions program presents work from all disciplines that engage with print culture. Submissions are reviewed on an ongoing basis.

Fondé en 1975, Malaspina Printmakers se voue à la création, à la conservation, à la diffusion et à l'exploration des arts imprimés contemporains. Le centre favorise et soutient l'expression artistique au moyen des médias imprimés en offrant des installations sécuritaires et accessibles, ainsi qu'un encadrement de qualité. Il contribue en outre à renforcer la valeur sociale et artistique des médias imprimés grâce à des expositions pertinentes sur le plan critique et culturel et à des programmes de sensibilisation.

Atelier et équipement

L'atelier offre du matériel professionnel de gravure sur pierre et sur plaques, de gravure en creux, d'impression en relief et numérique et de tirage photo accessible en tout temps (24 h) aux artistes expérimentés. De l'encadrement et des cours en particulier sont également offerts aux personnes qui ont peu ou pas d'expérience. Pour en savoir davantage sur l'accès à l'atelier et les tarifs ou connaître les dernières nouvelles en matière d'équipement et de procédés, consultez le site Web.

Expositions

Les expositions au programme présentent des œuvres de toutes disciplines s'inscrivant dans la pratique de l'impression. Les dossiers sont acceptés en tout temps.

MINISTRY OF CASUAL LIVING

1442 Haultain Street
Victoria (British Columbia)
V8R 2J9
ministryofcasualliving
@gmail.com
www.ministryofcasualliving.ca

Opening hours
24/7 window gallery
Office hours are sporadic

Ministry of Casual Living. Photo: Isaac Flagg

Submission deadline
Ongoing

The Ministry of Casual Living is a non-profit artist-run centre that has been exhibiting the works of contemporary emerging and mid-career artists since March 2002. Formed to provide artists from all disciplines with an accessible venue for experimentation, the MOCL is committed to promoting critical, self-reflective discourse and to integrating the artistic process into all aspects of everyday life.

Structure and Residencies

The modest gallery is curated and managed by the live-in Minister, who is elected by the board and holds an intensive artist-in-residence position that rotates annually.

Exhibitions

In addition to programming short-term solo exhibitions for its prominent window gallery, the MOCL intends to launch several satellites over the next few years, many of which will occupy more immediately public locations in and beyond Victoria. Therefore, the MOCL encourages proposals for any project or exhibition that operates outside of a conventional gallery format.

Le centre d'artistes autogéré sans but lucratif Ministry of Casual Living présente le travail de jeunes artistes et d'artistes en mi-carrière depuis mars 2002. Établi pour offrir aux artistes de toutes les disciplines un lieu accessible qui se prête à l'expérimentation, le MOCL s'engage à promouvoir un discours critique et autocritique, de même qu'à intégrer le processus artistique à tous les aspects de la vie quotidienne.

Organisation et résidences

Le commissariat et la gestion de la petite galerie sont assumés par le « ministre résident », élu par le conseil d'administration et qui occupe un poste intensif d'artiste en résidence, changeant chaque année de titulaire.

Expositions

En plus de la programmation d'expositions individuelles de court terme dans sa galerie en vitrine, le MOCL a l'intention de lancer un grand nombre de projets au cours des prochaines années, dont les réalisations occuperont des emplacements davantage publics à Victoria et au-delà de la ville. À cet effet, le MOCL favorise les propositions des projets ou d'expositions qui peuvent avoir cours en dehors de la structure traditionnelle d'une galerie.

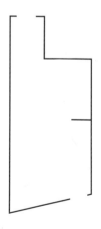

OPEN SPACE

Photo: Open Space

510 Fort St.
Victoria (British Columbia)
V8W 1E6
T 250 383-8833
openspace@openspace.ca
www.openspace.ca

Tuesday to Saturday
12 h – 17 h

Victoria ▶ British Columbia

Executive Director
Helen Marzolf

Administrative Coordinator
Alan Kollins

Technician
Dallas Duobaitis

Curatorial Assistant
Ross Angus Macaulay

Submission deadline
Ongoing

Floor area: 232.26 m²
Linear hanging surface: 42.67 m

Open Space is a working laboratory for innovative art practices, opening new territories for contemporary art, artists and society in a global context. Incorporated in 1972, it is a home for visual arts, new media, performance and theatre, spoken word and literature, new music and digital and time-based media.

Exhibitions

Open Space accepts proposals from visual artists, curators, artists' collectives and interdisciplinary proposals.

Performance

Open Space supports a variety of performance works, both in the gallery and off-site.

Publications

To disseminate its critical and investigative activities, Open Space publishes brochures, catalogues, artists' books and, occasionally, books.

Media Centre

The Resource Centre@Open Space includes a small magazine library (visual art, new music, literary journals), a current sampling of publications from other art organizations and a catalogued archive for Open Space projects.

New Music

Open Space hosts on-site concerts, residencies and workshops for New Music and experimental music composers and performers.

Open Space est un laboratoire expérimental de pratiques artistiques axé sur l'exploration de nouvelles avenues. Fondé en 1972, le centre est un véritable foyer de création en arts visuels et nouveaux médias, en performance et en théâtre, en création parlée et littérature, en musique actuelle et en arts médiatiques.

Expositions

Open Space reçoit les propositions d'artistes, de commissaires, de collectifs d'artistes et de projets multidisciplinaires en arts visuels.

Performances

Le centre appuie divers projets de performance, à exécuter sur place ou à l'extérieur.

Publications

La galerie appuie la diffusion de ses activités critiques et expérimentales grâce à des brochures, catalogues, livres d'artistes et, occasionnellement, d'autres types d'ouvrages.

Médiathèque

Le centre de ressources comporte une petite bibliothèque regroupant des revues (arts visuels, musique actuelle et littérature), un choix de publications d'autres organismes artistiques et les archives de projets présentés par Open Space.

Musique actuelle

Open Space organise des concerts ainsi que des résidences et des ateliers à l'intention des compositeurs et des interprètes de musique actuelle et expérimentale.

555 Hamilton St.
Vancouver (British Columbia)
V6B 2R1
T 604 683-7395
F 1 866 401-7404
or@orgallery.org
www.orgallery.org

Tuesday to Saturday
12 h – 17 h

Kathryn Walter, *Unlimited Growth Increases the Divide*,
1990. Photo : Jonathan Middleton, 2010

The Or Gallery is an artist-run centre committed to exhibiting work by local, national, and international artists whose art practice is of a critical, conceptual and/or interdisciplinary nature. Since its inception in 1983, the gallery has acted as a laboratory for research, proposition making, conceptual experimentation and documentation.

Exhibitions

Honouring an historical emphasis on curatorial practice, and as a strategy to introduce diverse ideas and new artists to the gallery's program, the Or continues to supplement its own programming with guest-curated exhibitions and projects. The Or makes art accessible to a wide and varied audience by also organizing artistic projects at sites other than the gallery.

Publications

In addition to exhibition catalogues, the Or publishes works of critical writing as well as artist print projects and editions.

Residencies

The Or conducts residencies on a semi-regular basis. Applications for residencies can be mailed to the gallery.

L'Or Gallery est un centre d'artistes autogéré qui diffuse les travaux d'artistes locaux, nationaux et internationaux caractérisés par une pratique critique, conceptuelle et interdisciplinaire. Depuis sa création en 1983, la galerie se veut un laboratoire de recherche, d'idées, d'exploration conceptuelle et de documentation.

Expositions

Soucieux de favoriser un regard historique sur la pratique du commissariat et d'intégrer des points de vue diversifiés et de nouveaux artistes à ses activités, le centre enrichit sans cesse son programme en présentant des expositions et projets de commissaires invités. Il favorise en outre le rayonnement de l'art auprès d'un public large et varié en organisant des évènements artistiques ailleurs que dans ses locaux.

Publications

En plus des catalogues d'exposition, l'Or Gallery publie des essais critiques de même que des œuvres imprimées et des tirages d'artistes.

Résidences

La galerie accueille occasionnellement des artistes en résidence. Les candidatures doivent être soumises par la poste.

Director / Curator
Jonathan Middleton
jonathan@orgallery.org

Exhibitions Coordinator
Eli Bornowsky
or@orgallery.org

Gallery and Publications Assistant
Kim Nguyen
or@orgallery.org

Submission deadline
Ongoing

Vancouver ▶ Colombie-Britannique

Floor area: 135.58 m²
Height: 4 m

VIVO MEDIA ARTS CENTRE

Photo: VIVO Media Arts Centre

1965 Main Street
Vancouver (British Columbia)
V5T 3C1
T 604 872-8337
info@vivomediaarts.com
www.vivomediaarts.com

Tuesday to Saturday
11 h – 18 h

Vancouver ▶ British Columbia

General Manager
Emma Hendrix
admin@vivomediaarts.com

Distribution Coordinator
Sharon Bradley
info@videoout.ca

Programming Coordinator
Amy Kazymerchyk
events@vivomediaarts.com

Submission deadline
Ongoing

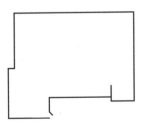

Floor area: 140 m²
Height: 3.8 m

Since 1973, VIVO Media Arts Centre has continued to explore current technological evolutions in a critical context, and directly supports a community of independent artists and alternative, community-based activists through access to education, production, international distribution and exhibition.

Facilities

We offer postproduction facilities for audio and video, as well as a creative electronics lab. Our studio space is available for events and exhibitions and larger scale productions. Our Video Library houses almost 4500 titles, dating from 1972.

International Distribution and Residencies

Residency application deadline for the current year is February 1st. Tapes accepted on an ongoing basis for distribution

Equipment

VIVO has an array of audio, video and exhibition equipment available, including video cameras, projectors, audio/video mixers, lights etc.

Education

We offer inexpensive workshops in an array of subjects, including video, audio, electronics, Pd, and kinetic sculpture.

Festivals

VIVO is home to the annual Signal + Noise Festival of Media Art which takes place in May.

Depuis 1973, le centre d'arts médiatiques VIVO explore les progrès technologiques dans un contexte critique. Nous soutenons directement un réseau d'artistes indépendants et d'activistes engagés dans leur communauté en offrant l'accès à l'éducation, aux outils de production, à la diffusion internationale et à l'exposition.

Équipements

Nous avons des studios de postproduction du son et de la vidéo. Notre espace est disponible pour les événements, les expositions et les productions de grande envergure. VIVO possède une sélection d'équipement audio, vidéo et d'exposition à louer : caméras vidéo, projecteurs, tables de mixage (vidéo et audio), matériel d'éclairage, etc. Notre vidéothèque contient près de 4500 titres, dont certains datent de 1972.

Distribution internationale et résidences

La date de tombée du programme de résidence est le 1er février de chaque année. Nous acceptons les vidéos pour les distribuer de façon continue.

Éducation

Nous offrons des ateliers à prix abordables touchant une variété sujets comprenant la vidéo, la production sonore, l'électronique, PureData et la sculpture mobile.

Festival Signal + Noise

Chaque printemps nous organisons le festival d'arts médiatiques Signal + Noise.

111 West Hastings
Vancouver (British Columbia)
V6B 1H4
info@creativetechnology.org
www.creativetechnology.org

Monday to Friday
8 h – 22 h

Saturday and Sunday
8 h – 20 h

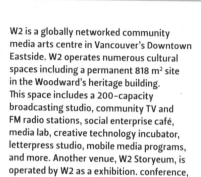

W2 is a globally networked community media arts centre in Vancouver's Downtown Eastside. W2 operates numerous cultural spaces including a permanent 818 m² site in the Woodward's heritage building. This space includes a 200-capacity broadcasting studio, community TV and FM radio stations, social enterprise café, media lab, creative technology incubator, letterpress studio, mobile media programs, and more. Another venue, W2 Storyeum, is operated by W2 as a exhibition. conference, and festival site with 31,000 sq ft.

Exhibitions and Residencies

W2 welcomes national and international artists across many disciplines from digital media arts and broadcasting projects to print technologies, urban art and more. W2 hosts residencies and programs to advance our mandate of bridging the digital divide and promoting social inclusion, cross-cultural dialogue and redress.

Organizational Growth

Initiated in 2004, W2 is an artist-run centre that is both a cluster of organisations as well as a member-based organisation.

Situé dans le quartier est du centre-ville de Vancouver, W2 est un centre communautaire d'arts médiatiques branché sur le monde. Il exploite nombre d'espaces culturels, dont un lieu permanent de 818 mètres carrés dans l'immeuble historique du Woodward's. On y trouve notamment un studio de télévision pouvant accueillir 200 personnes, les locaux de la télévision communautaire, une station de radio FM, un café à vocation sociale, un laboratoire médiatique, un laboratoire de création technologique, un atelier de typographie, des programmes médiatiques mobiles et plus encore. Un second site d'une superficie de 2 880 mètres carrés, le W2 Storyeum, est exploité par W2 à titre de lieu d'exposition, de conférence et de festival.

Expositions et résidences

W2 accueille des artistes canadiens et internationaux de diverses disciplines, allant des arts médiatiques numériques à la production audiovisuelle, en passant par les techniques d'impression et l'art urbain. W2 offre des résidences et des programmes dans le cadre de sa mission qui consiste à combler le fossé numérique et à promouvoir l'inclusion et la justice sociale ainsi que le dialogue interculturel.

Organisation

Centre d'artistes autogéré fondé en 2004, W2 est à la fois un regroupement d'organismes et d'individus membres.

Executive Director
Irwin Oostindie
irwin@creativetechnology.org

Administrative Director
Lianne Payne
lianne@creativetechnology.org

Education/Projects Coordinator
Hywel Tuscano
hywel@creativetechnology.org

Submission deadline
Ongoing

Vancouver ▶ Colombie-Britannique

THE WESTERN FRONT

Photo: Courtesy of The Western Front

303 East 8th Avenue
Vancouver (British Columbia)
V5T 1S1
T 604 876-9343
F 604 876-4099
info@front.bc.ca
www.front.bc.ca

Office
Tuesday to Friday
12 h – 17 h

Gallery
Tuesday to Saturday
12 h – 17 h

Curators
Jesse McKee, Exhibitions
DB Boyko, New Music
Reanna Alder & Karianne Blank, *FRONT* magazine
Sarah Todd, Media Art

Executive Director
Caitlin Jones

Submission deadline
Ongoing

Founded in 1973, The Western Front Society is one of Canada's first artist-run centres. Bringing together musicians, poets, dancers, visual artists, performers, speakers, etc, the organisation has maintained a focus on experimental and interdisciplinary practices.

Exhibitions and Performance

Our mandate is to promote experimentation with conceptual models and contexts for visual art. It spans beyond gallery exhibitions (5 or 6 per year) to include poster and book publications, cross-disciplinary works and site-specific projects.

New Music Program

This program promotes diverse practices with a commitment to excellence, exploration and risk-taking in the presentation of work by contemporary composers and performers.

Media Art

Western Front invites artists from many different countries to create new electronic/media works using its facilities through the artist-in-residence program.

Front Magazine

The organisation publishes a quarterly arts and ideas magazine, which invites emerging artists to contribute printed material. Submissions are accepted quarterly and revolve around a theme.

Fondée en 1973, la Western Front Society est l'un des premiers centres d'artistes autogérés du Canada. Réunissant notamment musiciens, poètes, danseurs, artistes visuels, de la performance et de la création parlée, le centre s'est toujours intéressé particulièrement aux pratiques expérimentales et interdisciplinaires.

Expositions et performances

Notre mission consiste à promouvoir l'exploration de différents modèles conceptuels et contextes en art visuel. Nos activités s'étendent bien au-delà des expositions présentées en galerie (cinq ou six par année) pour inclure la production d'affiches, la publication d'ouvrages, de même que la réalisation de projets transdisciplinaires et in situ.

Programme de musique nouvelle

Cette initiative vise à encourager diverses pratiques sous le sceau de l'excellence, de l'exploration et de l'audace en présentant les travaux de compositeurs et d'interprètes contemporains.

Arts médiatiques

Western Front invite des artistes des quatre coins du monde à créer sur place des œuvres électroniques et médiatiques dans le cadre de son programme d'artiste en résidence.

Revue Front

Front est une revue trimestrielle d'art et d'idées. Quatre fois par année, le centre invite les artistes de la relève à soumettre un article sur un thème choisi.

2333 Government Street
Suite 6E
Victoria (British Columbia)
V8T 4P4
T 250 382-0442
info@xchangesgallery.org
www.xchangesgallery.org

Saturday and Sunday
11 h – 16 h

Show opening
Friday
19 h – 22 h

Xchanges Logo Created by Communicable People.

Gallery

Offers exhibition space to emerging artists and those who are focusing on a new direction in their work. Between exhibitions, it is open for members to view their work in a new context. The gallery also hosts artistic instruction along with the occasional musical performance.

Production Facilities

Xchanges is home to nine individual and shared studios, Crossgrain Photographic Society, which provides darkroom and studio facilities to their members, and a workshop equipped with tools for the use of studio members.

Special Services

Xchanges offers weekly drop-in life drawing, painting and sculpture sessions.

Festivals

Xchanges participates in the "Moss Street Paint-In", Victoria's annual Art Walk that takes place in July.

Galerie

Elle offre aux artistes de la relève ainsi qu'à ceux qui prennent une orientation nouvelle dans leur démarche un espace dans lequel ils peuvent exposer leurs travaux. La galerie est aussi ouverte aux membres entre les expositions, afin de leur permettre de voir leur travail dans un nouveau contexte. Occasionnellement le travail artistique et la performance musicale peuvent se réunir.

Équipement de production

Xchanges offre neuf studios individuels et pour groupes. La Société Photographique de Crossgrain fournit une chambre noire et l'équipement de studio pour les membres et aussi un atelier équipé d'instruments pour ces mêmes membres.

Services spéciaux

Chaque semaine, Xchanges offre des séances de dessin de modèles vivants.

Festivals

Xchanges participe à la Promenade d'art annuelle à Victoria (Moss Street Art Walk).

Karen Gillmore
Jillan Valpy
Meagan Dickie

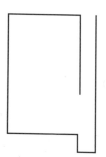

Floor area: 42.9 m²
Linear hanging surface: 52.8 m
Height: 2.4 m

Victoria ▶ Colombie-Britannique

ASSOCIATIONS

The Pacific Association of Artist Run Centres (PAARC)
303 East 8th Avenue
Vancouver (British Columbia) V5T 1S1
www.paarc.ca

Alliance for Arts and Culture
100 - 938 Howe Street
Vancouver (British Columbia) V6Z 1N9
T 604 681-3535
info@allianceforarts.com
www.allianceforarts.com

ArtStarts in Schools
808 Richards Street
Vancouver (British Columbia) V6B 3A7
T 604 878-7144
creativity@artstarts.com
www.artstarts.com

Assembly of (British Columbia) Arts Councils
PO Box 92 Station A
Nanaimo (British Columbia) V9R 5K4
T 250 754-3388
info@assemblybcartscouncils.ca
www.assemblybcartscouncils.ca

British Columbia Film
2225 West Broadway
Vancouver (British Columbia) V6K 2E4
T 604 736-7997
bcf@bcfilm.bc.ca
www.bcfilm.bc.ca

British Columbia Museums Association
204 - 26 Bastion Square
Victoria (British Columbia) V8W 1H9
T 250 356-5700
bcma@MuseumsAssn.bc.ca
www.museumsassn.bc.ca

Canadian Association for Photographic Art
Box 357
Logan Lake (British Columbia) V0K 1W0
capa@capacanada.ca
www.capacanada.ca

CARFAC British Columbia
100 - 938 Howe Street
Vancouver (British Columbia) V6Z 1N9
T 604 681-3535 ext. 208
bc@carfac.ca
www.carfacbc.org

**Fédération des francophones
de la Colombie-Britannique**
1575, 7e avenue Ouest
Vancouver (Colombie-Britannique) V6J 1S1
T 604 732-1420
ffcb@ffcb.ca
www.lacolombiebritannique.ca

Federation of Canadian Artists
1241 Cartwright Street
Vancouver (British Columbia) V6H 4B7
T 604 681-2744
fcaoffice@artists.ca
www.artists.ca

**First Peoples' Heritage,
Language & Culture Council**
1A Boat Ramp Road
Brentwood Bay (British Columbia) V8M 1N9
T 250 652-5952
info@fphlcc.ca
www.fphlcc.ca

ART COUNCILS AND CULTURE DEPARTMENTS / CONSEILS DES ARTS ET MINISTÈRES

ArtsPOD
c/o The Centre for Sustainability
1183 Melville Street
Vancouver (British Columbia) V6E 2X5
T 604 637-8297
www.centreforsustainability.ca

British Columbia Arts Council
PO Box 9819, Stn Prov Govt
Victoria (British Columbia) V8W 9W3
T 250 356-1718
bcartscouncil@gov.bc.ca
www.bcartscouncil.ca

Canadian Heritage / Patrimoine canadien
711 Broughton, 2nd Floor
Victoria (British Columbia) V8W 1E2
T 250 363-3511
www.pch.gc.ca

Canadian Heritage / Patrimoine canadien
300 West Georgia Street, Room 400
Vancouver (British Columbia) V6B 6C6
T 604 666-0176
wr-ro@pch.gc.ca
www.pch.gc.ca

CDR Arts Development Office
T 250 360-3215
www.crd.bc.ca/arts

FOUNDATIONS / FONDATIONS

First Peoples' Cultural Foundation
1A Boat Ramp Road
Brentwood Bay (British Columbia) V8M 1N9
T 250 652-5952
info@fpcf.ca
www.fpcf.ca

221A Artist Run Centre
100 - 221 E. Georgia Street
Vancouver (British Columbia) V6A 1Z6
T 604 568-0812
hello@221a.ca
www.221a.ca

Antisocial Gallery
2337 Main Street
Vancouver (British Columbia) V5T 3C9
T 604 708-5678
gallery@antisocialshop.com
www.antisocialshop.com

Architectural Institute of British Columbia
100 - 440 Cambie Street
Vancouver (British Columbia) V6B 2N5
T 604 683-8588
aibc@aibc.ca
www.aibc.ca

Art Gallery of Greater Victoria
1040 Moss Street
Victoria (British Columbia) V8V 4P1
T 250 384-4101
www.aggv.bc.ca

Blim
115 Pender Street E
Vancouver (British Columbia) V6A 1T6
T 604 872-8180
info@blim.ca
www.blim.ca

Contemporary Art Gallery (CAG)
555 Nelson Street
Vancouver (British Columbia) V6B 6R5
T 604 681-2700
info@contemporaryartgallery.ca
www.contemporaryartgallery.ca

Centre A, Vancouver Centre for Contemporary Asian Art
2 West Hastings Street
Vancouver (British Columbia) V6B 1G6
T 604 683-8326
info@centrea.org
www.centrea.org

Charles H. Scott Gallery
1399 Johnson Street
Vancouver (British Columbia) V6H 3R9
T 604 844-3809
scottgal@eciad.ca
www.chscott.ecuad.ca

Dynamo Arts Association
142 Hastings Street
Vancouver (British Columbia) V6B 1G8
T 604 602-9005

Gallery Vertigo
3001 - 31st Street, Suite 1
Vernon (British Columbia) V1T 5H8
T 250 503-2297
info@galleryvertigo.com
www.galleryvertigo.com

Grand Forks Art Gallery
P.O. Box 2140, 524 Central Avenue
Grand Forks (British Columbia) V0H 1H0
T 250 442-2211
www.grandforksartgallery.com

Kamloops Art Gallery
101 - 465 Victoria Street
Kamloops (British Columbia) V2C 2A9
T 250 377-2400
kamloopsartgallery@kag.bc.ca
www.kag.bc.ca

Kamloops Arts and Crafts Club
www.kamloopsartsandcraftsclub.com

Kelowna Art Gallery
1315 Water Street
Kelowna (British Columbia) V1Y 9R3
T 250 762-2226
kelowna.artgallery@shaw.ca
www.kelownaartgallery.com

Maltwood Art Museum and Gallery
University of Victoria
Box 3025 STN CSC
Victoria (British Columbia) V8W 3P2
T 250 721-6562
maltwood@uvic.ca
www.uvac.uvic.ca

Morris and Helen Belkin Art Gallery
1825 Main Mall
Vancouver (British Columbia) V6T 1Z2
T 604 822-2759
belkin.gallery@ubc.ca
www.belkin.ubc.ca

Penticton Art Gallery
199 Marina Way
Penticton (British Columbia) V2A 1H3
T 250 493-2928
agso@shawbiz.ca
www.pentictonartgallery.com

Presentation House Gallery
333 Chesterfield Avenue
North Vancouver (British Columbia) V7M 3G9
T 604 986-1351
www.presentationhousegall.com

Richmond Art Gallery
7700 Minoru Gate
Richmond (British Columbia) V6Y 1R9
T 604 247-8300
gallery@richmond.ca
www.richmondartgallery.org

The School for the Contemporary Arts
Simon Fraser University
8888 University Drive
Burnaby (British Columbia) V5A 1S6
T 604 291-3363
ca@sfu.ca
www.sfu.ca/sca

University of British Columbia
1866 Main Mall
Vancouver (British Columbia) V6T 1Z1
T 604 822.3828
www.arts.ubc.ca

Vancouver Art Gallery
750 Hornby Street
Vancouver (British Columbia) V6Z 2H7
T 604 662-4700
www.vanartgallery.bc.ca

Catriona Jeffries Gallery

274 East 1st Avenue
Vancouver (British Columbia) V5T 1A6
T 604 736-1554
gallery@catrionajeffries.com
www.catrionajeffries.com

Diane Farris Gallery

1590 West 7th Avenue
Vancouver (British Columbia) V6J 1S2
T 604 737-2629
art@dianefarrisgallery.com
www.dianefarrisgallery.com

Douglas Udell Gallery

1558 West 6th Avenue
Vancouver (British Columbia) V6J 1R2
T 604 736-8900
vancouver@douglasudellgallery.com
www.douglasudellgallery.com

Monte Clark Gallery

2339 Granville Street
Vancouver (British Columbia) V6H 3G4
T 604 730-5000
info@monteclarkgallery.com
www.monteclarkgallery.com

Antimatter Underground Film Festival

636 Yates Street
Victoria (British Columbia) V8W 1L3
T 250 385-3327
info@antimatter.ws
www.antimatter.ws

SWARM

swarm@paarc.ca
www.swarm.paarc.ca

Ressources ▶ Colombie-Britannique

ODD Gallery

Yukon
Northwest
Territories
Nunavut

Yukon
Territoires du Nord-Ouest
Nunavut

ODD Gallery at KIAC, 2010

Klondike Institute
of Art and Culture
Box 8000, 902 2nd Avenue
Dawson City (Yukon) Y0B 1G0
T 1 867 993-5005
F 1 867 993-5838
gallery@kiac.ca
www.kiac.ca

Tuesday to Friday
13 h – 17 h

Saturday
12 h – 17 h

The ODD Gallery is an innovative contemporary art space housed in the Klondike Institute of Art and Culture (KIAC) in Dawson City. Set against the dramatic backdrop of Yukon wilderness, the ODD Gallery is unique as the only non-commercial artist centre north of 60.

Exhibitions

The Gallery's year-round programming features solo and group exhibitions – juried by committee – by regional, national and international visual artists.

Residencies

The KIAC Artist in Residence Program provides regional, national and international visual artists with living accommodations and studio facilities for the research, development and production of ongoing projects and new bodies of work.
The program operates year-round and accommodates two artists concurrently for residencies of four to twelve weeks duration. Located in the historic Macaulay Residence – owned by Parks Canada – this program has become internationally reputed.

Both programs encourage community interaction through artists' and curators' talks, open studio workshops and youth programs, and facilitate the exchange of ideas between regional and national/international artists and audiences.

Le centre d'artistes autogéré ODD Gallery est situé au Klondike Institute of Art and Culture (KIAC). Ayant pour toile de fond la nature spectaculaire du Yukon, ODD Gallery est unique en ce sens qu'il s'agit du seul centre d'artistes autogéré sans but lucratif au nord du 60ᵉ parallèle.

Expositions

La programmation de la galerie, échelonnée sur toute l'année, comprend des expositions individuelles et collectives par des artistes de la scène régionale, nationale et internationale.

Résidences

Le programme de résidences d'artistes du KIAC offre le logement et un atelier aux practiciens des arts visuels et médiatiques de la scène régionale, nationale et internationale pour la recherche, l'élaboration et la production d'œuvres et de projets. Il fonctionne toute l'année et permet à deux artistes d'être simultanément en résidence pour une période de 4 à 12 semaines.

Le programme favorise l'interaction avec la communauté au moyen de conférences des artistes et des commissaires d'exposition, d'ateliers ouverts et d'activités destinées aux jeunes.

Director
Lance Blomgren

Submission deadline
April 1

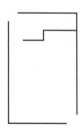

Floor area: 55.74 m²
Height: 2.9 m

ASSOCIATIONS

Association des francophones du Nunavut
CP 880
Iqaluit (Nunavut) X0A 0H0
T 867 979-4606
vieculturelle@nunafranc.ca
www.franconunavut.ca

Association franco-yukonnaise
302, rue Strickland
Whitehorse (Yukon) Y1A 2K1
T 867 668-2663
afy@afy.yk.ca
www.afy.yk.ca

Aurora Arts Society
P.O. Box 1042
Yellowknife (Northwest Territories) X1A 2P5
T 867 920-7079
info@aurora-arts.nt.ca
www.aurora-arts.nt.ca

Dawson City Arts Society
802 2nd Avenue
Dawson City (Yukon) Y0B 1G0
T 867 993-5005
www.dawsonarts.com

Fédération Franco-TéNoise
C.P. 1325
Yellowknife (Territoires du Nord-Ouest)
X1A 2N9
T 867 920-2919
fft@franco-nord.com
www.franco-nord.com

Inuit Heritage Trust Inc.
P.O Box 2080
Iqaluit (Nunavut) X0A 0H0
T 867 979-0731
heritage@nunanet.com
www.ihti.ca

Nunavut Arts and Crafts Association
P.O. Box 1539
Iqaluit (Nunavut) X0A 0H0
T 866 979-7808
arts@nunanet.com
www.nacaarts.org

**Society of Yukon Artists of Native Ancestry
(SYANA)**
205 - 302 Steele Street
Whitehorse (Yukon) Y1A 3C5
T 867 668-2695

ART COUNCILS AND CULTURE DEPARTMENTS / CONSEILS DES ARTS ET MINISTÈRES

Canadian Heritage / Patrimoine canadien
5101 50 Avenue, Office 319
P.O. Box 460
Yellowknife (Northwest Territories) X1A 2N4
T 867 766-8485
www.pch.gc.ca

Canadian Heritage / Patrimoine canadien (Iqaluit)
240 Graham Avenue, Suite 510
P.O. Box 2160
Winnipeg (Manitoba) R3C 3R5
T 866 426-8559
www.pch.gc.ca

Canadian Heritage / Patrimoine canadien
300 Main Street, Room 205
Whitehorse (Yukon) Y1A 2B5
T 867 667-3925
www.pch.gc.ca

**Nunavut Department of Culture, Language,
Elders and Youth**
P.O. Box 1000, Station 800
Iqaluit (Nunavut) X0A 0H0
T 867 975-5500
www.gov.nu.ca/cley

**Northwest Territories Department of Education,
Culture and Employment**
P.O. Box 1320
Yellowknife (Northwest Territories) X1A 2L9
T 867 766-5100
www.ece.gov.nt.ca

**Yukon Department of Tourism and Culture,
Cultural Services**
100 Hanson Street, Box 2703
Whitehorse (Yukon) Y1A 2C6
T 867 667-5264
www.tc.gov.yk.ca

Northwest Territories Arts Council
P.O. Box 1320
Yellowknife (Northwest Territories) X1A 2L9
T 867 920-6370
boris_atamanenko@gov.nt.ca
www.pwnhc.learnnet.nt.ca/artscouncil

EXHIBITION SPACES / LIEUX DE DIFFUSION

ArtsUnderground
Suite 15 – Lower Level Hougen Centre
305 Main Street
Whitehorse (Yukon) Y1A 2B4

Dänojà Zho Cultural Centre
P.O. Box 599
Dawson City (Yukon) Y0B 1G0
T 867 993-6768

Inuit Heritage Centre / Itsarnittakarvik
P.O. Box 149
Baker Lake (Nunavut) X0C 0A0
T 867 793-2598

Klondike Institute of Art and Culture (KIAC)
Bag 8000
Dawson City (Yukon) Y0B 1G0
T 867 993-5005
kiac@kiac.ca
www.kiac.ca

Prince of Wales Northern Heritage Centre
4750 48 Street P.O. Box 1320
Yellowknife (Northwest Territories) X1A 2L9
T 867 873-7551
www.pwnhc.ca

Ted Harrison Artist Retreat Society
P.O. Box 31544
Whitehorse (Yukon) Y1A 6L2
www.thars.ca

Teslin Tlingit Heritage Centre
P.O. Box 133
Teslin (Yukon) Y0A 1B0
T 867 390-2070

Yukon Artists @ Work Gallery
200 - 120 Industrial Road
Whitehorse (Yukon)
www.yaaw.com

Yukon Arts Centre Public Art Gallery
300 College Drive
Whitehorse (Yukon)
www.yukonartscentre.org

FESTIVALS AND EVENTS / FESTIVALS ET ÉVÉNEMENTS

Arts in the Park
c/o Yukon Arts Society
305 Main Street, Suite 15
Whitehorse (Yukon) Y1A 2B4
T 867 667-4080

The Great Northern Arts Society Festival
P.O. Box 2921
Inuvik (Northwest Territories) X0E 0T0
T 867 777-8638
gnaf@town.inuvik.nt.ca
www.gnaf.ca

Yukon Riverside Arts Fest
www.kiac.ca/artsfest

CANADA RESSOURCES__RESOURCES

ASSOCIATIONS

**ACC/CCA Aboriginal Curatorial Collective /
Collectif des conservateurs autochtone**
C/O Ryan Rice
P.O. Box 498
Kahnawake (Quebec) J0L 1B0
contactacc@aboriginalcuratorialcollective.org
www.aboriginalcuratorialcollective.org

**Artist-Run Centres and Collectives Conference
/ La Conférence des collectifs et des centres
d'artistes autogérés (ARCA)**
C.P. 125, Succ. C
Montréal (Québec) H2L 4J7
info@arccc-cccaa.org
www.arccc-cccaa.org

**Access Copyright - The Canadian Copyright
Licensing Agency**
One Yonge Street, Suite 800
Toronto (Ontario) M5E 1E5
T 416 868-1620
info@accesscopyright.ca
www.accesscopyright.ca

**ALAI Canada - Association littéraire
et artistique canadienne**
B.P. 61534, Succ. Tétreault-Ville
Montréal (Québec) H1L 6R1
T 514 993-1556
alaican@aei.ca
www.alai.ca

**Art Dealers Association of Canada /
Association des marchands d'art du Canada**
511 King Street West, Suite 302
Toronto (Ontario) M5V 1K4
T 416 934-1583
info@ad-ac.ca
www.ad-ac.ca

ArtsSmarts - GénieArts
Canadian Conference of the Arts
2-265 Laurier Avenue East
Ottawa (Ontario) K1N 6P7
T 819 827-9275
aadait@sympatico.ca
www.artssmarts.ca

**Association des groupes en arts visuels
francophones (AGAVF)**
B.P. 7131, succursale Vanier
Ottawa (Ontario) K1L 8E2
T 613 244-9584
lleblanc@agavf.ca
www.agavf.ca

**Association des musées canadiens /
Canadian Museums Association**
280, rue Metcalfe, bureau 400
Ottawa (Ontario) K2P 1R7
T 613 567-0099
info@musees.ca
www.museums.ca

**Association for Native Development
in the Performing and Visual Arts**
c/o Artscape Wychwood Barns
601 Christie Street, Studio 171
Toronto (Ontario) M6G 4C7
T 416 535-4567
cynthia@andpva.com
www.andpva.com

Business for the Arts
165 University Avenue, Suite 707
Toronto (Ontario) M5H 3B8
T 416 869-3016
info@businessforarts.org
www.businessforarts.org

**Canadian Artists' Representation /
Le Front des artistes canadiens (CARFAC)**
2 Daly Av. Suite 250
Ottawa (Ontario) K1N 6E2
T 613 233-6161
carfac@carfac.ca
www.carfac.ca

Canadian Copyright Institute
35 Spadina Road
Toronto (Ontario) M5R 2S9
T 416 975-1756
info@thecci.ca
www.canadiancopyrightinstitute.ca

**Coalition canadienne des arts /
Canadian Arts Coalition**
info@lacoalitioncanadiennedesarts.ca
www.lacoalitioncanadiennedesarts.ca

**Coalition pour la diversité culturelle /
Coalition for Cultural Diversity**
154, avenue Laurier Ouest, bureau 240
Montréal (Québec) H2T 2N7
T 514 277-2666
coalition@cdc-ccd.org
www.cdc-ccd.org

**Commission du droit d'auteur du Canada /
Copyright Board of Canada**
56, rue Sparks, bureau 800
Ottawa (Ontario) K1A 0C9
T 613 952-8621
secretariat@cb-cda.gc.ca
www.cb-cda.gc.ca

**Conférence canadienne des arts /
Canadian Conference of the Arts**
406-130, rue Slater
Ottawa (Ontario) K1P 6E2
T 613 238-3561
info@ccarts.ca
www.ccarts.ca

**Conseil des ressources humaines du secteur
culturel / Cultural Human Resources Council**
17, rue York, bureau 201
Ottawa (Ontario) K1N 9J6
T 613 562-1535
info@culturalhrc.ca
www.culturalhrc.ca

Council for Business and the Arts in Canada
165 University Avenue, Suite 903
Toronto (Ontario) M5H 3B8
T 416 869-3016
info@businessforarts.org
www.businessforarts.org

Fédération culturelle canadienne-française
450, rue Rideau, bureau 405
Ottawa (Ontario) K1N 5Z4
T 613 241-8770
www.fccf.ca

IMAA-AAMI
Alliance des arts médiatiques indépendants /
Independent Media Arts Alliance
6560, avenue de l'Esplanade, bureau 304
Montréal (Québec) H2V 4L5
T 514 522-8240
info@imaa.ca
www.imaa.ca

International Network for Cultural Diversity /
Réseau international pour la diversité culturelle
5 Brulé Crescent
Toronto (Ontario) M6S 4H8
T 416 268-5665
incd@neilcraigassociates.com
www.incd.net

KickStart
2702 Norland Avenue
Burnaby (British Columbia) V5A 3A6
T 604 292-1296
info@kickstart-arts.ca
www.kickstart-arts.ca

CONSEILS DES ARTS ET MINISTÈRES /
ART COUNCILS AND CULTURE DEPARTMENTS

Affaires étrangères Canada /
Foreign Affairs Canada
125, promenade Sussex
Ottawa (Ontario) K1A 0G2
T 1 800 267-8376
culture.aca@international.gc.ca
www.dfait-maeci.gc.ca

Conseil des Arts du Canada /
Canada Council for the Arts
350, rue Albert, C.P. 1047
Ottawa (Ontario) K1P 5V8
T 1 800 263-5588
www.conseildesarts.ca

Office de la propriété intellectuelle du Canada
(OPIC) / Canadian Intellectual Property Office (CIPO)
Place du Portage I, 50, rue Victoria, bureau C-114
Gatineau (Québec) K1A 0C9
T 819 997-1936
opic.contact@ic.gc.ca
www.cipo.gc.ca

Patrimoine canadien / Canadian Heritage
15, rue Eddy, 3e étage
Gatineau (Québec) K1A 0M5
1 866 811-0055
www.pch.gc.ca

FONDATIONS / FOUNDATIONS

Imagine Canada - Ottawa
1705 - 130 Albert Street
Ottawa (Ontario) K1P 5G4
T 613 238-7555
www.imaginecanada.ca

Inuit Art Foundation
2081 Merivale Road
Ottawa (Ontario) K2G 1G9
T 613 224-8189
iaf@inuitart.org
www.inuitart.org

National Aboriginal Achievement Foundation
P.O. Box 759
2160 Fourth Line Rd.
Six Nations of the Grand River
Ohsweken (Ontario) N0A 1M0
info@naaf.ca
www.naaf.ca

RECHERCHE ET DOCUMENTATION /
RESEARCH AND DOCUMENTATION

Artexte
T 514 874-0049
info@artexte.ca
www.artexte.ca

Bibliothèque et archives Canada /
Library and Archives Canada
395, rue Wellington
Ottawa (Ontario) K1A 0N4
T 613 996-5115
www.collectionscanada.ca

The Canadian Art Database /
La base de données sur l'art canadien
18 Gore Street
Toronto (Ontario) M6J 2C6
T 416 533-4810
info@ccca.ca
www.ccca.ca

REVUES ET ÉDITEURS__MAGAZINES AND PUBLISHERS

Akimbo Art Promotions
P.O. Box 278, Station P
Toronto (Ontario) M5S 2S8
info@akimbo.ca
www.akimbo.ca

Anteism
harley@anteism.com
www.anteism.com

Art Le Sabord
167, rue Laviolette, C.P. 1925
Trois-Rivières (Québec) G9A 5M6
T 819 375-6223
art@lesabord.qc.ca
www.lesabord.qc.ca

BlackFlash
P.O. Box 7381 Station Main
Saskatoon (Saskatchewan) S7K 0H5
T 306 374-5115
bf.info[at]blackflash.ca
www.blackflash.ca

Border Crossings
500 - 70 Arthur Street
Winnipeg (Manitoba) R3B 1G7
T 204 942-5778
bordercrossings@mts.net
www.bordercrossingsmag.com

Broken Jaw Press
PO Box 596, Station A
Fredericton (New Brunswick) E3B 5A6
T 506 454-5127
jblades@brokenjaw.com
www.brokenjaw.com

Bywater Bros. Editions
bywaterbros@gmail.com
www.bywaterbros.com

C Magazine
P.O. Box 5, Station B
Toronto (Ontario) M5T 2T2
T 416 539-9495
info@cmagazine.com
www.cmagazine.com

Canadian Art Magazine
215 Spadina Avenue, Suite 320
Toronto (Ontario) M5T 2C7
T 416 368-8854
info@canadianart.ca
www.canadianart.ca

**Charles H. Scott Gallery /
Emily Carr University Press**
Emily Carr University
1399 Johnston Street
Vancouver (British Columbia) V6H 3R9
www.chscott.ecuad.ca/ecupress

Conundrum Press
www.conundrumpress.com

CV photo
661, rue Rose-de-Lima, bureau 204
Montréal (Québec) H4C 2L7
T 514 390-1193
info@cielvariable.ca
www.cielvariable.ca

Espace sculpture magazine
4888, rue Saint-Denis
Montréal (Québec) H2J 2L6
T 514 844-9858
espace@espace-sculpture.com
www.espace-sculpture.com

esse arts + opinions
C.P. 56, succ. de Lorimier
Montréal (Québec) H2H 2N6
T 514 521-8597
revue@esse.ca
www.esse.ca

ETC Montréal
1435, rue Saint-Alexandre, bureau 250
Montréal (Québec) H3A 2G4
T 514 848-1125
etc.artactuel@videotron.ca
www.etcmontreal.com

Fabulous Fictions and Peculiar Practices
T 416 466 2999
www.fabulousfictions.com

Fillip by the Projectile Publishing Society
305 Cambie Street
Vancouver (British Columbia) V6E 2N4
www.fillip.ca

FUSE Magazine
401 Richmond Street West, Suite 454
Toronto (Ontario) M5V 3A8
T 416 340-8026
info@fusemagazine.org
www.fusemagazine.org

Hunter and Cook Magazine
www.hunterandcook.com

Inter, Art Actuel
345, rue du Pont
Québec (Québec) G1K 6M4
T 418 529-9680
infos@inter-lelieu.org
www.inter-lelieu.org

Islands Fold
www.islandsfold.com

Maisonneuve
4413, avenue Harvard
Montreal (Québec) H4A 2W9
T 514 482-5089
www.maisonneuve.org

Matrix magazine
1400, boulevard de Maisonneuve Ouest, LB 658
Montreal (Québec) H3G 1M8
info@matrixmagazine.org
www.matrixmagazine.org

Mix - Independent art and culture magazine
401 Richmond Street West, Suite 446
Toronto (Ontario) M5V 3A8
T 416 506-1012
mix@web.ca
www.mixmagazine.com

MUSE Magazine
280, rue Metcalfe , bureau 400
Ottawa (Ontario) K2P 1R7
T 613 567-0099
info@museums.ca
www.musees.ca

Muséologies
www.museologies.org

OVNI Magazine / Le Quartanier
4418, rue Messier
Montréal (Québec) H2H 2H9
lequartanier@videotron.ca
T 514 692-5276
www.lequartanier.com

Possibles
5070, rue de Lanaudière
Montréal (Québec) H2J 3R1
T 514 529-1316
www.possibles.cam.org

Prefix Photo
401 Richmond Street West, Box 124
Suite 124
Toronto (Ontario) M5V 3A8
T 416 591-0357
info@prefix.ca
www.prefix.ca

Presentation House Gallery
www.presentationhousegall.com

The Press of Nova Scotia
College of Art and Design
www.nscad.ca/thepress

Pyramid Power
www.pyramidpower.ca

Spirale
6742, rue Saint-Denis
Montréal (Québec) H2S 2S2
T 514 934-5651
spiralemagazine@yahoo.com
www.spiralemagazine.com

Vie des Arts
486, rue Sainte-Catherine Ouest, bureau 400
Montréal (Québec) H3B 1A6
T 514 282-0205
admin@viedesarts.com
www.viedesarts.com

Visual Arts News
1113 Marginal Road
Halifax (Nova Scotia) B3H 4P7
T 902 455-6960
www.visualartsnews.ca

Workprint Newsletter
5600 Sackville Street
Halifax (Nova Scotia) B3J 2Z1
T 902 420-4572
admin@afcoop.ca
www.afcoop.ca

PROFESSION ARTISTE

MA CRÉATION, MES DROITS :
C'EST MON AFFAIRE ET J'Y VOIS !

www.RAAV.org | **raav@raav.org**
514 866-7101

LE REGROUPEMENT
DES ARTISTES EN ARTS VISUELS
DU QUÉBEC

esse

arts + opinions

REVUE D'ART
ACTUEL
—
CONTEMPORARY
ART MAGAZINE

Erwin Wurm, *Freud's Ass*, « Désespéré/Desperate », Galerie de l'UQAM, 2008 © Erwin Wurm / SODRAC 2010.
esse 68 — Sabotage

Photos: Nat Gorry

MUSÉE D'ART CONTEMPORAIN DE MONTRÉAL
Québec

La Médiathèque du Musée

La plus grande bibliothèque, ouverte au public, consacrée à l'art contemporain au Canada.

40 000 monographies et catalogues d'expositions 10 000 dossiers d'artistes 3000 dossiers historiques des expositions et des événements du Musée depuis 1964 800 vidéos documentaires 400 titres de périodiques Et de nombreuses banques de données spécialisées

media.macm.org
Du mardi au vendredi de 11 h à 16 h 30 et les mercredis jusqu'à 20 h 30

BlackFlash
magazine

PO Box 7381 Saskatoon, SK, S7K 4J3   (306)-374-5115
Managing Editor: John Shelling
Publishes: 3x a year
Submission Deadlines: Fall: April 1, Winter: August 1, Summer: December 1
To submit to BlackFlash visit www.blackflash.ca/submit

BlackFlash Magazine produced its first issue in March 1983 as a newsletter for the members of the Saskatoon Artist Run Centre The Photographer's Gallery. Now, more than 28 years later, BlackFlash is completely independent and proud to be an award winning magazine. Published from Saskatchewan, but dedicated to representing artists from diverse backgrounds and regions across Canada, BlackFlash distributes to a national readership. Within BlackFlash you will find critical opinions and ideas about the most interesting contemporary photography and new media art from emerging and established artists, writers, and curators.

muséologies

les cahiers d'études supérieures

Par la diffusion des résultats de travaux de recherche des jeunes chercheurs en muséologie, par la réalisation d'entrevues de fond avec des acteurs importants du milieu et par le suivi des évènements incontournables ayant lieu dans le domaine, Muséologies contribue à la création d'une synergie entre l'environnement universitaire et muséal.

etc
REVUE DE L'ART ACTUEL

Une revue de tête

ABONNEZ-VOUS À LA REVUE *PREFIX PHOTO*
SUBSCRIBE TO *PREFIX PHOTO* MAGAZINE

Prefix Institute of Contemporary Art
Suite 124, Box 124
401 Richmond Street West
Toronto, Ontario, Canada M5V 3A8
T 416.591.0357 F 416.591.0358
info@prefix.ca www.prefix.ca
Photo Magazine. Visual, Audio and Surround Art Galleries.
Reference Library. Small Press. Travelling Shows.

PREFIX.

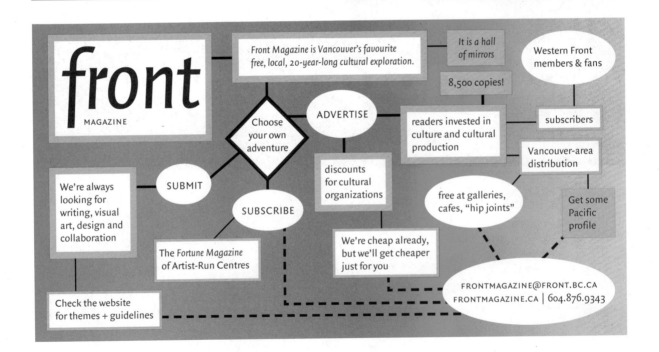

Association des
groupes en arts visuels
francophones (AGAVF)

Plains Association of
Artist-Run Centres (PARCA)

Regroupement des
centres d'artistes
autogérés du Québec
(RCAAQ)

Alberta Association of
Artist-Run Centres (AAARC)

The Aboriginal Region /
La Région autochtone

Association of
Artist-Run Centres
from the Atlantic
(AARCA)

VERRUE (Manitoba)

Pacific Association of
Artist-Run Centres (PAARC)

Artist-Run Centres
and Collectives of
Ontario (ARCCO)

arca

Artist-Run Centres and Collectives Conference /
Conférence des collectifs et des centres d'artistes autogérés

http://www.arccc-cccaa.org
info@arccc-cccaa.org

explorer d'autres manières d'habiter le réel
exploring renewed ways to inhabit the real

JE PRENDS
LE BUS

YEAR THAT
HOMELESS
PEOPLE

3e

impérial
CENTRE D'ESSAI EN
art actuel

www.3e-imperial.org

rcaaq
REGROUPEMENT DES CENTRES
D'ARTISTES AUTOGÉRÉS DU QUÉBEC

Conseil des Arts
du Canada   Canada Council
for the Arts

Conseil des arts
et des lettres
Québec

⠒⠭⠭⠕⠂ PERTE DE SIGNAL

ARTS MÉDIATIQUES
Diffusion ¦ Représentation d'artistes
Rustines|Lab - Résidences ¦ Production
perte-de-signal.org

A Space • Artcite • Art Metropole • ARTSPACE • Alucine, Toronto Latino Filim and Video Festival (Southern Currents) • Association des groupes en arts visuels francophons (AGAVF) • Available Light Screening Collective • CARFAC ONTARIO (Canadian Artists' Representation / le Front des artistes canadiens Ontario) • CAFKA / Contemporary Art Forum Kitchener and Area • Canadian Filmmakers Distribution Centre (CFMDC) • Charles Street Video • Definitely Superior • Ed Video • The Factory • FADO • FOFA (Faculty of Fine Arts) • The Forest City Gallery • Galerie du Nouvel-Ontario • Galerie SAW Gallery • Gallery 44 • Gallery 96 • Gallery 101. Galerie 101 • Gallery 1313 • Gallery TPW • Globe Studios • Hamilton Artists Inc. • IFCO/Independent Filmmakers Cooperative of Ottawa • Images Festival • imagineNATIVE Film + Media Art Festival • InterAccess Electronic Media Arts Centre • Liaison of Independent Filmmakers of Toronto (LIFT) • Le Labo • Le Centre d'artistes Voix Visuelle • Mercer Union • Modern Fuel Artist-Run Centre • Niagara Artists' Company • Open Studio • Organization of Kingston Women Artists • RCAAQ/regroupement des centres d'artistes autogeres du Québec • Toronto Reel Asian International Film Festival • SAVAC (South Asian Visual Arts Collective) • SAW Video Association • WARC Gallery • V Tape • White Water Gallery • XPACE • YYZ

ARCCO
ARTIST-RUN CENTRES & COLLECTIVES OF ONTARIO

Jewell Goodwyn
Executive Director
ARCCO
P.O. Box 44026
Market Tower Lane Postal Outlet
141 Dundas Street
London, Ontario N6A 5S5
T: 519-672-7898
E: arcco@bellnet.ca
W: www.arcco.ca

Une production de
A production of

**MANIFESTATION
INTERNATIONALE
D'ART DE QUÉBEC**

www.manifdart.org
info@manifdart.org

MANIF
D'ART 6 7
LA BIENNALE DE QUÉBEC

6e ÉDITION / MAI À JUIN 2012 | **6th EDITION / MAY TO JUNE 2012**
7e ÉDITION / MAI À JUIN 2014 | **7th EDITION / MAY TO JUNE 2014**

*Conseil des arts
et des lettres*
Québec

Conseil des Arts
du Canada   Canada Council
for the Arts

VILLE DE
QUÉBEC

 Patrimoine
canadien   Canadian
Heritage

on a redessiné
LANGAGE PLUS
POUR VOUS

++ DE RÉSIDENCES
++ DE SALLES D'EXPOSITIONS
++ D'ÉQUIPEMENTS
++ D'ESPACES DE TRAVAIL
++ DE DIVERSITÉS DANS LA PROGRAMMATION
++ D'ACTIVITÉS ÉDUCATIVES

ET TOUJOURS LE MÊME DÉSIR DE FAIRE +

555, RUE COLLARD OUEST, ALMA (QC) G8B 5W1
LANGAGEPLUS.COM/INFO@LANGAGEPLUS.COM
418 668-6635

Independent
Media Arts Alliance
Alliance des arts
médiatiques indépendants

Representing over 80 independent film, video, and new media production, distribution, and exhibition organizations across Canada, the IMAA serves over 12,000 independent media artists and cultural workers.

Représentant plus de 80 organisations indépendantes de production, distribution et diffusion en cinéma, vidéo et nouveaux médias, l'AAMI sert ainsi plus de 12 000 artistes indépendants et travailleurs culturels.

www.imaa.ca

6560 de l'Esplanade #304 Montréal QC H2V 4L5 (514) 522-8240

SPOROBOLE
CENTRE EN ART ACTUEL

74, rue Albert
Sherbrooke (Québec) J1H 1M9
819-821-2326

www.sporobole.org
info@sporobole.org

LE CENTRE SPOROBOLE SE POSITIONNE COMME UN PÔLE DE DIFFUSION ET D'ÉCHANGES DONT LES ŒUVRES ET LES ACTIONS S'INSCRIVENT DANS LES ENJEUX DE L'ART ACTUEL. SES ACTIVITÉS TROUVENT ÉCHO DANS UN RÉSEAU NATIONAL ET SE RÉPERCUTENT AUPRÈS DE SA COMMUNAUTÉ. IL DEVIENT UN LIEU PHARE DE DIFFUSION ET DE PRODUCTION DE L'ART ACTUEL DANS SA TRAME URBAINE ET RÉGIONALE ET, EN CE SENS, JOUE UN RÔLE D'OUVERTURE ET DE MÉDIATION AUPRÈS DE SON PUBLIC IMMÉDIAT. IL S'ENGAGE À DIFFUSER DES PRATIQUES DE TOUTES DISCIPLINES AUTANT D'ARTISTES DE LA RELÈVE QUE D'ARTISTES À MI-CARRIÈRE. SPOROBOLE EST MEMBRE RÉGULIER DU REGROUPEMENT DES CENTRES AUTOGÉRÉS DU QUÉBEC (RCAAQ).

THE CENTRE SPOROBOLE IS A SITE OF DISSEMINATION AND DIALOGUE, FEATURING ARTWORKS AND ACTIONS THAT REFLECT CURRENT ART PRACTICES. ITS ACTIVITIES ENGAGE WITHIN A NATIONAL NETWORK AS WELL AS WITH ITS SURROUNDING COMMUNITY. SPOROBOLE IS AN IMPORTANT SPACE FOR THE PRESENTATION AND PRODUCTION OF CURRENT ART WITHIN URBAN AND REGIONAL FRAMEWORKS, AND, IN THIS WAY, PLAYS A ROLE OF CULTURAL MEDIATION, GENERATING AWARENESS ABOUT ART TO ITS IMMEDIATE PUBLIC. IT IS COMMITTED TO PRESENTING PRACTICES FROM ALL DISCIPLINES BY BOTH EMERGING AND MID-CAREER ARTISTS. SPOROBOLE IS AN ACTIVE MEMBER OF THE REGROUPEMENT DES CENTRES AUTOGÉRÉS DU QUÉBEC (RCAAQ).

GALERIE LEONARD & BINA ELLEN
UNIVERSITÉ CONCORDIA
EXPOSITIONS
PUBLICATIONS
DÉBATS
PROJECTIONS
PERFORMANCES
CONFÉRENCES
RECHERCHE
RÉFLEXION
ART ACTUEL + CONTEMPORAIN
ARTISTES + COMMISSAIRES
D'ICI + D'AILLEURS

LA PROGRAMMATION REÇOIT L'APPUI DU CONSEIL DES ARTS DU CANADA

Optica

www.optica.ca

expositions publications résidences

un lieu de diffusion dédié aux pratiques contemporaines de la scène locale, nationale et internationale. un programme varié d'expositions – la production de commissariats , ainsi que des colloques + des rencontres avec les artistes. une réflexion critique sur l'actualité de l'art, soutenue par une activité éditoriale. les archives électroniques_décades_ où est répertoriée la documentation du centre depuis sa fondation. une approche de l'art qui valorise la recherche et stimule la création d'œuvres nouvelles. une politique éditoriale qui privilégie les essais théoriques de nature interdisciplinaire, les actes de colloque, les livres d'artistes de même qu'une variété de supports de diffusion (multiples). une résidence + bourse de recherche dédiée à la jeune création. une équipe qualifiée. des rencontres avec des professionnels du milieu. OPTICA

MUSEE D'ART DE JOLIETTE

UN REGARD UNIQUE SUR L'ART

Venez vivre l'expérience contemporaine du MAJ à travers une collection de près de 9 000 œuvres et une variété d'expositions temporaires et permanentes qui sauront vous surprendre.

Heures d'ouvertures
Du mardi au dimanche, de 12 h à 17 h

Musée d'art de Joliette
145, rue du Père-Wilfrid-Corbeil
Joliette (Québec) J6E 4T4

Pour tout savoir sur le MAJ et ses activités
www.museejoliette.org

Musée d'art de Joliette, Ed Pien, *Haven*, 2007
Photo : Richard-Max Tremblay

SYLVIE TOURANGEAU

ART PERFORMANCE
FORMATION / WORKSHOP / COACHING
DEPUIS 1983
POUR INDIVIDUS ET ORGANISMES

ART PERFORMANCE ART I (3 jours)
basic principles, mise en condition, performative, expérimentation du mode performatif

ART PERFORMANCE ART II (3 days)
structuring and articulating individual practice, commentaires personnalisés

ART PERFORMANCE ART III (3 jours)
personnalisation de son attitude et de ses structures performatives, active coaching

formation pratique et notions théoriques / practical training and theoretical notions

PRATIQUES RELATIONNELLES / RELATIONAL ART (3 à 5 jours)
art infiltrant, pratiques furtives, time-based performance, transactional practices

ATELIER RÉSIDENCE (5 jours)
en saison estivale / annual summer residency workshop

ATELIER / WORKSHOP FOR INTERNATIONAL FESTIVALS — AVEC LE COLLECTIF TouVA
soutien offert aux performeurs / coaching for performers

COACHING INDIVIDUEL OU POUR COLLECTIF D'ARTISTES
selon vos besoins / according to your needs

les prix varient selon la formation et le financement obtenu.
prices vary according to the workshop and the funding obtained.

information :
stsylvietourangeau@gmail.com

la filature ^{inc.}

www.lafilature.qc.ca

La Filature est un lieu de création et de diffusion des arts visuels et des arts médiatiques établi à Gatineau (Québec).

La Filature is a space for the production and presentation of visual arts and media arts based in Gatineau (Quebec).

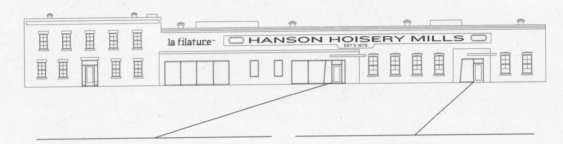

AXENÉO7

AXENÉO7, un centre d'artistes voué à la diffusion des arts actuels dans la multiplicité de ses médiums

AXENÉO7, an artist center dedicated to the dissemination of contemporary practices belonging to the realm of visual art

· 3 SALLES D'EXPOSITION
· RÉSIDENCE AVEC ATELIER DE PRODUCTION
· RÉSIDENCE IN SITU
· PUBLICATION

· *3 EXHIBITION ROOMS*
· *RESIDENCY WITH WORKSHOP*
· *IN SITU RESIDENCIES*
· *PUBLICATION*

www.axeneo7.qc.ca

DAÏMON

Production et diffusion des arts médiatiques et de la photographie

Production and presentation of media arts and photography

· RÉSIDENCES D'ARTISTES
· MONTAGE AUDIO & VIDÉO
· STUDIŌ MULTI
· PHOTOGRAPHIE NUMÉRIQUE
· CHAMBRE NOIRE
· FORMATIONS

· *ARTIST RESIDENCIES*
· *VIDEO & AUDIO FACILITIES*
· *MULTI-PURPOSE STUDIŌ*
· *DIGITAL & DARKROOM-PHOTOGRAPHY*
· *WORKSHOPS*

www.daimon.qc.ca

www.galerieb312.ca

FOFA GALLERY

1515 STE. CATHERINE STREET WEST, EV 1.715, MONTREAL, QUEBEC | 514-848-2424 EXT. 7962
FOFAGALLERY.CONCORDIA.CA

image – AKVK, 2010 | photograph par Guy L'Heureux

....

* LE REGROUPEMENT
DES CENTRES D'ARTISTES AUTOGÉRÉS DU QUÉBEC
rcaaq

Organisme de services, instrument de promotion et de ralliement à l'échelle nationale, le RCAAQ travaille au rayonnement de ses soixante-neuf membres et au soutien des associations québécoises et canadiennes œuvrant à la diffusion des arts visuels. Le RCAAQ encourage la recherche et l'expérimentation artistique, la gestion par les artistes et le développement de l'art dans la société. Depuis sa création en 1986, le Regroupement des centres d'artistes autogérés du Québec est devenu un porte-parole majeur des arts visuels au Québec.

Réseau Art Actuel   Librairie   Formation   Répertoire

* RCAAQ.ORG
Pour tout savoir sur l'art actuel !

The RCAAQ services its sixty-nine member organizations, and additional affiliate associations in Quebec and across Canada, through the active promotion and advocacy of visual arts nationwide. The RCAAQ encourages research and experimentation in the arts, artist self-management, and the development of art in society. Established in 1986, the Regroupement des centres d'artistes autogérés du Québec has become a leading ambassador for the visual arts in Quebec.

Contemporary Art Network   Bookstore   Professional Trainings   Directory

* RCAAQ.ORG
Everything you need to know about contemporary art!

....

POUR TOUT SAVOIR SUR L'ART ACTUEL AU JOUR LE JOUR

Actualités Programmation Vernissages Formations
Offres d'emploi Appels de dossiers Résidences d'artistes Publications

→ RESEAUARTACTUEL.ORG
Une initiative du Regroupement des centres d'artistes autogérés du Québec

POUR ANNONCER SUR RÉSEAU ART ACTUEL
Galeries, maisons de la culture, musées, centres d'exposition, galeries universitaires, événements, biennales, revues culturelles et centres d'artistes, faites comme plus de 120 autres organismes et annoncez votre programmation, à peu de frais, en écrivant à communication@rcaaq.org
Prenez part au Réseau !

rcaaq

CONTEMPORARY ART DAY BY DAY. EVERYTHING YOU NEED TO KNOW!

News Exhibitions Openings Training Job opportunities
Call for submissions Artist residencies Publications

→ RESEAUARTACTUEL.ORG
An initiative of the Regroupement des centres d'artistes autogérés du Québec

TO ADVERTIZE ON RÉSEAU ART ACTUEL (CONTEMPORARY ART NETWORK)
Galeries, maisons de la culture, museums, exhibition centres, university galleries, events, Biennials, cultural magazines and artist-run centres — join over 120 other organizations and advertise your activities, at affordable rates, by writing to communication@rcaaq.org
Be part of the Network!

**POUR SOULIGNER SES 25 ANS,
LE ⌐⊏aaⴓ EMMÉNAGE AU
2-22, RUE SAINTE-CATHERINE EST À L'ÉTÉ 2011.**

**TO CELEBRATE ITS 25TH ANNIVERSARY,
THE ⌐⊏aaⴓ IS MOVING TO 2-22 SAINTE-CATHERINE STREET EAST
IN THE SUMMER OF 2011.**

Venez visiter la Librairie Art Actuel
Come visit the Art Now Bookstore

INDEX

▲ Index

▲ Index

▲ Index